国際私法入門

〔第9版〕

澤木敬郎
道垣内正人 著

有斐閣双書

第9版 はしがき

本書の原著者である澤木敬郎先生は，1993年9月20日，62歳という若さでお亡くなりになった。本書の1990年の第3版までは澤木先生の単著であり，私は大学での講義をするようになった当初から一貫して本書をテキストとして指定してきていた。そのような私にとって，第4版から共著者として本書を引き継いだことは大変な栄誉であった。とはいえ，1996年の第4版の作成は澤木先生がお亡くなりになった後であり，作業は容易ではなかった。多くの点で澤木説と同じであるからこそ私は講義で使っていたのであるが，すべての点において同じ見解ではないからである。見解が異なる場合には熟慮の末，独立の研究者として私の責任で修正を行い，全体として整合するようにした。

澤木先生亡き後，法の適用に関する通則法がわが国の国際私法の基本法典となり，また，民事訴訟法等への国際裁判管轄規定の新設，民事裁判権に関する国連条約を踏まえた法整備，仲裁法の制定，調停に関するシンガポール条約の批准に伴う国内法整備，倒産法制の一新に伴う国際倒産に関する規定の整備等，ベースとなる法律が大きく変化した。また，様々な論点について，最高裁の重要な判決が下され，多くの下級審裁判例も蓄積されていった。1898年の法例は長い間ほぼ手つかずで，また，多くの事項について法の欠缺があった時代が長く続いてきたことと比べると，このところの国際民事手続法を含む国際私法の法整備は隔世の感がある。本書は，そのような法整備に伴って版を重ねていった。この第9版も，2018年の第8版発行後の法律・判例等の変化に対応するための改訂である。

いま翻って，澤木先生がご存命であれば本書をどのように評されるかを考えると，私のしてきたことについてお叱りを受けるのではないかと危惧する。とくに，日本の国際私法について論じる事項があまりに増えてしまい，かつて澤木先生がその深い法制史的・比較法的研究を背景として記述された箇所を削らざるを得ない状況となってしまったことはもったいないことであった。しかし，他方で，澤木先生が温和な表情で，時代とともに国際私法学も変化すべきであり，必要だと信ずることは臆することなくすべきだし，日本の国際私法のボリュームが増えたことは喜ばしいことだよと，お許し下さるのではないかとも思う。本書の改訂を引き継いで以降，多くの同僚と議論を交わし，様々な角度から検討を行ってきたのは，そのような揺れ動く心を鎮めるためであった。いずれにしても，本書の評価は読者がすべきことであり，すべての責任は第 4 版以降大幅な修正を繰り返してきた私が負うほかない。こうして第 9 版となった本書を世に出す以上は私として全力を尽くしたつもりである。少なくとも澤木先生が意図された簡潔で分かりやすいテキストという点だけでも維持できていれば幸いである。

最後に，恩師である池原季雄先生・三ケ月章先生の学恩に感謝申し上げるとともに，有斐閣の方々，特に副島嘉博氏・藤本依子氏にも厚くお礼申し上げる。

2024 年 7 月

道垣内　正人

初版 はしがき

第二次大戦後，外国軍隊の駐留，朝鮮・台湾の分離・独立，国際的経済関係の緊密化というような事情のなかで，われわれの生活環境は急速に国際化した。国際結婚はもはや珍しいことではなくなったし，ほとんどすべてのわが国の企業は何らかの形で国際取引に関係をもっているといっても誇張ではないと思われる。プラント輸出，技術提携，外資導入，合弁事業，為替レートなどの言葉は，日常的に用いられるようになっているし，われわれの生活には多くの外国製品が利用されている。このような国際的な生活の中で発生してくる法律問題をとり扱うのが国際私法であるから，それは，われわれにとって身近で，そして重要な法律であるといわなければならないであろう。従来，ほんのわずかな数の事件しか発生せず，学説法と呼ばれてきた国際私法は，いまやわれわれの日常生活に実際に関係のある法となったのである。

ところで，国際私法の分野においても，精緻な理論体系に基礎づけられ，詳細な論述をした体系書は，これまでにかなりの数のものが刊行されている。しかし，実務家や学生から，国際私法の教科書はどうも理論的で難解だというような声を聞かないでもなかった。そこで本書で意図したことは，国際私法に関心をもたれる方々に対し，それがどんな仕組の法律なのか，どのようなことが，なぜ，理論上問題とされているのか，というような点について，一応の基本的知識を提供しようということである。もちろん本書でも，国際私法上の問題について一通りはふれられているけれども，学説などの詳細については，紙数の制約もあって，説明が省略されている。さらに国際私法の高度の研究を志す方々は，さきにのべたような体系書を参考にしていただきたい。本書が，このような意味で，入門書として役立つことがあるとすれば，それは著者にとって最大の喜びである。

国際私法の学習にあたっても，具体的事例について考えることがぜひとも必要である。その意味で，判例の研究は重要な意味をもつ。しかし，各種の判例集を実際に利用するには困難な読者もあろうかと考え，判例の引用は渉外判例百選（ジュリスト別冊）に限った。また本書の大部分は，同学の先輩の業績に負う所が多いにもかかわらず，一々その出所を明らかにしなかった。本書の性質上お許しをいただきたい。

私が学問の道を志す契機を与えて下さったのは山本桂一先生であり，未熟な私に対し温い御指導を給わったのは江川英文先生である。今は亡き両先生の霊前に本書を捧げ，心から感謝の念を捧げさせていただきたいと思う。

終りに，本書の出版の機会を与えて下さった有斐閣，ならびに，私に対し適切な忠告や援助を与えて下さった編集部の大橋祥次郎，大前誠の両氏に対し，厚くお礼を申しあげたい。

1972 年 1 月

澤 木 敬 郎

目　次

第3章　家族生活と国際私法　59

第4章 国際取引と国際私法 131

（注1）　百選――国際私法判例百選〔第3版〕（2021年）
（注2）　本書の執筆時に法律が公布されてはいるが未施行のものは，施行されることを前提に記述している。

第1章
国際私法とは何か

I　国際的な私法秩序

(a)　渉外的法律関係

日本国内では，日本国憲法を頂点として日本法のもとで秩序が構築・維持されている。しかし，視点を引いて，世界を視野に収めると，国・地域ごとに異なる法が併存している。にもかかわらず，国境を越えて個人の生活や企業活動，たとえば国際結婚や貿易・投資などが行われている。このような当事者の国籍・住所，契約の締結地・履行地，目的物の所在地などの諸要素が複数の国に関係する渉外的法律関係について，国・地域によって異なる法的評価がされ，一国で有効な婚姻や契約が他の国では無効とされるようでは困る。そこで，渉外的法律関係に安定を与える手段が講じられている。主として，世界統一法による方法と国際私法による方法がある。

(b)　統一法による方法

(1)　完全型統一法　世界に安定した法秩序をもたらすため，第1に考えられる方法は，世界中の法を完全に統一するという方法である。これは，日本のような国で実現されている秩序を世界的に実現しようとするものである。これは**完全型統一法**と呼ばれ，法秩序の安定という観点からは最も望ましいといえよう。

しかし，これはいずれかの国が世界征服でもしない限り無理なことである。たとえば，一夫一婦制で離婚を禁止する厳格なカトリック系の法と一夫多妻制で男子専制離婚を認めるイスラム系の法との間の差異は克服不能であり，あえて統一しようとすれば，多くの血が流れることであろう。とはいえ，合理性に基礎を置き，技術的色彩の濃い取引法の分野に限定すれば，完全な統一は不可能ではないと考えられ，実際，完全型統一法の形成に向けた努力がされてきた。1930年・31年の手形・小切手に関する統一法条約はこの例であり，日本の手形法・小切手法はこれらを国内法化したものである。しかし，これらの条約は，限定された法分野のものにすぎず，また，締約国としてもイギリス，アメリカなどの英米法系諸国は参加せず，さらには，数少ない締約国の間でも裁判機構の統一までは達成されていないために，裁判による法発展がばらばらに生じるので，統一の実はあがっていない。アメリカ一国内でさえ，統一商事法典(UCC)の作成などの努力はしているものの，現在でも契約法も不法行為法も全米で統一されているわけではないことからも，完全型統一法の形成の困難さは明らかである。

⑵ **万民法型統一法**　世界の法秩序の安定化のための第2の方法として，各国の相異なる国家法がそれぞれの国内の法律関係に適用されることはそのままにしておいて，渉外的法律関係にだけ適用される別個の統一法を形成することが考えられる。ローマ帝国において，ローマ市民間に適用された市民法（jus civile）とは別に，ローマ市民と非ローマ市民との間及び非ローマ市民相互間の法律関係に適用された万民法（jus gentium）と類似の性質をもつところから，これは**万民法型統一法**と呼ばれる。

古くから海法の分野では，万民法型統一法が作成されており，

1924年の船荷証券統一条約はその例である。これは1968年に改正され（ヘーグ・ヴィスビー・ルール），現在の日本の国際海上物品運送法はこれを国内法化したものである。1980年の国際物品売買契約に関するウィーン売買条約や1999年の国際航空運送に関するモントリオール条約も万民法型統一法の例である。

しかし，このような条約の成立している分野もきわめて狭いものであり，締約国数の少なさ，裁判機関の不統一による解釈の分裂などの問題は完全型統一法の場合と同じである。

⑶ **地域的な法統一**　法文化の類似した国々だけの間であれば，法統一がある程度の成果を収めている例もある。古くからの例としては，ラテンアメリカ諸国を挙げることができる。また，ヨーロッパ地域では，統一法の解釈について，国内裁判所から欧州司法裁判所への付託制度が用意されるなど，一歩進んだ成果をあげている。しかし，全体としてみると，国際社会における法統一の現状は，きわめて遅れているといわざるを得ない。

⑷ **取引社会の自助努力**　上記のように，不完全な法秩序の中で取引を行っている企業は，法的安全を求めて自ら努力している。たとえば，**国際商業会議所**（ICC）は，FOB，CIF などの貿易用語を用いる場合の売主・買主の権利義務を定めた**インコタームズ**（INCOTERMS）や信用状統一規則などの標準契約書式を作成し，これを契約書の中に一括採用することによって合意内容を明確化し，行き違いによるいたずらな紛争の発生を予防することを勧めている。また，海上保険の業界では，保険責任についてはイングランド法によって処理するのが一般的であり，イングランド法にあたかも統一法のような地位が与えられている。国際金融の分野におけるイングランド法・ニューヨーク州法の役割も同様である。これらは国家法の統一ではないが，取引社会による事実上の世界標準（デ・ファク

ト・スタンダード）の採用ということができよう。

(c) 国際私法による方法

世界的な法統一ができないとすれば，第3の方法として，地球上に異なる法制度を有する国や州など（あわせて**法域**という）が併存していることを前提として，法律関係の類型ごとに，いずれの法域の法を適用するかを定めることによって国際社会に法秩序を築くことが考えられる。このような方法を体系化したのが国際私法であり，セカンド・ベストの方法として，法律関係の類型ごとに，適用されるべき法域の法（**準拠法**という）を決定するものである。

A国でのB国人とC国人との間の婚姻，契約，不法行為などについて，A，B，C各国がそれぞれ自国で自国法を適用する状況が無秩序状態である。すべての国がその類型の法律問題には，たとえば「行為地法を適用する」という国際私法ルールを有していれば，いずれの国でも等しくA国法が適用され，これをその法律問題の側からみると，適用されるべきA国法だけが存在するのと同じことになり，国際的に安定した法秩序が実現されることになるのである。

問題は，世の中の様々な法律関係をどのような類型（後述する単位法律関係）に分け，どのような規準（後述する連結政策）で準拠法を決定するかであり，これが第2章から第4章の課題である。

(d) 国際私法統一の必要性

ここでは，準拠法の決定という方法で秩序を築こうとする国際私法は，論理必然的に世界に1つだけしかあってはならないということを指摘しておこう。準拠法決定という方法で秩序を築こうとする場合，いずれの地で問題となろうとも，同一の問題には同一の準拠法が適用される必要がある。異なる内容の国際私法が各国に併存していたのでは，どの国の国際私法が適用されるかによって準拠法は異なることになり，1つの事案にはどこの国でも同じ法律が適用されるようにするという国際私法の目的が台無しになってしまうからである。

ハーグ国際私法会議は，国際私法の統一のため，19世紀末から活動を始め，日本は1904年以来参加している。その成果である条約の一部は日本も批准しているものの，原則として，国際私法は国により内容が異なる国内法として存在している。このような根本的矛盾をはらんでいるのが今日の国際私法の現実の姿である。

II　国際私法の意義と性質

(a)　国際私法の定義

国際私法は，一般に，国際社会の中に複数の法秩序が地域的に併存していることを前提として，そこで生起する法律関係に適用すべき法を決定するための法である。そして，純粋な国内事案に内国法が適用されるのも，国際私法を通じて内国法が準拠法として指定されるからである。

このような理解に対しては，渉外的法律関係についてだけ国際私法を通じて準拠法が決定されるのであって，国内事案については直接に国内法が適用されると理解する見解がある。確かに，国際私法は渉外的事案で現実に問題となり，また，渉外的事案の処理のために生まれてきたものである。しかし，渉外的法律関係と国内の法律関係の厳密な線引きは不可能であり，たとえば，交通事故について，運転手，被害者の国籍や常居所が外国である場合は渉外的法律関係であるとの議論は説得的ではない。理論的に考えれば，あらゆる法律関係について準拠法を定めるというプロセスは存在するというべきであって，そう解しても現実の不都合が生じるわけではない（国内事案には国際私法を通じても内国法が準拠法となり，また，当事者が準拠法を選択することができる場合でも，不都合が生じない仕組みになっている。第4章Ⅱ1(b)）。

なお，このように準拠法の決定・適用を任務とする狭義の国際私法に関連する法分野として，裁判，仲裁，倒産などの手続法上の問題を扱う**国際民事手続法**（**国際民事訴訟法**）があり（第5章），両者をあわせて広義の国際私法ということがある。また，隣接分野として，国際取引が行われる場の枠組みともいうべき世界貿易機関（WTO）のもとの諸協定や自由貿易協定，経済連携協定，国際通貨基金協定，租税協定などの通商法，域外適用される各国の独占禁止法，証券取引法，環境保護法などの公法，国内における外国人や外国企業の法規制についての外人法，内外人を区別する国籍法などがあり，このような森の中の木として国際私法があることを常に認識しておかなければならない。

(b) 国際私法はどのような性質の法か

(1) 間接規範　国際私法は権利義務や法律関係を直接に規律する法（**実質法**）ではなく，いずれかの法域（国家や州）の法を指定することによって間接に規律する法である。そのため，民法，商法など前者にあたる法律を**直接規範**と呼ぶのに対し，狭義の国際私法は**間接規範**と呼ばれる。

国際私法は，国際社会に併存している各国の実質法間の適用関係を定めるものであり，場所的な間接規範であるといえる。また，アメリカなどのように，一国内で州により異なる私法秩序が併存しているところでは，国内事件についての場所的間接規範である**準国際私法**が存在している。

間接規範としては，ほかに，新法と旧法との間の法の時間的適用関係を定める**時際法**や，パキスタン，インドネシアなどのように，一国内において，宗教の違いなどに基づき人により適用される法が異なる場合に，その適用関係を定める**人際法**があるとされるが，これらは，実質法の要件の定め方として時間的要素や人的要素を用いているにすぎない。

⑵ 国際法説・国内法説　19 世紀以来，国際私法は国際法か国内法かが争われてきた。国際法説は，国際私法の任務や規律対象に着目し，内外私法の適用関係の決定は各国の立法権の限界の決定の問題であり，国家間の関係を規律するものであるとする。これに対して，国内法説では，国際私法は理念的には世界的に統一されるべきものであり，その方法として条約の形式によることはあり得るが，国家主権の衝突を規律するわけではなく，国際社会に生起する私法問題に秩序を与えることを目的としているだけであるから，各国が国内法として同一の内容の国際私法をもてば足りるとされる。いかなる内容の国際私法を定めなければならないかという点に関する国際法は何ら存在しないので，国内法説が妥当である。とはいえ，各国がまったく自由に立法すればよいというのも，国際私法の目的に対する背理となる。国際私法は本来統一されるべきことを念頭に各国は立法を行う必要がある。

⑶ 公法説・私法説　国際私法を国内法であると解する立場の中で，さらにそれが公法に属するか，私法に属するかが論じられてきている。私法説は，国際私法の対象となる法律関係が私法的法律関係であることをその論拠とし，公法説は，国際私法が立法権の範囲の限定すなわち国家主権の作用に関する法であることをその論拠とする。

しかし，公法と私法という分類は実質法についての分類であり，国際私法は実質法とは異なる次元にある適用規範であるから，この論争は無意味なものである。

(4) **強行規範**　国際私法は，その準拠法決定ルールから当事者が任意に逸脱することを認めないという意味で強行規範である。後にみる契約の準拠法決定ルールのように，当事者による準拠法の選択を認める国際私法規則もあるが，このことはその規則自体の強行規範性を損なうものではない。

なお，これに対して，近時は，当事者が主張した場合にのみ準拠法の決定を行い，外国法を適用すべき旨の主張がなければ法廷地法を適用すればよいとする**任意的牴触法論**も提唱されているが，一般の支持は得られていない。

(c) 国際私法の名称

国際私法の性質及び機能をどのようなものとして理解するかという理論的立場の差異に応じて，歴史的に種々の名称が与えられてきている。現在諸国で広く慣用されているのは，**国際私法**（Private International Law, Internationales Privatrecht, Droit international privé）と**牴触法**（Conflict of Laws, Conflit de lois）の２つである。牴触法という名称は，複数の国家法秩序が自らの適用を主張して相牴触するような外観を呈するところから，名づけられたものである。

日本の国際私法の基本法典である「法の適用に関する通則法」（以下，「通則法」という）という名称は，「国際」の語がない点で，旧法である「法例」と同じく，すべての場合に準拠法の決定が必要となるとの既述の理解と整合的である。

なお，国際私法という用語は，国際（公）法（Public International Law）と対比されるが，両者の性質・内容は大きく異なる。

III　サヴィニー型国際私法

(a)　法規分類説

法の地域的適用関係を定めることにより国際社会に秩序をもたらすとすれば，まず思いつくのは，いずれの国の法の地域的適用範囲に入るか否かを考えるという方法であろう。実際，ヨーロッパでルネサンス期に国境を越えた交流が盛んになった頃に登場したのは，このような発想に基づく**法規分類説**（**スタチュータの理論**）であった。

これによれば，各法規をその性質に応じて人に関する法と物に関する法とに区別し，人に関する法については自国に属する人に対しては領域外でも適用し（**属人主義**），物に関する法については領域内にあるすべての物に適用する（**属地主義**）とされた。

しかし，この方法には，すべての法を分類できるのか，属人・属地のほかにいかなる基準があり得るのかという意見が分かれる大問題があり，とくに人的関係と財産とが絡まる相続法の適用をめぐって様々に議論された。とはいえ，原則として法規分類説は広く承認され，19 世紀に至るまでの支配的国際私法理論であった。

(b)　サヴィニーによるコペルニクス的転換

1849 年，ドイツの**サヴィニー**（Friedrich Carl von Savigny）は，『現代ローマ法体系』第 8 巻においてまったく新しい国際私法の理論を展開した。すなわち，法規分類説では個々の法規の性質を考えるという発想であったのに対し，サヴィニーは，法の適用対象である法律関係を出発点として，適用されるべき法を考えるべきであると主張したのである。それまでの法からのアプローチに対して，適用対象からのアプローチという 180 度の発想の転換である。そして，準拠法は，法律関係の「故郷」や「本拠」がある地の法，すなわち，現在の用語では最密接関係地の法であるべきだとした。これは内国法と外国法とを平等に扱うものである。そしてその基礎には，ヨーロッパ諸国間には国際的な法共同体という観念があった。この基本的価値を共有する共同体の存在を前提として，準拠法の内容をチェックすることなく準拠法を決定するという「**暗闇への跳躍**」の方法を提唱したのである。

この学説は，その直後から法典編纂が始まった大陸法系諸国の実定国際私法の立法指針として採用され，サヴィニーは現代国際私法の創始者とされている。フランスはサヴィニーの登場よりも前に法典化を終えており，また英米法系諸国は法典化をしていないが，現在ではサヴィニーの理論が国際私法の基礎となっている。日本の1898年施行の法例はサヴィニー型国際私法にかなり忠実に基づくものであり，通則法も基本的には同じである。

その後，1950年代以降のアメリカでは，サヴィニー型国際私法の無機的で機械的な準拠法決定を批判し，各州の**統治利益**（governmental interest）に基づいて法の適用範囲を定めるべきだと主張する**抵触法革命**と呼ばれる動きもあったが，主流とはならなかった。

(c) 課　題

世界全体を見渡し，また日本周辺を見ても，基本的価値を共有する法共同体が形成されているとはいえず，最密接関係地法を適用することにより相応しい解決が与えられるというサヴィニー型国際私法における公理は，もはや絶対ではない。通則法についてみると，サヴィニーとは起源を異にする当事者自治の原則という例外がかなり存在するほか（7条・16条・21条・26条2項），手続法的要請（5条・6条），弱者保護の要請（11条・12条），戸籍制度からの要請（24条3項但書・27条但書）などに基づく例外的規定も目につく。とはいえ，通則法は基本的にはサヴィニー型国際私法を維持しており，そのことは，最密接関係地法の適用がいくつかの場面で登場することから窺われる（8条・15条・20条・25条等）。

いずれにしても，サヴィニー型国際私法に代わるモデルがまだ見出されていない以上，その枠組みの中で，課題の解決を模索していくほかない。課題とは，①国際私法はもっぱら私法の適用関係を対象としているが，私法と公法とは峻別できるのか，公法の域外適用といわれる現象との整合性はとれているのか，②サヴィニーが前提とした価値観を共有する共同体を観念できない国々との間で，公序則だけを安全弁として「暗闇への跳躍」をすることができるのか，③デジタル化が進展し，ヴァーチャルな現象が多くなっている現代社会において，サヴィニーが重視した「地」との関連性を見い出すことができるのか，④国際私法の国際的不統一という状況下で，国際私法の諸原則は非現実的なのではないか，⑤外国での裁判など国家行為の効力を承認することと外国法を適用することとの間の関係はどうあるべきか，等々である。サヴィニー型国際私法の微修正で済む問題なのか，根本的な変革が必要なのか，いま国際私法学は岐路に立っているのかもしれない。

第2章
国際私法総論
準拠法の決定・適用プロセス

I　国際私法規定の構造

(a)　準拠法の決定・適用についての4つのプロセス

国際私法は，法律関係について類型ごとに準拠法を決定し，これを適用する。したがって，どのような類型分けをするのか，どのような規準で準拠法を決定するのか，外国法が準拠法となったとき何か問題は生じないのか，などが問題となる。国際私法は，準拠法の決定・適用を4つのプロセスに分けて行っている。

(1)　法律関係の性質決定　　第1段階として，生活関係をいくつかの単位法律関係に分解する。**単位法律関係**とは，同じ方法（後述の連結政策）により準拠法を定める法的問題のグループである。単位法律関係ごとに同じ方法で指定される準拠法が適用されることになるので，そうあってよいだけのまとまりのあるものでなければならない。そのため，婚姻を実質的成立要件，方式（形式的法律要件），身分的効力，夫婦財産制（財産的効力），離婚というように，かなり細かく区別することもあれば（通則法24条以下），売買契約も委任契約も，さらには信託も区別することなく「法律行為の成立及び効力」という単位法律関係が設定されることもある（通則法7条以下）。

国際私法規定の解釈論としては，ある問題が設定されている単位法律関係のいずれに含まれるのか，という法律関係の性質決定の問題が生じる。先決問題，適応問題といわれるものはこの段階での問題である。

⑵ **連結点の確定**　第２段階として，単位法律関係ごとにそれと最も密接な関係のある地の法を選び出すための媒介となる要素が定められる。これが**連結点**（**連結素**）である。単位法律関係にとって最も相応しい規律は，最密接関係地の法が準拠法となることによって与えられると考え，単位法律関係を構成する要素のうち，当事者の本国や住所，行為地，目的物所在地といった特定の地の法律を導き出すことができる場所的な要素の中から，連結点が選定される。仔細にみれば，最も密接な関係のある地の法は個々のケースで異なるであろうが，法的安定性を考慮し，類型的判断として，最密接関係地の法を導き出す要素が連結点とされる。

国際私法規定の解釈適用の局面では，設定されている連結点が指し示す地の法を具体的に確定していく作業がされる。本国法によるべき場合に重国籍者や無国籍者をどう扱うかも問題となる。また，連結点の意図的変更による法律の回避をどう扱うかもここでの問題である。

⑶ **準拠法の特定**　第３段階として，準拠法の特定がなされる。通常は，第２段階で連結点が確定されれば準拠法は特定されるのであるが，たとえば，本国法によるとされている場合であって，その本国がアメリカのような不統一法国であるとき（不統一法国法の指定），準拠法所属国の国際私法規定によればどの国の法律が準拠法となるのかを考慮することとされている場合（反致）などには，第２段階まででではまだ準拠法が特定されていないので，その作業が必要となる。

⑷ **準拠法の適用**　最後に，第4段階として，準拠法が適用される。自国法が準拠法であれば，その渉外事案への適用ということ以上の問題は生じないが，外国法が準拠法である場合には，その内容の確定，内容不明の場合の処理，さらには，外国法の適用結果が国内の公の秩序又は善良の風俗の維持の観点から受け容れがたい場合の処理などの作業を要することになる。

以上のような4つのプロセスを経て準拠法を決定し，適用するというのが国際私法の基本構造である。

⒝ 国際私法規定にはどのような種類があるか

国際私法の規定としては，「人の行為能力は，その本国法によって定める」（通則法4条1項）というように，単位法律関係について，準拠法として自国法が導かれる場合と外国法が導かれる場合とをあわせて定めておくのが普通である。このようなものを**双方的国際私法規定**という。

しかし，「トルコに所在する不動産の相続はトルコ法による」（トルコ国際私法22条1項後段）のように，自国法が適用される場合だけを規定するものもある。これを**一方的国際私法規定**という。また，通則法5条・6条のように，内国と一定の関連のある場合についてのみ準拠法を定めているものを**不完全国際私法規定**という。これらの場合には，解釈により双方化・完全化して運用されることになる。

Ⅱ　法律関係の性質決定——第1プロセス

⒜ 性質決定とは

国際私法規定の中には，その規定の適用対象となる単位法律関係を示す概念が含まれている。「相続は，被相続人の本国法による」

(通則法36条）という場合の「相続」がこの規定が対象としている単位法律関係である。

ところで，各国の法制度は歴史的に形成されてきたものであり，機能的には類似していても，異なる発想に基づき異なる法的仕組みを構築していることがある。たとえば，夫が死亡した場合にその財産に対し妻に何らかの権利を認める場合，この妻の権利は，相続法上の権利として構成することもできるし，夫婦財産制上の権利としても構成できる。そうすると，この2つの異なった構成をとる実質法においては，相続という言葉の意味が違っているということになる。すなわち，死亡した夫の財産に対する妻の権利の問題は，前者の構成をとる国では相続の問題であるが，後者の構成をとる国では夫婦財産制の問題であるので，ここでは相続には含まれないことになる。このように各国の実質法上の概念の意味内容が異なっている中にあって，間接規範である国際私法規定上の単位法律関係を示す概念（通則法26条の「夫婦財産制」や36条の「相続」）をどのようにして決定するかという問題が，**法律関係の性質決定**と呼ばれる問題である。略して**法性決定**ともいわれる。

かつては国によって実質法の概念に差異がある以上，国際私法の世界的統一は不可能であるとの議論もあった。しかし，後述のように，単位法律関係は国際私法独自に決めればよく，先の設例でいえば，特有財産・共有財産の確定までが「夫婦財産制」の問題であり，その上で，死亡した配偶者の持分を生存している配偶者がどの程度承継することができるかは「相続」の問題と割り切ればよく，この議論はすでに克服されている。

(b) 解釈論としての法性決定

法律関係の性質決定という問題は，個々の国際私法規定の適用範囲の問題であるといってもよい。これが定まらない限り，適用されるべき国際私法規定自体が定まらないことになるので，国際私法による準拠法決定のために論理的に不可欠の段階であるということができる。

1　性質決定の仕方

(a)　法廷地実質法説

国際私法の世界的統一は不可能であるとの議論の前提は，法律関係の性質決定をする基準は法廷地の実質法であるという立場であった。日本の国際私法規定中の「相続」という語の意味は，日本民法の相続の概念によって決定すべきであるというのである。一国の法体系の中で用いられている同一の用語は同一に解釈すべきであるとされた。

しかし国際私法の対象は，広く国際社会で生起するあらゆる法律問題である。一国の国際私法上の概念が自国法の知らないものを含まないとすれば，準拠法を決定することができない場合が生じてしまう。したがって，国際私法上の単位法律関係の集合はあらゆる国の法的問題について準拠法を定めることができるものでなければならない。たとえば，通則法上の婚姻は，一夫多妻制も，同性婚も含む概念でなければならない。このことから法廷地実質法説は誤りである。

(b)　準拠法説

法律関係の性質は準拠法によって決定されるべきであるとの議論もあった。すなわち通則法上の相続は，準拠法とされる被相続人の本国の民法上の相続概念によって決定されるべきであるとするのである。

しかし，法律関係の性質決定は，適用されるべき国際私法規定の決定にほかならず，それが決定されない限りは準拠法を決定することはできないのであるから，準拠法説は論理的に成り立ち得ないものである。また仮定的準拠法というものを仮に認めたとしてもうまくいかない。たとえば，夫死亡の場合のその財産に対する妻の権利を，仮に夫婦財産制と性質決定したところ，導かれる準拠法上そのとおりであるとされ，他方，同じ問題を仮に相続と性質決定してみると，他の準拠法が導かれ，その準拠法上は相続とされているとすると，結局，複数の法性決定がいずれも成り立つということになり，適用されるべき国際私法規定を決めることができなくなってしまう。あるいは，逆に，いずれの国際私法規定の適用もできないという事態が生じることもあり得る。したがって，この説も誤りである。

(c) 国際私法独自説＝法廷地国際私法説

以上の2つの見解は，ともに牴触法上の概念をいずれかの国の実質法の概念によって決定しようとするものであった。これに対して，現在支持されているのは，牴触法上の法律概念は，特定の国の実質法によって決定されるのではなく，国際私法の機能と目的とを考慮して独自に決定されるべきであるとの見解であり，法廷地実質法説に対して，法廷地国際私法説というべきものである。

具体的な性質決定の仕方は，実定法としての国際私法規定の解釈に徹し，規定相互の関係に照らした守備範囲，用いられている連結点がどのようなものか，それが採用されている趣旨などを考慮して，法性決定を行うべきこととされている。ただ，裁判実務では，ともすれば自国の実質法上の概念に押し流される傾向がみられるところであり，そうならないように，法性決定のあり方についての上記の歴史的な見解の対立とその解消を踏まえた認識が必要である。

法性決定について具体的に論じられた裁判例としては次のようなものがある。すなわち，相続人の一部による相続財産（不動産）の処分は，相続の問題か物権の問題か（百選1事件），債権質は物権の問題か客体となる債権自体の問題か（百選37事件），離婚の際の親権者の指定は，離婚の問題か親子間の法律関係の問題か（百選61事件），不法行為による損害賠償債務の相続は不法行為の問題か相続の問題か（百選67事件），相続人不明の場合の相続財産の管理や相続人不存在の場合の特別縁故者への相続財産の分与は，相続の問題か物権の問題か（百選69事件・70事件）などである。

(d) 単位法律関係

サヴィニー型国際私法の規定の基本構造は，上記のとおり国際私法独自に単位法律関係を定め，それについて準拠法を導き出すための連結点を定めている。そして，世界中で生起するすべての私法上の法的問題に準拠法を定める必要があるため，単位法律関係をすべて足し合わせると世界中の法的問題を網羅していなければならない。そうでなければ，準拠法を決めることができない問題が発生してしまうからである。また，単位法律関係は，相互に重なり合ってはならない。重なり合いがあれば，その部分では準拠法が複数あり，異なる法的評価がされるおそれがあるからである。以上のことから，単位法律関係の和は網羅的であり，すべての私法上の法的問題を隈なく，かつ重複することなく，つまり幅のない線で切り分けたものでなければならない。

(e) 送致範囲

ところで，単位法律関係を理解する上で重要なこととして送致範囲がある。ある単位法律関係（たとえば離婚）について甲国法が準拠法として指定された場合，その単位法律関係に含まれる諸問題が甲国に送致され，甲国法の中のそれらの問題に法的解決を与える一群の法が適用され，送致された諸問題に解決（離婚の要件，慰謝料額など）が与えられると考えられる。この場合に，甲国法の中で適用されるのが，**送致範囲**に入っている法であるということになる。

送致範囲の大きさを決めるのは，準拠法決定をしている側の国の国際私法である。関連する1つの問題のようにみえても，国際私法上は複数の単位法律関係に分かれるとすれば，それぞれに異なる国の法が適用されることがあり，その場合，それぞれの国の法は送致された問題に解決を与えるためのものだけが適用される。

裁判例として，カリフォルニア州で交通事故を起こした日本人が死亡し，その事故で損害を被った原告が死亡者の相続人に対して損害賠償債務を相続したとして金銭を請求した事件において，相続の準拠法となる日本法では債務の相続は認められるが，不法行為の準拠法であるカリフォルニア州では債務の相続は認められないとし，両者が認める場合でなければ相続は認められないとの理由で請求を棄却したものがある（百選67事件）。しかし，カリフォルニア州に送致されたのは不法行為の問題だけであるので，同州法の相続法を適用した点で誤りであり，送致範囲が明確に認識されていないと批判されるべきである。

単位法律関係と送致範囲とは直結していることを忘れてはならない。

[2] 先 決 問 題

(a) 先決問題とは

ドイツ人男と日本人女とが婚姻し，数年後そのドイツ人男が死亡し，相続をめぐってこの日本人女とドイツ人男の親族との間で争いになったとしよう。通則法36条によってこの相続に適用されるドイツ法によれば相続人として配偶者が規定されているところ，この日本人女が配偶者か否か，すなわち，婚姻が適法に成立していたかが問題となったとする。この場合，相続が**本問題**であり，婚姻の成立が**先決問題**である。

現実の生活の中では，各種の法律関係が次々と，かつ相互に関連して生じてくるので，ある時点においてある法律関係が問題となる場合，それに先行する法律関係が前提として問題となることが少なくない。上記の場合のほか，たとえば，不法行為請求の前提としての損害を被った物の所有権移転の有効性，嫡出親子関係の成立の前提としての夫婦の婚姻の有効性など多種多様である。

先決問題とは本問題との関係において認識される相対的な概念である。婚姻成立の有効性は，それ自体が単独で問題となるときは，本問題であるが，相続問題との関連において問題となるときは，先決問題である。また，婚姻成立の有効性の先決問題として，前婚の解消（離婚）が問題となることもあり，この場合には婚姻成立の有効性が本問題である。

(b) 考え方

これまで，次のような見解が唱えられた。

(1) **本問題準拠法説**　先決問題は本問題準拠法の適用の過程で生じた問題であるから，本問題準拠法を適用すればよいという立場である。冒頭の設例でいえば，婚姻の有効性は相続準拠法としてのドイツ法によって判断されることになる。ドイツの相続ルール上，配偶者とされている以上，それはドイツ法上の配偶者でなければならないと考えるのである。

(2) **本問題準拠法所属国国際私法説**　これは，(1)の考え方を一歩進めたものである。すなわち，本問題準拠法上の問題であるとすれば，その国では，自国の実質法が適用されるとは限らず，その国の国際私法によって準拠法が決定されるはずであるから，先決問題は本問題の準拠法所属国の国際私法によって定まる準拠法によると考えるわけである。冒頭の設例でいえば，婚姻の有効性は相続準拠法所属国であるドイツの国際私法によって定まる婚姻の成立要件の準拠法によって判断することになる。

(3) **法廷地国際私法説＝先決問題否定説**　これは，国際私法は生活関係を単位法律関係に分解してそれぞれについて準拠法を定めるという構造を有している以上，先決問題として問題となろうとも，本問題として問題となるときと同じく，法廷地の国際私法によって定まる準拠法によるべきであるという立場である。要するに，先決問題という問題自体を認めないわけである。そうでないと，最初の設例において，先決問題として(1)・(2)の説によると不利な結論となるが，本問題として扱えば有利な結論となる当事者は，先に婚姻の無効確認請求訴訟を提起して婚姻の有効性を本問題とし，異なる準拠法の適用による有利な結論を得るという訴訟戦術をとればいいことになってしまうからである。この(3)の説によれば，婚姻の有効性の問題は，何ら争いが生じなくても，婚姻の時からずっと準拠法に照らして評価されていたのであって，それが本問題として問題となろうと先決問題として問題となろうと，常に日本では通則法 24 条によって定まる準拠法によることになる。

以上の諸説のうち(3)の法廷地国際私法説をもって是とすべきであろう。その理由は，国際私法の構造にある。すなわち，あらゆる法的問題はいずれかの単位法律関係に含まれ，粛々と準拠法上の評価が与えられているからである。最高裁は，相続の前提として親子関係の成立が問題となった事件において，明確に法廷地国際私法説を採用している（百選 2 事件）。

なお，法廷地国際私法説を原則としては採用しつつも，先決問題が本問題準拠法所属国と密接に関係し，法廷地との関係が薄く，国内での裁判の調和が乱されるおそれが少ないことなどを条件に，場合によっては(2)の本問題準拠法所属国国際私法説によることを認める折衷説もある。しかし，例外を認める要件が不明確であり，また，そもそもそのような例外を設けることは国際私法の構造上容認しがたいと考えられる。

3 適応問題

(a) 適応問題とは

一国の法秩序は全体として体系的整合性をもっているはずである。たとえ条文間に体系的ずれが生じている場合でも，解釈によって整合性が保たれている。具体例について考えてみよう。かつては日本もそうであったが，成年年齢と婚姻年齢とに差異がある法において，未成年の子であっても，親の同意を得れば婚姻することができるとされている場合，婚姻した未成年の子は親との関係では親権に服し，夫婦の関係では夫婦間の権利義務に従うことになってしまう。そこで，そのような法制度を有する国においては，たとえば，未成年者が婚姻をしたときは，これによって成年に達したものとみなすという成年擬制というルールを設け，親権から解放することによって体系的整合性を保つのが多くの場合であるが，これと異なり，未成年の子は婚姻後も，未成年の間は親権を優先するというルールも考えられないわけではない。

ところで，国際私法は，私法的生活関係を単位法律関係に分解して，それぞれにつき最も密接な関係のある地の法を選択するという方法をとっている。先の例でいえば，未成年の子の婚姻という1つの生活事実を，親子間の法律関係と婚姻の効力という2つの単位法律関係に分解し，それぞれ別個の国際私法規定により定まる準拠法を適用しようとする（通則法32条・25条）。そうすると，この2つの準拠法のうち，前者が親権優先の法制度，後者が夫婦関係優先の法制度を採用している場合には，親の居所指定権と配偶者の同居請求権が同時に成立するようにみえる。すなわち，国際私法が単位法律関係ごとに準拠法を定めるというモザイク構造になっているために，法の体系的整合性が維持できない場合が生じてくる。このように単位法律関係ごとに指定された準拠法間に体系的ずれが生じ，不適当な結果が生ずる場合の問題が**適応問題**（**調整問題**）である。

(b) 対応の仕方

(1) 牴触法レベルの処理　まず，そもそも適応問題が生じないように，単位法律関係の設定の段階で同一の準拠法が適用されるようにするという牴触法のレベルでの処理がある。たとえば，実親子関係の断絶の問題は普通に考えればその親子関係の成立の準拠法（通則法 28 条・29 条）によることになるところ，通則法 31 条 2 項が，子が他人と養子縁組した場合，その子と実方の血族との親族関係の終了についてはとくに養子縁組の成立の準拠法によることとし，当該他人（養親）の本国法によるとしているのは，このような場合の実親子関係の断絶を養子縁組の成立・効力の問題と法性決定し，特別養子縁組（実親子関係の断絶を前提としている）の場合に生じ得る適応問題の発生を避けるためである。また，このような明文の規定がなくても，解釈により，適応問題が生じないように単位法律関係の外縁を画することができることもあろう。先の例でいえば，通則法 32 条の親子間の法律関係に含まれる親の居所指定権は未婚の子に対するものだけであるという解釈をとり（いずれかの国の実質法の解釈ではなく，通則法の解釈），婚姻した未成年者がどこに住むかという問題は 25 条の夫婦間の身分関係の問題であると法性決定し，その準拠法が他方配偶者の同居請求権を認めていればそうし，仮にその同居請求権を制限し，親の居所指定権を優先していればそうするという扱いをするのである。

なお，相続の準拠法のように，複数の財産全体について適用されるもの（**総括準拠法**）と，相続財産を構成する個々の財産の準拠法

（**個別準拠法**）との間で生じる矛盾について，「個別準拠法は総括準拠法を破る」という原則が立てられ，個別準拠法が優先的に適用されると説明されることがある。しかし，これは，それぞれの単位法律関係の外縁をきちんと画すれば足りる問題であり，あたかも１つの問題に複数の準拠法が適用されるかのような表現は適当ではないと考えられる。単位法律関係の重複がなければ異なる準拠法が重複して適用されることもなく，したがって「破る」という現象が起こることもないからである。

⑵ **準拠法レベルの処理**　国際私法がモザイク構造をもっている以上，適応問題は避けることができない宿命である。そこで，次に準拠法レベルでの処理がされることがある。各適用対象事項にそのまま適用したのではうまくいかない複数の準拠法のうち，いずれかの準拠法の解釈を工夫することによって，全体としての整合性を得ようとするものである。先の例でいえば，親子間の法律関係についての準拠法の解釈として，親の居所指定権の対象となる子は，配偶者がいても，その同居請求権に服さないことを前提としており，配偶者の同居請求権について別の法律が適用されてその前提が崩れる場合には，親の居所指定権は行使できない，という解釈をとることができれば，そうするということである。

また，準拠外国実体法と法廷地手続法との間の適応問題においては，一般に，手続法の側の解釈適用を工夫するという方法が用いられる。一般に一国内では実体法と手続法との間には体系的整合性が存在している。実体法上権利が認められている場合には，それを実現する手続法が定められているはずである。しかるに渉外事件の場合には，わが国で訴訟が行われるため，「手続は法廷地法による」（第５章の冒頭**⒝**）という原則に従って，訴訟手続は日本法によることになる。ところが外国法が実体法となり，当該外国法上の日本法にはない権利や制度が適用される場合，わが国にそれに対応する手続法がないことがあり得る。たとえば，フィリピンでは離婚は認められていないが，法律上の別居という制度があるところ，日本在住のフィリピン人夫婦が日本の家庭裁判所で別居の裁判を求めることができるか，また，英米法を準拠法とする相続について日本で遺産管理人を選任する必要がある場合，相続準拠法が予定していることをどこまですることができるか，といった場合である。問題は，法廷地手続法をどの程度まで修正して準拠外国法上の権利を実現することが許されるかである。一般に，手続法は実体法上の権利の実現に奉仕すべきものであると考えられるので，可能な限り広く，法廷地手続法を修正して解決を図るべきであろう。とはいえ，限界があることも確かであり，たとえば，個別立法による離婚を定める外国法を日本で適用する場合に，日本の国会で立法をすることは無理である。

以上のような準拠法レベルの処理は，必ずしもいつも可能とは限らない。外国法である実体法と法廷地手続法との適応問題は，養子縁組の許可，遺言の検認（百選 71 事件）などに関連して，しばしば問題となっている。

Ⅲ　連結点の確定——第 2 プロセス

1　連結点の確定

(a)　連結点とは

サヴィニーの提唱した国際私法においては，法律関係について最も密接な関係のある地の法の適用がその法律関係に相応しい解決を与えるということがいわば公理とされている（第1章Ⅲ(b)）。しかし，個別の事件ごとにどの法域が最密接関係地であるかを判断したのでは，法的安定性が害されることになる。そこで，国際私法は，単位法律関係ごとに，それを構成する場所的な要素の中からあらかじめ選定されたものを媒介として準拠法を決定するという仕組みを採用している。この媒介が**連結点**であり，対象となる問題と法域とを列車の連結器のように結びつけるという趣旨でそう呼ばれている。最密接関係地法を適用するという目標の達成は，国際私法規定の立法にあたって何を連結点と定めるかによることになる。

たとえば，相続については，それを構成する場所的な要素として被相続人・相続人の本国・常居所，死亡地，相続財産所在地などがあるところ，それらの中で相続をめぐる諸問題についての最密接関係地を導き出すことができると類型的に判断されるものが連結点とされる。通則法36条は被相続人の本国を連結点として選び，「相続は，被相続人の本国法による」と定めている。もっとも，これは絶対のことではなく，相続準拠法を被相続人の最後の常居所地法とすることも立法論としてはあり得る。

ところで個々の単位法律関係について何を連結点として選ぶべきか，通則法で設定されている連結点の解釈適用は，物権，契約，婚姻，相続などの法律関係の類型ごとに検討されるべきものであり，国際私法各論の問題である。ここでは連結点一般に関する問題だけを検討する。

(b) 連結点の定め方——連結政策

「相続は，被相続人の本国法による」（通則法36条）というように，1つの単位法律関係に1つの連結点しか定められていない場合は，単純であって特別な問題は生じない。しかし，最密接関係地を導くために，より複雑な**連結政策**が採用されることもある。

(1) 連結点の組合せ　公海上の船舶衝突による不法行為について，責任の負担及び損害填補に関する衡平維持の観点から，加害船舶の旗国法と被害船舶の旗国法がともに成立を認める場合に成立を認め，ともに認める限度において責任を認めるとした裁判例がある。これは，そのいずれの旗国とも密接に関係する問題であると考えられた結果である。このように，1個の単位法律関係に2つ以上の連結点が定められ，それらによって定まる準拠法が同時に適用される場合を，**累積的連結**という。これを，準拠法の適用の観点からみると，**累積的適用**ということになる。

これに対して，嫡出親子関係の成立のように，なるべく子の嫡出性の認められる機会を多くしようという考慮が働く場合，夫婦のいずれか一方の本国法が嫡出性を認めていれば，子を嫡出子とするという定め方がされる（通則法28条1項）。法律行為の方式についても同様である（10条1項・2項・24条2項・3項・34条）。このようなものを**選択的連結**といい，準拠法の適用の観点からは**選択的適用**という。

他方，婚姻の実質的成立要件は，将来の夫と妻のそれぞれにつきその本国法が準拠法となり，それぞれの準拠法上婚姻の成立が認められるとき婚姻は有効に成立する（24条1項）。このようなものを**配分的連結**（**配分的適用**）という（第3章Ⅱ[1](**b**)(2)で述べるように，配分的連結は累積的連結にほかならないという議論がある）。

また，婚姻の効力については，夫婦の同一本国法，それがないときは夫婦の同一常居所地法，さらにそれもないときは夫婦の最密接関係地法によるとされている（25条）。夫又は妻いずれかの本国法であるだけでは十分でなく，それが一致したときにはじめて準拠法としての資格を与えるのである。このように複数の連結点を設定しておいて，それが導き出す法域が一致する場合にだけ準拠法とするという方法を**段階的連結**という。親子間の法律関係の場合も同様である（32条）。なお，この方法は，その提唱者であるドイツのケーゲルの名前をとって「**ケーゲルのはしご**」とも呼ばれる。

(2)　変更主義と不変更主義　　いつの時点の連結点を用いるかという問題がある。**不変更主義**とは，過去のある時点に連結点が指し示していた地の法を準拠法とするものである。たとえば国籍を連結点としている場合，その後に国籍の変更があっても，準拠法はかつての本国法とされる。これに対して，そのように固定しないで，裁判においても，事実審の口頭弁論終結時までは準拠法が変わることを認めることを**変更主義**という。

養子縁組の解消（離縁）について養子縁組成立の準拠法，すなわち縁組当時の養親の本国法による旨規定している通則法31条2項は**不変更主義**の例である。これは，実方の血族との親族関係を断絶する特別養子縁組として成立したものは，離縁についても厳格な要件を定める特別養子縁組について定める要件の具備を要求するものである。また，婚姻の成立（24条1項）や嫡出・非嫡出の親子関係の成立（28条・29条）などは，事の性質上当然に不変更主義である。他方，離婚については変更主義が採用されている（27条）。しかし，段階的連結のもとでは，同一本国法や同一常居所地法の内容が不利だと考える当事者は帰化や移住をしてその準拠法の適用を回避するおそれがある。立法論的には再考の余地があろう。

なお，ここでいう変更主義・不変更主義は準拠法決定についてであり，ある準拠法の内容について法改正がなされたとき，過去のある時点の事件に新法が適用されるのか旧法が適用されるのかは，その準拠法所属国の**時際法**によって定まることである。連結点の役割は，法域を選ぶところまでであり，そこから先はその法域の法の適用問題だからである。

⑶ 最密接関係地　通則法には「最も密接な関係がある地」という連結点を定める規定がいくつもある（8条・12条・25条・26条・27条・38条）。同様に，特定の地を連結点と定める原則的な規定により適用すべき法の属する地よりも「明らかに」密接な関係がある他の地があるときは，当該他の地の法によると定める条文もある（15条・20条）。これらは，最密接関係地法の適用を目指すサヴィニー型国際私法の法政策（第1章Ⅲ(**b**)）をそのまま条文化するものである。これは，準拠法として適格である点ではよいが，類型的に考えて特定の地を連結点とするという立法上の決断がされていないため，事案ごとに検討が必要となり，準拠法決定が不安定になるという欠点がある（具体的妥当性を優先して法的安定性を害している）。裁判をしてみなければ準拠法が判明しないということになると，一般生活における法的安定性が阻害され，裁判をする場合には時間・費用・労力といった社会コストが増大することになる。

そのため，いくつかの条文では，最密接関係地を特定の地と推定したり（8条2項・3項及び12条2項・3項），例示を挙げることにより（15条・20条。「明らかに」という限定も同様の趣旨である），不安定さを緩和する方策がとられている。その趣旨に鑑み，推定・例示が置かれているものの解釈適用においては，推定を覆すには慎重であるべきであり，また，例示に該当しない場合に原則的な規定の適用結果を覆すにも慎重であるべきである。なお，27条但書は，日本の戸籍との関係もあり，日本で生ずる離婚の多くは日本法が準拠法となるように定めている。

最密接関係地はどこかを判断するにあたって注意すべきことがある。それは，虚心坦懐に複数の地との関係の深さを見比べるべきであるのに，日本との関係の方を重く見てしまう傾向が見られることである。これは，判断する者が日本にいる場合，日本の裁判所での裁判を想定するときにとくに生じがちなことである。これを是正する最も効果的な方法は，目の前の事案における日本と外国とを入れ替えた仮設事例を想定してみることであり，そうすると違う景色が見えてきて，片寄らない判断が可能となるはずである。

⑷　法廷地法への連結　法廷地（自国）からみて，いかなる場合であっても，自国法に反する結果は容認できないと考えられる場合，法廷地を連結点とすることがある。たとえば，不法行為の成立及び効力について日本法の認める範囲に限っているのはこの例である（通則法22条）。これは，公序則（42条）の特則である。

他方，婚姻成立の方式（24条3項但書）や離婚（27条但書）において一定の場合には必ず日本法によるべきこととしているのは，戸籍の管理を重視し，その事務の円滑化を重視する日本の法政策に基づくものである。

(c)　連結点の確定

個々の国際私法ルールで設定されている連結点がいかなる意味のものであるかを明らかにし，具体的事件においてどこの法域を指し示しているのかを確定するのが，連結点の確定である。

連結点の確定は，国際私法規定の解釈適用問題であるという意味で，法律関係の性質決定と同じく位置づけられる。これは，具体的事件を規律するのに相応しい最密接関係地法を選択するという国際私法の理念の実現に直接影響を及ぼすものである。いずれかの国の実質法によって連結点を確定することによって，1つの連結点が同時に複数の地を指し示したり，あるいはどの地も指し示さないという事態が生じては困る。したがって，連結点の確定も，国際私法独自の立場でしなければならない。

連結点としての本国・常居所の確定については，第3章Ⅰ③でまとめて扱い，その他の連結点については各論において個別に扱う。

(d) 連結点の主張と立証

訴訟手続における連結点の主張・立証及び連結点の不明の場合の処理は国際民事訴訟法の問題であるが，便宜上ここで触れておく。

具体的事件における連結点の確定について，その認定のための事実を当事者間に争いなきものとして擬制自白を認め，連結点を確定した裁判例がある。しかし，連結点のいかんは国際私法規定の適用の一部であり，連結点自体についての主張・立証はもとより，連結点確定の前提となる事実についても，それは準拠法決定のためのものである以上，すべて職権調査・探知の対象とすべきものである。

(e) 連結点の不明

国際私法規定の定める連結点が具体的事案において指し示す地が不明の場合は，その連結点が選ばれている趣旨を考慮して**補充的連結点**を決定すべきである。たとえば，本国法を適用すべき場合に本国が不明であれば，常居所地法を適用すべきであろう。これは，無国籍者の本国法として常居所地法による（38条2項）のと結果において同じであるが，同条の適用によるわけではない。また，物の所在地が不明の場合には，最後の所在地や所有者の住所地等のうち，蓋然性の高いものを補充的連結点とすべきであろう。しかるに，わが国の裁判例の中には，連結点につき当事者が主張・立証をしなかった事案において，これを証明するに足る資料がないとして，請求を棄却したものがある。これは連結点を含む国際私法規定の果たすべき役割を見失ったものであり，不当なものである。

2 法律回避——連結点の詐欺的変更

(a) 法律回避とは

連結点を介して準拠法が定まる国際私法の構造を利用して，連結点を人為的に変更して本来適用されるべき自己に不利な内容の準拠法の適用を回避しようとする場合がある。たとえば離婚（27条）において，そのままでは第1順位の同一本国法が適用され，その適用結果が自己に不利であると考える当事者の一方が他の国に帰化することによって，第2順位以下の準拠法が適用されるようにするとか，契約の方式（10条）について行為地法が適用されることを逆手にとって他の国に行って契約の締結を行うような場合である。これは，**法律回避・法律詐欺**と呼ばれる。

具体的事例としては，離婚をするために国籍を変更した19世紀のフランスの**ボッフルモン公爵夫人事件**，イングランド法の要求する婚姻の成立要件を回避するため，スコットランドを婚姻挙行地とする**グレトナ・グリーン・マリッジ**などが有名である。また，アメリカで会社設立に有利なデラウェア州を設立準拠法としている会社が少なくないことや，パナマやリベリアに船籍をおく**便宜置籍船**などもこの例である（便宜置籍船の背景には税金対策・労務対策などの目的もあり，またパナマ法によれば，船舶抵当権は船舶先取特権よりも上位に位置づけられており，船舶建造に際して銀行のために抵当権を設定することにより，船舶金融が得られやすいという事情もある）。

(b) 法律回避への対応

問題は，このように作為的に変更された連結点をそのまま認め，それを媒介として定まる準拠法を適用すべきか否かである。歴史的には法律回避を違法な行為とみる立場が有力であった。わが国でも，施行されないまま廃止された旧法例10条但書（明治23年法律97号）は，法律行為の方式について日本法を回避する行為は認めない旨の規定を置いていた（「故意ヲ以テ日本法律ヲ脱シタルトキハ此限ニ在ラス」）。

しかし，このような規定のない通則法の解釈としては，法選択規則の形式的性格を理由として，法律回避を問題視すべきではない。

たとえば，離婚において，訴訟の当初は同一本国法があり，それによれば不利であると考えた一方の配偶者が国籍変更手続をとり，途中から次順位以下の準拠法で離婚することが許されるかという問題については，通則法 27 条が変更主義をとっている以上，そのことを問題とすべきではないと考えられる。

それでは不当だというのであれば，法律回避ができないような連結政策をとるべきである。たとえば，通則法 11 条 3 項から 5 項が，消費者契約の方式について，一定の条件のもとに，行為地法に適合する方式であればよい旨定める 10 条 2 項及び 4 項の適用を排除し，消費者の常居所地法に適合する方式でなければならないと定めているのは，事業者が消費者をその常居所地から外国へ連れ出して契約を締結することにより，その常居所地法上の方式を回避しようとすることを懸念し，それへの対応策をとったものである。

Ⅳ　準拠法の特定――第 3 プロセス

法律関係の性質決定，連結点の確定までのプロセスで，通常の場合には準拠法は特定される。とくに，ここまでのプロセスで日本法が準拠法となれば，もはや国際私法の任務は終わる。しかし，確定された連結点が日本法を指し示していない場合には，この第 3 プロセスを経なければ第 4 プロセスに移ることができないときがある。それは，①本国法としてたとえばアメリカ法によるとされたけれども，その法分野についてアメリカには連邦直轄地の法と多数の州法が併存している場合（不統一法国法の指定），②準拠法所属国の国際私法規定によれば日本法が準拠法となるのか否かをチェックしなければならないとされている場合（反致）であり，これらの場合には特別の処理をしなければならないからである。

[1] 不統一法国法の指定

(a) 不統一法国とは

同一国家内に内容の異なる私法秩序を有する複数の地域が併存している国を**不統一法国**という。19世紀以来，多くの国の国内法は統一されていったが，なお不統一法国が存在する。英国は，連合王国となった歴史的経緯からイングランド，スコットランド，北アイルランドなどから成る不統一法国である。またアメリカ，カナダ，オーストラリア，ロシアなどのような連邦国家も，州などの構成単位の独立性の程度に応じて国家法としての統一性の度合は異なるが，不統一法国である。日本も第二次大戦前は朝鮮・台湾には内地と異なる法律が施行されていた。これらを**地域的不統一法国**という。

なお，インド，エジプトなどは人の宗教などに応じて適用される法が異なる**人的不統一法国**とされるが，これについては後述する。

(b) 地域的不統一法国法の指定

地域的不統一法国法が準拠法として指定された場合には，その国内のいずれの地域の法によるのかを決定しなければならない。この問題を考える場合，不統一法国法が準拠法として指定されるときに媒介となった連結点のタイプに応じて2つに分けることができる。一方は，行為地，目的物の所在地，婚姻挙行地，加害行為の結果発生地，常居所地などのようにある一点の地を指し示す連結点であり，他方は本国のように広がりのある面を指定する連結点である。前者の場合には，その地点に施行されている法が適用される。

(c) 本国法として地域的不統一法国法が指定された場合

上記の後者のようなことが生ずるのは，国際私法が，国家単位で法が施行されていることを前提として本国を連結点として採用しているからである。この前提と異なり，指定された国が地域的不統一法国である場合には，本国を連結点としている国際私法規則の側の失敗であり，国際私法として特別な処理が必要となる。

処理の方法としては2つの主義が考えられる。第1は**直接指定主義**である。これは，本国の各地域の法の中から適用されるべき地域の法を法廷地国際私法が決定するものである。第2は**間接指定主義**である。これは，本国の各地域の法の中から適用されるべき地域の法を当該本国のルールによって決定するものである。

通則法38条3項は，「当事者が地域により法を異にする国の国籍を有する場合には，その国の規則に従い指定される法（そのような規則がない場合にあっては，当事者に最も密接な関係がある地域の法）を当事者の本国法とする」と規定し，間接指定主義を原則としつつ，そのような規則のないときは直接指定主義をとる旨定めている。かつては，本国法の適用対象となっている者が不統一法国内のいかなる地域に属するかの決定は，当該不統一法国のルールに委ねる間接指定主義の方が，最密接関係地法を選択するという国際私法の理念に合致すると考えられ，また，そうすることにより，どの国で本国法の特定が問題となっても，常にその地域的不統一法国の規則によることになるので同じ結論が得られるとされ，間接指定主義が優れているとされていた。そして，この説明においては，当該不統一法国の準国際私法が38条3項にいう「規則」であると考えられていた。

しかし，準国際私法はその国の国内事件についてどの地域の法を適用するかを定めるものであって，その国から見て外国の国際私法によって自国法が本国法として指定されたときに，いずれの地域の法を本国法とするかを定めようとするものではない。準国際私法が定めている単位法律関係も連結点も独自のものであって，場合によっては，送致範囲にずれが生じ，また，その国の中の州法ではなく，第三国法が準拠法とされることもあり得る。このようなことが生じ得るということは，地域的不統一法国の準国際私法によること自体がここでの問題の解決にとって不適切であることを示しているというべきである。

ここでいう「規則」はその国の準国際私法ではなく，その国からみて外国の国際私法によって自国法が本国法として指定されたときに，いずれの地域の法を本国法とするかを定める規則でなければならない。このように考えると，自国では適用機会のないそのような規則を有している国があるとは一般に考えられない（歴史的には地域的不統一法国であった旧ユーゴスラヴィアには例外的にこのような規則が存在した）。そうすると，通則法 38 条 3 項で予定している「規則」は一般に存在せず，同項の前半部分は空文であるということになる。本国法としてアメリカ法が指定された場合について，かつては「規則」の存在を肯定する裁判例がみられたが，最近はこれを否定するものが増えている（百選 8 事件）。

このように不統一法国に「規則」が存在しないとすれば，直接指定によることになる。そもそも，ここでの問題は，通則法が本国を連結点としているために準拠法が特定できないという失敗の事後処理なのであって，日本の国際私法の責任において解決するのは当然のことである。通則法 38 条 3 項は直接指定のための具体的連結規準を定めず，「当事者に最も密接な関係がある地域の法」によるとしている。この最密接関係地を決定するにあたっては，常居所地，最後の常居所地，出生地，生育地などが考慮されることになろう。

なお，ハーグ国際私法会議で作成された条約を国内法化した遺言の方式の準拠法に関する法律 6 条も扶養義務の準拠法に関する法律 8 条も，間接指定主義を原則とし，直接指定主義をその補則としている。間接指定主義は，ハーグ条約において一般に採用されており，これによって，いずれの締約国でも本国の規則が適用されることによって準拠法の一致が得られると説明されている。しかし，上記のとおり，間接指定主義の採用には疑問がある。

(d) 人的不統一法国

人的不統一法国の法が本国法として指定された場合も，通則法は，地域的不統一法国法の指定の場合と同様に，間接指定主義を原則とし，直接指定主義を補則とする旨定めている（40条1項）（百選9事件）。また，人的不統一法国の場合は，国籍を連結点とする場合だけではなく，常居所や「夫婦に最も密接な関係がある地」（25条）を連結点とする場合も準拠法が特定できないので，同様の処理が定められている（40条2項）。

このように国際私法上，人的不統一法国は地域的不統一法国に準じて位置づけられているが，そもそも法の場所的牴触の解決を任務とする国際私法からみると，40条1項が直接指定について定めるかっこ書きにおいて，「最も密接な関係がある法」によるとし，最も密接な関係がある「地」の法とは定めていない点において，体系が崩れているというべきである。人的不統一法国は法域として1つの法体系を形成しているのであって，人的不統一法国を地域的不統一法国と同列に扱うことはできないはずである。地域的不統一法国の場合の問題は，国家単位に法が存在していることを前提として連結点を本国としたという連結政策の落ち度であって，国際私法が自ら処理しなければならないことであるが，人的不統一法国は地域的には統一された1つの国であって，その国の法が準拠法として指定されれば，その先は，その国の法の中での問題であるというべきである。これは，次の(e)のとおり，新法を適用するのか旧法を適用するのかをその国の時際法に委ねるのと同じである。いずれの国も法改正を行うことによって時間的不統一法国となっているのと同様に，人的に実質法の要件を書き分けているのが人的不統一法国である。

そうすると，人的不統一法国法の指定の場合には，「その国の規則」によって適用されるルールを見出すのが当然である。通則法40条は「そのような規則がない場合」も予定しているが，以上のように考えると，「その国の規則」は必ずあるはずである（そうでないと，その国の国内での法の適用にあたって困るからである）。

なお，原因事実発生地や結果発生地などが連結点である場合も理屈としては同様の問題が生じ得るが，通則法でこれらの連結点を採用している単位法律関係（14条・17条等）について，人的に法律を異にしている国は現実には存在しないので，とくに規定は置かれていない。ただし，難民の地位に関する条約12条1項により住所地法や居所地法が適用される場合には通則法40条が類推適用されることになろう。

(e)　時間的不統一法国

一法域内における新法と旧法との時間的牴触は，その法域の時際法によって解決され，安定した秩序が保たれている。この問題はもっぱら準拠法となった法の中の問題として，その**時際法**によることについては異論はなく，準拠法に委ねられる。この問題は国際私法の対象外のことである。

2　反　　致

(a)　国際私法の不統一の弊害

前述のとおり（第1章I(d)），国際私法は世界で統一されるべきである。しかし，現実には，国際私法は各国の国内法として存在しており，その統一には程遠い。その結果，どの国で問題となるかにより異なる準拠法が適用されることがあり，裁判による場合，どこの国の裁判所に訴えが提起されるかによって判決の結果が異なるという事態が生じてくる。

これには2つの場合がある。第1は，日本人がフランスに不動産を遺して死亡したときの相続問題のような場合で，日本の国際私法によれば，被相続人の本国法として日本法が準拠法となるが（通則法36条），フランス国際私法によれば，不動産所在地法として，フランス法が準拠法となる。このような場合を国際私法の**積極的牴触**と呼ぶ。このような場合に生ずる判決の不調和を是正するためには国際私法を統一する以外に方法がない。

これに対し，第2の場合として，国際私法の**消極的牴触**と呼ばれる場合がある。フランス人が日本に不動産を遺して死亡したときのように，日本ではフランス法が準拠法となるが，フランスでは日本法が準拠法となるような場合である。この第2の場合の対策として反致が考え出されたのである。

(b) 反致とは

国際私法の消極的牴触が生じている場合に，準拠法の決定にあたって自国の国際私法のみならず，他国の国際私法をも適用し，その間の調和を図ろうとするのが**反致**である。すなわち，反致とは，自国の国際私法によって指定された準拠法所属国の国際私法が，自国法又は第三国の法を準拠法としているときには，それに従って自国法又は第三国法を準拠法とすることである。国際的にはフランス語のrenvoiが広く用いられている。

反致は，1878年のフランスの**フォルゴ事件**以来議論が盛んになり，日本，ドイツ，ポーランドなどの成文国際私法の中に採り入れられた（通則法41条）。

(c) 反致の種類

反致にはいくつかの種類がある。

① A国の国際私法によればB国法が準拠法となるが，B国の国際私法によればA国法が準拠法となるときに，A国でA国法を準拠法とする場合。これを**狭義の反致**という。通則法41条はこの反致だけを定めている。

② A国の国際私法によればB国法が準拠法となるが，B国の国際私法によればC国法が準拠法となるときに，A国でC国法を準拠法とする場合。これを**転致**（**再致**）という。通則法41条は転致を認めていない。

③ A国の国際私法によればB国法が準拠法となり，B国の国際私法によればC国法が準拠法となるが，C国の国際私法によればA国法が準拠法となるときに，A国でA国法を準拠法とする場合。これを**間接反致**という。通則法41条は間接反致を認めていない。

どの種類の反致を認めるかは様々であり，通則法41条は狭義の反致のみ認めているが，条約に基づく手形法88条1項及び小切手法76条1項は転致まで認めている。

なお，準拠法所属国の国際私法に反致の規定がある場合，その反致の規定をも適用し，反致を2回繰り返して結局，元の指定のとおりの準拠法を適用することを**二重反致**という。後述のように，日本ではこれは認められていないと解される。

(d) 反致の根拠をめぐる議論

反致を支持する根拠とそれに対する批判は次のとおりである。

(1) **棄権論**　これは，ある国の法がその適用を欲していない場合，他国はその意思を尊重してこれを適用すべきでないとの議論である。しかし，国際私法による準拠法の決定は，国際的な私法秩序の安定という目的のため，最密接関係地法によることを基本としているのであって，準拠法所属国の国家意思に従って適用するわけではないと批判される。

⑵ 総括指定説　これは，連結点によってある国が指定されるということは，その国の法が総括的に指定されるということであり，したがって実質法だけではなく，その国の国際私法も適用することになるとの議論である。しかし，もしそのように解するとすれば，準拠法としてある国の法が指定された場合はすべて総括指定ということになり，常にその国の国際私法が適用されてさらに他の国の法が指定されてしまう。また，極端にいえば，日本の通則法が日本法を準拠法として指定する場合でさえ再び通則法を含むということになってしまうから，結局，「限りなき循環」「国際的テニス」「論理的反射鏡」に陥ると批判される。

⑶ 政策的理由づけ　反致主義の理論的説明をあきらめて，実際的な理由からこれを根拠づけようとする議論である。

第1に，国際私法の不統一の結果生じる判決の不調和，とくに親族・相続の分野についての国際私法でみられる本国法主義と住所地法主義との対立を緩和するメリットがあるという議論がある。しかし，一方の国のみが反致主義を採用するのならともかく，双方の国がこれを採用すれば，結局準拠法が入れかわるだけであって，準拠法決定の国際的調和は得られないと批判される。

第2に，反致主義をとることによって，自国の判決が外国で承認されるようになるという説明がされることがある。しかし，判決の承認は準拠法所属国だけで問題になるとは限らず，その一国の国際私法にのみ従うことには十分な理由がないと批判される。またそもそも外国判決の承認にあたって，いかなる法が準拠法として適用されたかは一般に要件とはされていない。

第3に，狭義の反致については，それが自国法の適用の機会を拡張することができ，外国法を適用する面倒を避けられるようになるという議論もある。しかし，このような自国法適用優先の考え方は，国際私法の精神に反すると批判される。

(e) 反致否認論

以上のように理論的にも政策的にも反致主義には根拠がないと解するのが，わが国の通説である。反致主義は，最密接関係地法の決定・適用という国際私法の理念に基づいて立法されている自国国際私法に対する不忠実であり，誤った国際主義であるというべきである。

(f) 通則法の規定と判例

とはいえ，通則法41条は，「当事者の本国法によるべき場合において，その国の法に従えば日本法によるべきときは，日本法による」と定めているので，この限りで適用するほかない。

(1) 本国法によるべき場合であること　具体的には，4条・24条・28条から31条・33条・35条から37条の規定により，本国法として外国法が指定される場合にのみ反致が問題となる。

認知や養子縁組について，子の本国法の定める要件の具備をも要求するいわゆる**セーフガード条項**の場合には（29条1項後段・2項後段・31条1項後段），その趣旨から反致を認めるべきではないとする見解がある。条文の規定振りからもそのように解することに無理はないので，あえて何ら得るところのない反致を認める必要はなく，この見解を是とすべきである。

他方，28条1項・29条2項・30条1項などにおける**選択的連結**においては反致を認めるべきではないとの見解があるが，解釈論としては無理であろう。

(2) 段階的連結において本国法によるべき場合でないこと　25条（26条1項及び27条で準用される場合を含む）及び32条の規定によっても当事者の本国法が適用されるが，41条但書は，これらの場合には反致を認めないこととしている。

(3) **本国の国際私法に従えば日本法によるべきときであること**　手形法88条1項，小切手法76条1項は転致まで認めているが，通則法は狭義の反致のみを認めている。通則法41条の「その国の法に従えば」とは，その本国の国際私法に従えば，という意味である。その国において準拠法を定める役割を果たしている「法」でなければ，「日本法によるべき」であるという指定をすることはできないからである。したがって，本国の国際私法に従って，法律関係の性質決定及び連結点の確定を行った結果，日本法が準拠法として指定される場合でなければならない。たとえば，住所が連絡点として用いられていれば，その概念は当該本国国際私法上のものであることに注意が必要である。

では，日本から送致した1つの問題について，本国の国際私法では2つに分けて異なる扱いをしている場合はどうすべきであろうか。たとえば，通則法36条は相続を統一的に扱い，本国法を適用するとしているが，フランス国際私法は動産相続と不動産相続に分け，前者は被相続人の住所地法により，後者は不動産所在地法によるとしている。そのため，たとえば，日本にフランス国際私法上の住所をもたないフランス人が死亡した場合，日本所在の不動産の相続についてのみ反致が成立して日本法により，他の財産についてはフランス法が適用されることになる（中国法からの反致の例として，百選6事件）。これを**部分反致**という。厳密に考えれば，日本の国際私法上の単位法律関係の大きさと外国国際私法におけるそれとは異なり，常にずれがあるはずであるので，常に部分反致が生ずる。本国に送致した問題のうち，日本法によるとされる部分についてのみ日本法を適用するのが41条の反致であり，部分反致であっても差し支えない。

通則法は**二重反致**を認めていないと解されるが，裁判例の中にはこれを認めたものがある。学説の中には，本国の国際私法が反致主義を採用している場合には，結局，その国際私法によれば日本法によるべき場合にあたらないことになり，二重反致を認めたときと同じく，日本では本来の準拠法が適用されることになるとの見解もある。しかし，本国国際私法の反致規定まで考慮の対象としてしまうと，本国の国際私法が転致を認めているときに，その転致によって日本法が指定される場合にまで日本で反致を認めるということにまでしなければ首尾一貫しなくなり，そのような通則法 41 条の拡張は妥当ではないと解される。したがって，41 条の反致が成立するのは，その文言どおり，本国の国際私法により日本法が直接指定される場合に限定すべきである。

また，家族関係とくに養子縁組事件において，アメリカの州法からの**隠れた反致**を認める裁判例が多く存在する。アメリカの多くの州の国際私法では，養子縁組については裁判管轄権のルールのみがあり，準拠法の決定ルールは存在しない。すなわち，当事者の住所地に裁判管轄権を認め，裁判管轄があれば法廷地法が適用される。このような扱いを準拠法指定ルールに書き直して双方化すると，住所地法によるという国際私法ルールが隠れていると理解するのである。そして，当事者の住所地が日本である場合には，その州法からの反致が成立するとした裁判例は多い（百選 7 事件）。

なお，反致によって適用される日本法は，本国国際私法の公序に反するものであってはならず，その公序に反するときは反致は成立しないとの見解がある。しかし，反致の成否は準拠法を特定する段階で行うべきことであり，準拠法の適用段階まで踏み込んで判断することには疑問がある。

3 未承認国法の指定

(a) 問題の所在

1917年の革命によってソヴィエトが新国家として誕生し，ヨーロッパ諸国が国家承認するまでの間，ソヴィエト法は準拠法の資格があるか，すなわち国家ないし政府が承認されていない場合，その国の法律を準拠法として適用し得るのかということが問題となった。

この問題は，第二次大戦後，日本に在住する中国人や朝鮮人について，その本国法として中華人民共和国や朝鮮民主主義人民共和国の法律を適用し得るかをめぐって，わが国の国際私法にとっても現実的な問題となった。また，現在，外交関係のない中華民国や北朝鮮の法についても問題となり得る。

(b) 判例と学説

国家主権の発動である司法権と行政権が対外関係で矛盾した行動をとるべきではないという考え方から，承認している国家・政府の法律のみを適用するとの見解もある。しかし，国際私法の任務が国際的な私法秩序の安定を図ることを目的として最密接関係地法を適用することにある以上，そこで指定の対象となる地は，法秩序としての実効性，すなわち一定の国民と領土を有する権力が実効的な支配を行っている地であればよいはずである。したがって，現在の中華民国や北朝鮮の法は，その国際法上の位置づけとは別に，準拠法とすることができると考えられる。実際，台湾法を適用した最高裁判決（百選1事件），北朝鮮法を適用した裁判例もある（百選3事件）（なお，分裂国家に属する者の本国の決定については第3章Ⅰ3(b)(2)）。

V 準拠法の適用——第4プロセス

1 外国法の扱い

(a) 準拠法としての外国法の性質

第3プロセスを経ることによって，すべての場合に具体的事案に適用されるべき準拠法が特定される。それが日本法であれば，事案の渉外的要素ゆえに，たとえば，民法968条の自筆証書遺言で必要とされる捺印を日本に帰化して日の浅い者の場合は不要とした裁判例があるように，若干の配慮が必要となることはあるものの，その適用について国際私法上は格別の問題はない。しかし，外国法が準拠法とされるときには，その適用に際していくつかの問題がある。

まず，外国法が日本で準拠法となる場合，その内国法秩序における位置づけをめぐって，かつては，国際私法により適用が命じられた外国法は内国法に変質・編入されると考える**外国法変質説**（**外国法編入説**）があった。しかし，外国法が日本国憲法のもとに編入され，違憲立法審査権の対象とされることはあり得ず，日本でできるのは公序違反を理由とする外国法の適用排除（通則法42条）だけであるので，現在は支持を失っている。

別の問題として，訴訟手続上，外国法を事実と扱うのか，法と扱うのかという問題がある。前者を**外国法事実説**，後者を**外国法法律説**という。外国法の内容の調査は時間を要し，困難であることは確かである。しかし，訴訟外の私人間の交渉や戸籍などの行政実務は準拠法とされる外国法に従って行われるのであって，訴訟手続上の都合によって，外国法をそのとおり適用しないことは社会に混乱をもたらすことになる。外国法も法であるとする外国法法律説を是とすべきである。

とはいっても，実際の事案処理の現場では，外国法の内容が直ちには分からないという事態が生じ得る。その際，どのように処理すべきかという訴訟上の扱いが問題となる。これは本来は国際民事訴訟法の問題であるが，便宜上ここで扱うこととする。

(b) 外国法の主張・立証

外国法事実説によれば，外国法は訴訟上事実として取り扱われるものであるから，適用を望む当事者がその適用を主張し，かつ，その内容を証明しなければならず，当事者の証明がないときは請求を棄却することになる。実際，このような扱いをした古い裁判例もある。

しかし，外国法法律説の立場からは，内国法と同じく，当事者の主張・立証がなくても，裁判所は職権でこれを調査し適用すべきである。

ただし，外国法の調査は現実にはかなり困難が伴うので，裁判実務上は，当事者に弁護士が付いていれば，外国法についての資料の提出を求めることがある。この実務は，裁判所の職務執行を容易ならしめるため，当事者の協力を求めるものと理解すべきであって，当事者による証明がない場合や，提出された資料の内容が疑わしい場合には，裁判所は職権で必要な調査をすべきである。外国法の内容についての鑑定を用いることも可能であるが（民訴法 212 条以下），それは外国法について情報の提供を求めるだけであり，その外国法の適用はあくまでも裁判所の職務として自ら行うべきことである。

(c) 外国法の解釈

準拠法として外国法を適用するということは，その外国法が当該外国において現実に適用されているとおりに適用するということである。外国法の条文のみを翻訳し，漫然と日本法の常識に従って解釈してはならない。外国の判例に依拠して当該外国法を適用する場合，判例にどのような権威が認められているかも当該外国法秩序の中で決定しなければならない。もっとも，事案の渉外性により，当該外国における純粋な国内事案への適用とは異なる適用となることもあり得よう。

(d) 外国法の適用違背による上告

民訴法 318 条によれば，原判決に最高裁判例と相反する判断がある事件その他法令の解釈に関する重要な事項を含むものと認められる事件について，最高裁判所は申立てにより決定で上告を認めることができる。そこで，ここにいう「法令」に外国法が含まれるか否かが問題となる。外国法事実説の立場からは，事実認定の問題にすぎないとして否定される。また，外国法法律説の立場からも，最高裁判所は内国法の解釈の統一という任務を有するのみであって，外国法の解釈統一を任務としてはいないと考えると，ここでいう「法令」は日本法のみを意味するとの解釈も考えられる。しかし，外国法が適用されるのは，日本の国際私法が国際的な私法関係の安定のために命じているからであって，法秩序の維持の観点から外国法の適用違背を放置すべきではない（民訴法 312 条 3 項の「法令」も同じ）。判例も外国法の適用違背による上告を認め，そのことを理由に破棄差戻しをしたものもある（百選 105 事件）。

(e) 外国法不明の場合の処理

準拠法となる外国法の内容を的確かつ迅速に把握し適用することができなければ，国際私法による準拠法決定という仕組み自体が絵に描いた餅になってしまう。そのため，通則法の国会通過の際の附帯決議にも，外国法の調査研究を行う体制の確立が挙げられている。実際，外国法の調査はかなり困難であり，外国法の内容が不明のままとなることが生じることは避けられない。

まず注意すべきことは，**外国法の不明**と**外国法の欠缺**とを区別することである。たとえば，フィリピン民法中に離婚に関する規定がないことは，外国法の欠缺であって，フィリピンでは離婚を認めていないと解釈することができる。また，たとえば，夫婦の一方が日本に常居所を有する日本人であって，その配偶者と子がフィリピン人である場合，通則法27条により適用される日本法により離婚が認められるとき，同法32条によりフィリピン法に基づいて離婚の際の子の親権者指定がされることになる。しかし，同国法には離婚の際の親権者指定の規定はない。これは法の欠缺であって，同国法上の婚姻無効や法定別居の場合の親権者指定の規定を準用することになろう。

他方，裁判においては合理的な時間と費用の範囲での正義の実現が求められるため，相当な努力をしても外国法の内容が分からないことがあり，これが外国法不明の場合である。外国法事実説によれば請求棄却になるが，前述のとおりこの説は妥当ではない。他方，外国法法律説に基づき外国法の内容確定は裁判所の職務であるといっても，時間，労力，費用をいくらかけてもよいというわけではない。合理的な期間内に判決をしなければ，当事者にとって裁判は無意味なものとなってしまうからである。

そこで，得られる情報を活用して不明な外国法の内容を合理的に推認するほかない。たとえば，北朝鮮法が不明である場合，大韓民国法やかつての朝鮮の慣習を調査し，また旧社会主義国の法なども総合して，北朝鮮法を推認するとされる。これは**近似法参考説**と呼ばれることもあるが，近似法に関する情報に限らず，その国の旧法や現行法の一部でも判明していればそのような情報も活用して，外国法の内容の推認に努めるべきことになろう。しかし，それでも，外国法が不明のままとなることはあり得る。

一定の合理的な努力をしても外国法の内容が判明しない場合の措置についてはいくつかの説がある。たとえば，不明な外国法に代えて，文明諸国に共通して認められる法の一般原則を条理として適用すべきであるとの説がある（**条理説**）。しかし，そのような条理を客観的に認識することは不可能であり，仮に認識できるとしてもそれは独善的な判断になってしまうおそれがある。また，段階的連結を採用している単位法律関係，たとえば離婚や親子間の法律関係などについては，高順位の連結により準拠法とされる外国法が不明であるときには，次順位の準拠法によればよいとの説もある。これによれば，段階的連結の場合でなくても，通則法38条2項・39条などの補充的連結による次順位の法の代替的適用を主張する。しかし，これは準拠法の適用の段階から準拠法の特定にプロセスを遡ることを意味し，国際私法の構造上，そのような代替は認められないと考えられる。

翻って考えれば，そもそも外国法の内容が100パーセント判明することは考えられない。そのため，得られた情報を活用して外国法の内容を合理的に推認していくほかない。裁判例の中には，最終的には内国法を適用するものが多く，もしそれが外国法の内容把握の努力を怠った結果であるとすれば，国際私法の本質に反するものであるが，最終的にどうしても外国法の内容を推認できないときは，明確性を欠く条理によるべきではなく，内国法によることを認めざるを得ないと考えられる（**内国法適用説**）。

[2] 外国法の適用排除——国際私法上の公序

(a) 公序則

これまでみてきたように，現在の国際私法の仕組みのもとでは，あらかじめ外国法の内容を問題とすることなく，単位法律関係を構成する場所的な要素に着目し，連結点を介して準拠法が指定される。そして準拠法の適用段階に至ってはじめて，準拠法の内容を知ることになる。これは「**暗闇への跳躍**」と表現されることがある。

ところで国際社会に併存している各国法をみると，一夫一婦制で離婚をまったく認めない厳格なカトリック系の国の法，一夫多妻婚で男子専制離婚を認めるイスラム教系の国の法など，様々である。そのため，日本で生活している夫婦の関係が破綻し，両者が離婚に同意しているにもかかわらず，連結点を介して準拠法とされた外国法が離婚を禁止している場合や，日本で生活している夫婦にもかかわらず，夫が第2夫人との婚姻をすることを認める外国法が婚姻成立の準拠法となる場合のように，跳躍した先の暗闇に落とし穴があるという事態が生ずることがある。

そこで，内国法秩序が破壊されることを防ぐため，例外的な扱いが必要となってくる。すなわち，**公序**（ordre public, public policy）違反を理由に当該外国法を適用しないこととするのである。これを定める規定を**公序則**と呼ぶ。通則法42条は「外国法によるべき場合において，その規定の適用が公の秩序又は善良の風俗に反するときは，これを適用しない」と規定している。

これは，やむを得ないものではあるが，最密接関係地法を適用することを基本とする国際私法の理念から考えると，公序則の発動は慎重でなければならず，公序違反を理由とする内国法適用の機会の拡大に堕してはならない。ハーグ国際私法会議で成立した諸条約で，公の秩序に「明らかに」反する場合でなければ，適用を排除できないと規定されているのも，その濫用を抑制する趣旨である（遺言の方式の準拠法に関する法律8条，扶養義務の準拠法に関する法律8条1項）。通則法42条には，「明らかに」という文言はないが，濫用すべきではない点では同じである。

もっとも，公序則という安全弁があるからこそ，準拠法の内容を事前にチェックすることなく準拠法を決定するという「暗闇への跳躍」という方法が維持できるのであって，いざという場合に公序則の発動をためらう必要はない。

⒝　公序則の発動基準

⑴　外国法の適用結果　　公序則は外国法の内容を非難するものではない。その内容はそれを制定した国家の主権行使の結果であって，他の国が干渉すべき事柄ではない（百選 11 事件）。問題は，その外国法を準拠法として適用した結果，日本において看過しがたい事態となることである。そのことを 42 条は「その規定の適用が」という文言で表現しており，趣旨をより明確にするとすれば，その規定の適用の結果が公序違反か否かを問題とすることになる。

⑵　国家的公序と普遍的公序　　国際私法上外国法の適用を排除するのは，その適用によって内国が維持しようとしている基本的法秩序が破壊されるからである。したがって，外国法適用排除の基準となる公序良俗の観念は，国家的なものであり，通則法 42 条では日本の公序が基準になるということになる。

このような考え方に対しては，普遍主義の立場から，国際私法上の公序とは，特定国の国家的立場を離れた超国家的なものであり，文明諸国に認められる法の一般原則のような超国家的観念であるべきだとの反対説がある。たとえば一夫多妻が公序に反するとして認められないのは，今日の文明諸国における婚姻制度の本質が否定されることになるからだというのである。しかし，そのような普遍主義は特定の立場を前提とした独善に陥るおそれがある。また，仮にある国の法が超国家的な公序に反することがあるとすれば，自国法も例外ではないはずであるが，自国法の適用を公序則で排除することは考えられない。正義が国により異なることを容認するという価値相対主義が国際私法の基本であり，公序則は，自国の法秩序の維持を目的とする一国の立場からの基準によるほかない。

⑶ 通則法42条と民法90条　公序観念が国家的なものであるといっても，これはあくまでも国際私法上のものであって，民法90条のような実質法上の公序良俗規定とは異なるものである。外国法によることが自国の親族法や物権法に定める強行規定に反する結果をもたらすからといって，その外国法の適用結果が国際私法上当然に公序違反になるわけではない。強行法規とするか否かは立法によって左右できる場合も含まれているが，通則法42条が守ろうとしているのは，日本法の基盤を構成する価値であり，その価値を変更するほどの憲法改正がない限り，法改正ができないほど根本的なものである。

また，民法90条は契約内容のような人の意思活動をその対象としているが，通則法42条は準拠法である外国法の適用結果を対象としている点でも異なっている。そのため，たとえば，契約の準拠法が外国法である場合，その契約条項は，まず準拠法である外国の実質法上の公序良俗規定に照らして有効性が判断されたのち，国際私法上の公序則によってその適用結果が審査されることになる。

⑷ 内国関連性　公序則が発動されるか否かは，外国法適用結果の異常性の程度（日本法の適用結果との乖離の程度が大きいことをここでは異常性が大きいという）と事案の内国関連性の度合との相関関係で決まる（百選11事件）。異常性の程度が同じ程度でも，内国関連性の度合が低ければ公序違反とはされず，ある限度以上に関連性が高まってはじめて公序違反とされる。たとえば，日本に相続財産があり，外国において一夫多妻婚をしていた被相続人である夫の妻のひとりが他の妻と協議の上その財産の所有権を取得した場合と，日本でこれから一夫多妻婚を営む場合とを比べると，後者の方が公序

則が発動される可能性が高い。もっとも，外国法適用結果の異常性がある限度を超えると，もはや内国関連性の度合にかかわりなく，一律に公序違反とされることもあろう。

(5) 公序則発動の基準時　公序則が守ろうとするのは現在の公序である。過去の公序を守ったところで得られるものはない。そうすると，継続的な法律関係や過去のある時点の法律関係への外国法の適用について，ある時点では公序違反であったが現在ではそうではないとか，あるいはその逆ということが生じる。これは，事実関係や日本の公序観念が変化したことによるのであって，当然の結果である。

(c) 外国法適用排除後の処理

法的判断を行う場合には，基準となるべき法が必要である。では，国際私法によって準拠法として指定された外国法が公序に反するとして適用を否定された場合の事後処理はどうすべきであろうか。従来の通説は**内国法適用説**であった。この説は，準拠外国法が排除されるととらえ，そうすると法の欠缺が生じることを前提としている。そのため，この法の欠缺を補充するために内国法を代替的に適用すると説くわけである。このような立場に立つ裁判例は多い（百選13事件）。

これに対して，上記のような問題設定そのものを否定する見解がある。これによれば，公序則により排除するのは外国法ではなく，外国法の適用結果であることを踏まえ，そのような判断をしたからには，こうでなければならないという結論があるはずであって，改めて何らかの規範を補充するという問題自体が存在しないとされる。これを**欠缺否認説**という。

結論がある請求を認めるか認めないかといった二者択一のデジタル的判断をする場合には，内国法適用説も欠缺否認説も結果は同じである。しかし，請求をどの程度認めるかといったアナログ的判断を要する場合には両者の結果は異なってくる。すなわち，慰謝料を一切認めない外国法の適用を排除した場合，内国法適用説では日本法の規定するとおりの慰謝料請求を認めるのに対し，欠缺否認説では，そこまで高額の慰謝料でなくてもよく，わが国の法秩序として許容できる最低レベルの慰謝料額さえ与えられないことが公序則発動の理由となっていたのだから，その最低レベルの額の支払いを命ずればよいということになる。内国法適用説によれば，日本における許容限度ぎりぎりのレベルの額を少し超える慰謝料の支払いを命ずる外国法が適用されるときには，そのままの額の支払いが命ぜられるのに対して，より少ない額の慰謝料しか認められない外国法が適用される場合には公序違反とされて日本法と同じレベルに金額の支払いが命じられるという逆転現象が生じてしまうことになる。このように考えると，欠缺否認説の方が妥当であり，また理論的にも優れているというべきであろう。

(d) 裁判例における公序則の適用

わが国の裁判例で公序則の適用された事例は次のとおりであり，親族法の分野のものが多い。

フィリピン法など離婚を禁止する法律が離婚の準拠法となった場合において，形骸化した婚姻関係に日本人配偶者をしばりつけることは幸福追求権を侵害するとして，公序則を発動して離婚を認めた裁判例は少なくない。そのほか，異教徒間の婚姻を禁止するエジプト法の適用の結果，婚姻が認められないこと（百選10事件），実親子関係不存在確認請求についての出訴期間を制限する韓国法の結果，実母が複数となること（百選11事件），養子を1人に限っている中国法の適用の結果，未成年者の兄弟の一方との養子縁組ができないこと（神戸家審平成7年5月10日家月47巻12号58頁），離婚の際の親権者を父に限る旧韓国法の適用の結果，母を親権者に指定できないこと（最判昭和52年3月31日民集31巻2号365頁）などを公序違反とした裁判例がある。

これに対して，消費貸借契約に基づく借入金により賭博することを認めるネヴァダ州法の適用は公序に反しないとした裁判例があるが（百選12事件），現実にその取立てのため恐喝などの犯罪が日本で発生しているケースであり，この判断には疑問がある。また，準拠法とされたアメリカの特許法が日本での行為に及ぶことが公序に反するとした最高裁判決がある（百選41事件）。しかし，特許の問題を私法上のものとして国際私法によるとの立場を前提とすれば，アメリカ法の地域的適用の問題はアメリカの国際私法の問題であり，準拠法所属国の国際私法は日本から当該国に送致される問題に対応する法（送致範囲）に入っていないので（外国の国際私法が適用されるのは反致の場合だけである），そのことが日本で問題となることはそもそもないはずである。したがって，この判決には賛成できない。

ところで，韓国法上，死後認知請求が親の死亡を知った日から1年に限定されているため（その後2005年改正で2年になっている），知不知にかかわらず死後3年とする日本法（民法787条）が準拠法であれば認知請求ができた者が，請求できないという結果について，公序則を発動しなかった裁判例がある（大阪高判昭和55年9月24日家月33巻3号48頁）。判決では，「認知に関する日本民法及び韓国民法を対比検討すると」と判示している。仮にこれが起算点などの法技術的な点で日本法と異なるにすぎないということを理由にしているとすれば，それは外国法の適用結果ではなく，外国法の内容を問題とするものであって適当ではない。同じ結論を導くとしても，この事件では親の死亡の日に請求者はこれを知り，その日から2年7カ月が経過していることに鑑みると，韓国法の適用結果として死後認知請求ができないとされることは，日本の公序に反するほどではないとの理由によるべきであったと思われる。民法 787 条の 3 年という期間は，その改正により，少なくとも 2 年に短縮することは日本法としてあり得ると考えられ，そうだとすれば，死後 2 年 7 カ月を経過している場合に死後認知請求ができないという結果は日本法秩序として許容範囲内だからである。他方，この事例とは異なり，死後相当の時間が経過してから親の死亡を知った場合には，韓国法により死後認知請求が認められるという結果が相続関係等の安定を重視する日本の公序に違反するとされる場合もあり得よう。

第3章 家族生活と国際私法

家族法の分野は，各民族の風俗，慣習，宗教，倫理など文化的歴史的背景と強く結合し，国際的な法統一はほとんど不可能であり，また，法統一を強行することが望ましいともいえない。そのため，国際的な要素を含む家族生活について秩序を与えるには準拠法の決定・適用という国際私法の方法によらざるを得ない。この方法による場合の最大の問題は，婚姻や親子関係などについて最密接関係地を選び出す連結点として何が相応しいかである。

I 家族関係の連結点

1 属人法の観念

(a) 属人法とは

かつての法規分類説のもとでは，法を人に関する法と物に関する法とに分類し，前者は，一国と恒久的かつ密接に結びついている人に対してはどこにいても常に適用されるとされる**属人法**とされ，後者は，他方，一国の領域内では常に適用される**属地法**とされた。このように考える法規分類説が否定され，サヴィニー型国際私法になった後も，このような用語は使われ続けている。

しかし，サヴィニー型国際私法においては，法の地域的適用範囲という発想ではなく，単位法律関係ごとに連結点を設定して，それが指し示す地の法を適用するという方法を採用しているのであるから，属人法・属地法という用語は不適切である。とはいえ，実際に用いられることがある以上，そのような言い方に接したときには，歴史的経緯を踏まえた上でいくつかの単位法律関係を横断的に考える際に便宜的に用いられているという認識を持つことが大切である。

家族関係の単位法律関係の連結点について，あえて属人法という用語で説明すると，いかなる法を属人法と認めるかという属人法の決定基準という連結政策の問題と，いかなる事項がこの属人法に服せしめられるべきかという属人法の適用範囲という単位法律関係の問題とがあり，サヴィニー型国際私法とは異なる順で論じられているので，ここでもその順で考えていこう。

(b) 属人法の決定基準

家族関係をめぐる法意識は，生まれ育った社会の中で自然に形成されるものであり，民族，宗教などに基づいて各法域で相異なる家族法が形成されている。そのため，ある法域に属する人には，どこにいても常に適用される法があると考えられてきた。サヴィニー型国際私法のもとでは，この分野の単位法律関係についての連結点はどうあるべきかという問題である。

19 世紀初頭までは，属人法の決定基準は住所地であると考えられていた（**住所地法主義**）。しかるに，フランス革命により近代的な国民国家が生まれ，1804 年のナポレオン民法で**本国法主義**が採用され，その後の他の大陸法系諸国の国家統一と連動した法典化作業の中で本国法主義に基づく国際私法立法が一般化していった。日本の 1898 年の法例はその典型例の 1 つである。他方，英米法系諸国では住所地法主義が維持されており，その結果，属人法の決定基準に関しては本国法主義と住所地法主義の2つが併存している。

それぞれの考え方には長短がある。本国法主義は，国籍の変更は一般に容易ではないので，家族関係に必要な安定性という長所がある。しかし，国籍国との関係が形骸化している人もいるので，そのような人の本国法は家族生活との関係が希薄であって，準拠法として不適格であるという欠点がある。他方，住所地法主義は家族生活との関連性の点では優れているが，国籍変更に比べると移住は容易であり，安定性に欠ける。もっとも，英米法系諸国では，単なる居住地を意味する residence ではなく，**ドミサイル**（domicile）という法概念が基準とされており，出生時に父から受け継いだドミサイルを変更するには単なる移住という事実だけでは足りず，新たな地での永住の意思を要するとされ（国により時代により変化している），不安定にならないようにされている。しかし，そのようなドミサイルの認定における法的擬制により，本国法主義と同様に形骸化のおそれがある。

このように，本国法主義と住所地法主義のいずれが優れているともいえず，それぞれの歴史的経緯により定着しているため，この両主義の対立が国際私法の国際的統一を妨げている最大の障害であるとされてきた。そのため，ハーグ国際私法会議は，**常居所**（**habitual residence**）という連結点を創出し，これを用いることによって，両主義の対立の止揚を図っている。もっとも，常居所をどのように認定するかという基準は定めないというのが同会議の方針であり，実際は同床異夢となっているであろう。

日本は批准した同会議作成の条約（遺言の方式の準拠法に関する法律・扶養義務の準拠法に関する法律として国内法化）では連結点として常居所が採用されており，法例の平成元年（1989年）改正及びそれを引き継いだ通則法では，本国法主義を維持しながら，常居所地も連結点として採用し（25条・26条1項・27条・32条の第2段階），重国籍者・無国籍者の本国法の決定においても常居所地が用いられている（38条1項・2項）。

しかし，上記のことを属人法の決定基準という観点からみるべきではない。通則法は単位法律関係ごとにしかるべく連結点を設定するサヴィニー型国際私法であるので，属人法という法から出発した演繹的発想はなじまないからである。婚姻・離婚や親子間の法律関係については段階的連結が採用され（通則法25条・26条1項・27条・32条），夫婦財産制については部分的に当事者による準拠法指定が認められているのであって（26条2項），もはや属人法の決定基準としては説明できない。

なお，難民の地位に関する条約12条1項は，難民の「属人法」を住所，それがないときは居所を有する国の法律としている。これは本国との関係を断ち切ろうとしている難民の特殊な地位に基づくものである。

(c) 属人法の適用範囲

いかなる事項につき属人法が適用されるべきかについても，各国の法制は異なっている。スタチュータの理論以来「身分及び能力」の問題がこれに属するとされ，サヴィニー型国際私法の登場の前に制定されたフランス民法の3条3項は「人の身分及び能力に関する規定は外国にいるフランス人をも規律する」と定めており，これは，それらの規定の属人的な適用という発想の規定である。このような発想のもとでは，属人法とされる「身分及び能力」に何が該当するかが問題となる。

2 本国と国籍

国際私法上の連結点としての本国は国籍を基礎としているので，

その限りで国籍法に触れておく。国籍とは，個人が特定国家の構成員となる資格であり，個人と国家との間の法的紐帯であるとされている。いかなる者を自国民と認めるかは，国家の基本にかかわる問題であり，国家形成の歴史を背景としつつ，人口政策，移民政策，同化政策などの観点から，各国は異なる国籍法を制定している。

一般に，出生時の国籍取得については，アメリカなどの新大陸の国々では移民の子孫を自国民とするために，自国で生まれた子に国籍を与える**出生地主義**が採用されているのに対して，旧大陸の国々では**血統主義**が採用されている。もっとも，いずれの主義も基本原則とされているだけであり，他方の主義も補則として採用する折衷的な国籍法となっている。日本の国籍法は，他の多くの国と同様に，かつては父系優先血統主義であったが，現在は父母両系血統主義を採用している。そのため，韓国人父と日本人母の間の子がアメリカで生まれると三重国籍となることになる。

本国は単一でなければ準拠法決定という役割を果たすことができない。国籍法の違いによって生ずる重国籍者・無国籍者の本国法の決定については，第3章Ⅰ③(b)(c)参照。

③ 連結点としての本国・住所・常居所

(a) 序　説

個々の単位法律関係で採用されている連結点の確定は，各論で個別にみていくこととし，ここでは，家族法関係の連結点として共通に採用されている本国・常居所についてまとめてみておこう。

(b) 重国籍者の本国

各国の国籍法が自国民の範囲を定めるので，国籍の積極的牴触・消極的牴触が生ずることになる。前者の牴触は重国籍者を生む。その者について1つの本国を決定する必要があるところ，その決定の仕方は，重複している国籍が内外国籍である場合と外国国籍ばかりである場合とで異なっている。

⑴ **内外国籍の場合**　重国籍のうちの1つが日本国籍である場合について，通則法38条1項但書は，日本国籍を優位に置き，日本法を本国法としている。日本で問題となる以上，日本が最密接関係地であることが多いであろうし，日本では日本人の名簿としての戸籍が完備されているので，日本人であることの確認は容易であり，事務処理上のメリットは大きいからである。

⑵ **外国国籍ばかりの場合**　日本国籍を含まない重国籍者について，通則法38条1項は，第1段階で国籍を有する国のいずれかに常居所を有していればその国の法律を本国法とし，第2段階として，それらの国には常居所がないときは他の様々な要素を考慮して，それらの国の中で最密接関係国を判断し，その法を本国法とすることとしている。国籍取得の経緯，取得の先後，過去の常居所，父母の国籍・常居所などが考慮される。なお，当然のことながら，いかに関係が深くても，国籍を有しない第三国を最密接関係国とすることは本国法主義を逸脱するものであって，認められない。

ところで，日本には，中国・中華民国（台湾）や韓国・北朝鮮という**分裂国家**に属する人たちが多く居住している。そのため，本国法を適用する際，いずれの地域なのかという問題が多く発生している（未承認国家の法であっても適用できることについては第2章Ⅳ③参照）。また，これらの分裂国家の場合には本国を連結点とすること自体が適当ではないとの少数説もあるが，本国法主義の枠内で処理を考えるのが通説・判例であり，その前提で，分裂国家を1つの国とみるか，2つの国とみるかについて見解が対立している。

第1に，分裂国家を1つの国家であるとみて，地域的不統一法国を本国とする者の本国法の決定問題として，通則法38条3項かっこ書きの定めに従い最密接関係地法を本国法とする立場がある。そして，その判断に際しては，イデオロギーの対立が分裂を生んでいるという実情に鑑み，当事者の意思を重視すべきであると主張される。しかし，本国法決定のための国籍の有無は各国の国籍法によるという扱いとの整合性を考えると，分裂国家として1つの国籍法を有しているわけではないので，あたかも1つの国家があるかのような扱いをするという前提が成り立たないというべきである。

これに対して，分裂国家を2つの国と割り切り，重国籍者の本国の決定問題として，通則法38条1項により本国法を決定する立場がある。分裂国家においては，それぞれの政府が自己を全領土の政府であると主張し，他方の支配地域にいる者も自国民とする国籍法を有しているからである。この説はその現実を踏まえたものであり，それぞれを独立の法域と考える以上，理論的にも問題ない。裁判例として，韓国・北朝鮮を2つの国ととらえ，親族の常居所，本人の意思を含む諸要素を勘案して本国を決定したものがある（百選3事件）。

(c) 無国籍者の本国

出生地主義の国籍法を有する国の国民である夫婦の子が血統主義の国で生まれたからといって，通常は無国籍にはならない。しかし，例外的な状況下では無国籍となることがある。国籍法の消極的牴触による無国籍者についても，本国法主義のもとでは本国に代わる連結点が必要となる。

通則法38条2項は，そのようなときは，当事者の常居所地法による旨規定している。もっとも，25条（婚姻の身分的効力），これを準用している26条1項（夫婦財産制）及び27条（離婚），並びに32条（親子間の法律関係）の規定の適用については常居所に代替させないこととしている（38条2項但書）。というのは，これらでは，本国は段階的連結の中で用いられており，本国という繋がりが重視され，当事者が同一の本国を持つからこそ同一本国法が第1順位に置かれているのであって，無国籍の場合に代替的な連結点により定まる本国ではその重みが十分ではなく，次順位以下の連結に委ねるべきであると考えられるからである。

なお，常居所を国籍の代替として用いる場合において，常居所も不明であるというときには，39条により，そのような無国籍者の本国は居所地となる。

(d) 共通本国と同一本国

扶養義務の準拠法に関する法律は，扶養義務につき，扶養権利者の常居所地法によればその者が扶養義務者から扶養を受けることができないときは，「当事者の共通本国法によって定める」旨の規定を置いている（2条1項但書）。

これに対して，通則法25条は，「夫婦の本国法が同一であるときは」婚姻の効力はその法律によると規定している（26条1項及び27条でも準用）。また，親子間の法律関係に関する32条も，子と父又は母の本国法とが同一である場合には，子の本国法によるとしている。この**同一本国法**と上記の**共通本国法**とは異なる法概念である。

共通本国の有無は，両当事者がそれぞれ有する国籍の中に一致するものがあるか否かにより，それが存在すればその国の法律が共通本国法とされる。たとえば，日本とフランスの二重国籍者と，ドイツとフランスの二重国籍者の間の共通本国法はフランス法ということになる。なお，共通本国法が複数存在する場合もあり得る。そのような場合，扶養義務の準拠法に関する法律2条1項但書の適用においては，いずれの共通本国法にも準拠法としての資格があり，いずれによっても扶養が認められる場合には扶養義務者にとって最も有利な方が適用され，いずれの共通本国法によっても扶養を受けることができないときに同条2項により日本法によることになる。また，3条1項の適用においては，複数の共通本国法の中に，扶養義務を負わないとの結論を導く法があれば，扶養義務はないとの結論になると解される。

これに対して，同一本国の有無は，当事者の一方又は双方が重国籍者の場合，38条1項の規定により重国籍者について本国を絞りこんだ上で，その本国が他方の当事者の本国と同一であるか否かによることになる。したがって，日本とドイツの二重国籍者とドイツだけの国籍を有する者との間では，前者について38条1項但書により日本が本国とされるため，両者の間には同一本国は存在しないことになる。

また，地域的不統一法国に属する者の場合には，38条3項によりその国のいずれかの地域を本国と決定した上で，段階的連結の条文に当てはめることになる。したがって，アメリカ人夫婦であっても，そのようにして定められる夫の本国がニューヨーク州，妻のそれがカリフォルニア州である場合には，同一本国が存在しないとされ，次順位以下の連結によることになる。

なお，人的不統一法国の国籍を有する者についても同様に通則法40条により本国を絞り込んだ上で同一性の有無を判断するという見解がある。裁判例においても，ともにインドネシア人の父子について，父はイスラム教徒であるが子はそうではないとして，40条により定まる本国は異なるとし，32条の第2段階として，子の常居所地である日本の法を適用したものがある（東京地判平成2年12月7日判時1424号84頁）。また，イラン人について父子の本国法はともに同国の宗教法の1つであるイスラム法であるとして，これを適用した裁判例もある（百選9事件）。しかし，既述のように（第2章Ⅳ[1](d)），人的な法の不統一はその国の実質法上の区別にすぎないと考えられるので，インドネシアやイランという国家レベルで本国法を判断し（同一本国があることになる），同国法上，このような事実関係のもとにある子の親権者指定につきいずれの宗教法が適用されるかを検討すべきである。

ところで，通則法26条2項1号は，「夫婦の一方が国籍を有する国の法」という文言が用いられている。「夫婦の一方の本国法」ではないので（もしそうであれば各配偶者について本国法を絞り込むことになる），国籍を有する国の法であれば，夫婦財産制の準拠法として選択可能であるという趣旨である。

(e) 実効的国籍論

国際私法の目的が，最密接関係地法の決定・適用にある以上，本国法主義が採用されていても，具体的事案において，本国が最密接関係地といえない場合には，本国を連結点とすべきではないという**実効的国籍論**が唱えられたことがある。しかし，これは文言を無視するものであって，解釈論として無理であるということに加え，実質的に考えても，裁判所の判断を経るまでは準拠法がはっきりしないという不安定な状態を作り出し，親族・相続関係の準拠法決定における価値の1つとされる安定性を大きく損なうことになる。そのため，現在はこの理論は学説上も支持されていない。

(f) 常居所の決定

(1) 常居所とは　常居所は，ハーグ国際私法会議が生み出した準拠法決定のための道具であるが，同会議は定義をしたことがなく，常居所があると認められるために必要とされる居住期間や常居所取得意思の要否などについて，国際的なコンセンサスがないことは既述のとおりである（第3章Ⅰ[1](b)）。

家族生活をめぐる諸問題についての連結点として常居所が採用された趣旨に鑑みると，短期間の居住では不十分であり，ある程度の期間の居住という客観的事実が必要であろう。ただ，この要件を厳格にすると，国際結婚をして新たな国で生活を始めた夫婦の婚姻の効力の準拠法として，一定期間経過後でなければ，同一常居所地法により得ないことになり，不適切な扱いとなりかねない。そこで，常居所の有無の判断にあたっては，居住期間のみでなく，居住目的や居住状況などの諸要素を総合的に考慮することが必要となろう（百選4事件）。将来そこに住み続けるという意思も排除されるわけではないが，単なる主観では足りず，ある程度の居住をうかがわせる客観的な要素が必要であろう。たとえば，日本人の場合には長期の海外勤務から帰国直後でも元の職場等に戻った場合にはその直後から日本に常居所があると判断してもよいであろうが，外国人が日本にはじめて住み始めた場合には，いかに本人が日本を「終の棲家」とする意思をもっていても，一定期間の経過が必要であろう。ただし，そのような者であっても，日本に居住用不動産を購入するとか，回収に長期を要する資本を投下してビジネスを始めたといった事情があれば，比較的早い段階から日本に常居所があるという認定をすることができるであろう。常居所が離婚や名誉毀損の準拠法決定にあたって問題となった裁判例がある（百選4事件・5事件）。

⑵　**戸籍事務の扱い**　常居所を連結点として導入した平成元年の法例改正に伴う法務省民事局長通達では，常居所を以下のとおり認定することとしている（平成元年10月2日民2第3900号通達とその後の一部改正通達）。これは，戸籍窓口での処理の際の基準を通達するものにすぎないが，常居所を決定する他の場面でも参考になるであろう。

まず日本における常居所の認定にあたっては，事件本人が日本人である場合には，住民票があるとき，又は住民票が消除されたときでも出国後1年以内であれば，日本に常居所があるものとする。事件本人が外国人である場合には，出入国管理及び難民認定法による在留資格に応じて，1年以上又は5年以上在留しているときに，日本に常居所があるものとする。なお外国の外交官などについては日本に常居所は認められず，また，いわゆる特別永住者などについては，常に常居所があるものとする。

他方，外国における常居所の認定にあたっては，事件本人が日本人である場合には，当該外国に5年以上滞在しているときは，例外はあるものの，その国に常居所があるものとされる。

事件本人が外国人である場合には，5年以上日本に滞在していれば日本に常居所があるとされる。

⑶ 常居所の単一性など　常居所を国際私法独自の立場から定めるとすれば，常に1つの常居所を認定しなければならない。複数の常居所があると認定したのでは役に立たないからである。したがって，常居所について重常居所という事態が生じない以上，本国の場合と異なり，同一常居所地と共通常居所地とが異なることはない。

常居所がどこにあるか分からないという場合は想定されるので，通則法39条は「その常居所が知れないときは，その居所地法による」と規定している。ただし，夫婦の同一常居所地法によるべき場合は，最密接関係地法という次順位の連結が用意されているので，この規定は適用されない（同条但書）。

常居所という連結点は一点の地を指す連結点であるから，地域的不統一法国に常居所がある場合であっても，1つの法域を形成している地域を特定することができるので問題は生じない。これに対して，人的不統一法国に常居所がある場合には，準拠法の決定の必要が生じるという前提から，通則法40条2項は，間接指定を原則とし，それにより得ない場合に最密接関係法の適用を規定する同条1項の規定を準用している。しかし，既述のように（第2章Ⅳ1⒟），人的不統一法国の法のうち，どの法を適用するかはもっぱらその国の実質法の問題であると解されるので，この規定は理論的には不要であり，解釈論としても直接指定を準用している部分は適用機会のない空文と扱うほかない。

(g) 常居所と住所との関係

かつての法例では，無国籍者の本国法として住所地法が用いられるなど，家族関係の分野では連結点として住所には本国に次ぐ地位が与えられていた。そして，どこに住所があるかの決定はそれぞれの法域（領土）の法が定めるという**領土法説**が採用されていた。そのため，国籍の場合と同様に，重住所や無住所が発生することを前提に，それを解決する規定が用意されていた。しかし，通則法では連結点としての住所は姿を消している。

他方，裁判所の管轄原因としては住所が用いられている。通則法でも，後見開始の審判等及び失踪宣告（5条・6条）については日本に住所があることが管轄原因とされている。これは，間接的には日本法が適用される場合を決定することになるが，あくまで管轄原因であり，日本の国際民事訴訟法上の概念として住所の有無が基準となる。

常居所と住所とは異なるとはいえ，その違いは明確ではない。それぞれの趣旨に照らして考えれば，管轄原因としての住所は，当事者の訴訟の便宜が重要な判断要素となる。その観点からみれば，住所が複数存在するということもあり得ないわけではない。他方，連結点としての常居所は，それが用いられている単位法律関係にとっての最密接関係地を指し示すものであって，生活全般を考慮することになろう。さらに，常居所の決定においては，過去や将来のことも，本人以外の関係者との関係なども考慮されることがある点で，住所の決定とは異なる。

なお，現在でも，難民の地位に関する条約12条1項と遺言の方式の準拠法に関する法律2条3号では住所が準拠法決定のための連結点として用いられており，後者の法律の7条では領土法説が採用されている。後者も条約（遺言の方式に関する法律の抵触に関する条約）に基づくものであり，いずれも国際約束であるためにそのままとなっているのであって，理論上の理由に基づくものではない。

Ⅱ　親族関係の準拠法

1　婚　　姻

(a)　婚姻に関する4つの単位法律関係

婚姻制度は，人類が長い歳月をかけて確立してきた法制度であり，社会を安定させ，次世代を育てていく仕組みとして経験上優れているとされてきたため，ほぼ普遍的に存在している。もっとも，宗教の違いや社会の他の状況・制度の違いにより，異なる点も少なくない。なお，既述のように（第2章Ⅱ），単位法律関係は世界中で生じ得る法的問題に必ず準拠法がある状態を確保しなければならないので，一夫多妻婚も同性婚も，それらの解消も，通則法上の「婚姻」・「離婚」に含まれる。

婚姻をめぐっては，第1に，何歳になれば婚姻できるのか，重婚は認められるか，禁止される近親婚の範囲はどこまでか，同性婚は認められるかなど，婚姻が有効に成立するための要件が問題となる。このようなものを婚姻の実質的成立要件という。第2に，形式的なこととして，婚姻のための一定の儀式をとり行う必要があるか，証人の立ち会いや書類への記載が必要か，公的機関への届出が必要かといったことが問題となる。これらを婚姻の形式的成立要件（方式）という。第3に，夫婦の間には同居義務や貞操義務があるかなどが問題となる。これらのことは婚姻の身分的効力である。第4に，夫婦間の財産的なこととして，夫婦の財産関係について契約で定めておくことができるか，そのような定めがない場合にはデフォルト・ルールとして，夫婦財産関係は共有制となるのか，別産制となるのか，また，配偶者の一方が第三者とした契約等について他方の配偶者はどういう立場になるのか，などが問題となる。これらは婚姻の財産的効力（夫婦財産制）の問題である。

通則法上，婚姻をめぐる上記の4つの問題は，それぞれ別個の単位法律関係とされている。なお，離婚も別の単位法律関係とされているが，これは項を改めて扱う（第3章Ⅱ2）。

(b) 婚姻の実質的成立要件

(1) 単位法律関係　宗教が日常生活を支配している度合い，社会・文化・歴史的条件の違いなどを背景に，各国には様々な婚姻観があり，婚姻の成立を妨げる婚姻障害はそれを反映して様々である。たとえば，異教徒との婚姻を禁止する制度，兄弟の配偶者であった者との婚姻を禁止する制度などがある。また，多くの国で婚姻障害とされる重婚や同性であることについても，一夫多妻婚・同性婚を認めるという制度もある。

通則法24条1項は，「婚姻の成立」を単位法律関係としているが，その意味するところは婚姻の実質的成立要件だけである。というのは，同条2項・3項が「方式」について規定しているからである。婚姻の実質的成立要件とは，重婚の可否，婚姻適齢，禁止される近親婚の範囲，待婚期間（再婚禁止期間）などの要件である。

(2) 連結政策――配分的適用とは　通則法24条1項は，「各当事者につき，その本国法による」という**配分的連結**（**配分的適用**）を採用しているとされている。

この配分的連結について，婚姻障害を国際私法上，一方要件と双方要件とに分け，**一方要件**は婚姻当事者の一方のみに関する要件であり，夫妻それぞれの本国法上の定めのみが自分に適用され，**双方要件**は相手方との関係で問題となる要件であって，夫婦の双方の定めが累積的に適用されると説く見解がある。この見解によれば，たとえば，婚姻適齢は一方要件とされ，男の婚姻適齢については男の本国法だけが，女の婚姻適齢については女の本国法だけが適用されるとされる。他方，たとえば，近親婚禁止のように，双方の当事者の関係を問題とする要件は双方要件とされ，A 国人と B 国人の婚姻であれば，A・B 両国の要件をともに満たさなければならない。もっとも，このような区別をする見解の中でも，前婚の離婚後一定期間を経過するまでは女性は次の婚姻をすることができないことを定める待婚期間の要件（日本法では廃止された）については，女性についての制限であるので女性の側の一方要件であるとの説，子が出生した場合に父が誰か分からなくなることを避ける点がこの制度の中核であるので，男性の側の一方要件であるとの説，さらには，いずれにも関係することであるので双方要件であるとの説に分かれており，見解の一致が見られない。

上記の見解に対し，そもそも一方要件・双方要件という区別をすることは，理論上はあり得るとしても，通則法 24 条 1 項の解釈としては無理があるとする見解がある。24 条 1 項の単位法律関係は婚姻の実質的成立要件という 1 つであるにもかかわらず，これを男性側の一方要件・女性側の一方要件・双方要件の 3 つに区別することは解釈の限界を超えているからである。単位法律関係は 1 つである以上，**送致範囲**は準拠法上の婚姻の実質的成立要件に関するルールすべてであって，結局，24 条 1 項は当事者双方の本国法の累積的適用を定めていると解するほかはないことになる。この見解が妥当であり，戸籍実務においても，婚姻成立につき，実際上，男女それぞれの本国法上のすべての要件を具備していることを要求している。

以上の2つの見解に対し，実質法上，自国民のみに適用する一方要件と外国人にも適用する双方要件とがあるとの見解もある。しかし，外国人との婚姻にあたって，一国の法律をどのように適用するかは国際私法の問題であり，この見解には問題があると考えられる。

⑶ **要件を欠く場合**　婚姻の実質的成立要件を欠く場合，その効果として婚姻は無効となるのか，取り消すことができるだけなのかといった問題は，その要件の欠缺が生じている当事者の本国法による。一方の本国法上有効であっても，他方の本国法上無効であれば，その婚姻は無効となる。では，一方の本国法上無効であって，他方の本国法上取り消すことができるとされている場合はどうであろうか。この場合には，より厳重な効果を認める法（上記の場合は無効とする法）を適用すべきであるとされている（百選46事件）。

なお，婚姻の実質的成立要件の準拠法によるべき問題は無効・取消しという直接的な効果だけであり，そのようになった婚姻の事後処理として，夫婦財産関係の清算がされる場合には通則法26条により定まる準拠法によるべきであり，また，有効であると思っていたがそうではなかった婚姻から生まれた子（誤想婚子）がどのように扱われるかという問題は通則法28条・29条によって定まる準拠法によるべきであろう。

(c) 婚姻の方式

⑴ **単位法律関係**　婚姻という法律行為の成立要件のうち，外部的形式のことを婚姻の方式（形式的成立要件）といい，これが通則法24条2項・3項の単位法律関係である。

日本では，戸籍制度により日本人の家族関係が把握されていることもあり，婚姻の方式としては，市町村の戸籍窓口に2名の証人の署名のある婚姻届を提出して受理されればよい（戸籍法74条，戸籍法施行規則56条）。これに対して，婚姻は神との約束であるという考え方から，宗教上の一定の儀式を要求する制度や，戸籍制度のような仕組みがないため，社会に受け容れられる婚姻かどうかを確認するために新聞等に婚姻の予告をするという制度もある。

(2) 連結政策　婚姻の方式の準拠法について，通則法24条2項は**婚姻挙行地法主義**を採用している。これは婚姻を社会が受容するためにどうすればよいか（儀式等が必要か）は，行為地と密接な関係があるからである。しかし，かつての法例の定めのように，例外なく挙行地法上の方式を要求する**絶対的挙行地法主義**を貫くと，特定の宗教的儀式を要求する国で異なる信仰をもつ外国人が婚姻することができないことになるばかりか，当事者双方にとってなじみのある本国法の方式による婚姻をしたのに，一方が死亡して相続の段階になって実は婚姻は無効であるとされるという思わぬことが生ずるおそれがある。

そこで，通則法24条3項は，「当事者の一方の本国法に適合する方式」による婚姻であれば，方式上有効としている。これは選択的連結を定めるものであり，たとえば，A国人とB国人とが日本で婚姻する場合，A国法かB国法のいずれかの法に適合していれば，方式上有効な婚姻とされる。

また，外国にいる自国民について，その国に駐在する自国の大使・公使・領事の前で自国の方式に従って婚姻することを認める**外交婚**（**領事婚**）という制度がある。国によっては一方のみが自国民であっても外交婚を認めているが，日本法は日本人間の婚姻についてのみこれを認めている（民法741条，戸籍法40条）。外交婚は，通則法24条3項の定める「当事者の一方の本国法に適合する」ものとして，方式上有効とされる。

ただし，通則法24条3項には例外があり，同項但書は，婚姻挙行地が日本であり，かつ当事者の一方が日本人であるときは，他方の配偶者の本国法である外国法の定める方式によることはできず，挙行地法である日本法の方式によらなければならない旨定めている。その結果，たとえば，日本人とフランス人とが在日フランス大使館で同国法上適式な外交婚をしても，それだけでは日本では婚姻は有効とされない。彼らの婚姻は，必ず日本法の定める方式，すなわち戸籍法に基づく婚姻届をしない限り，日本では有効とは認められない。これは，その婚姻の一方の配偶者である日本人の家族関係をできるだけ戸籍に反映させようという趣旨である。とはいっても，通則法24条3項但書により，日本人を含む婚姻が完全に戸籍に反映されるわけではない。挙行地が外国であれば，通則法24条2項は当該外国法の定める方式に適合する婚姻を有効としているほか，たとえば，日本人とフランス人とがドイツのフランス大使館でフランス法に適合する方式による婚姻をした場合にも，通則法24条3項但書の適用はないので，3項本文により方式上有効な婚姻とされる。これらの場合には，その婚姻について，日本人の当事者から戸籍への報告的届出（戸籍法41条）が義務づけられており，それを怠ると戸籍法137条により過料に処せられるが，私法の有効性には影響しないとされており，日本人の有効な婚姻が戸籍に反映されないという事態は生じている。それでもあえて通則法24条3項但書が置かれているのは，日本で婚姻が挙行された場合にはその後夫婦が日本に居住する可能性が高く，日本人配偶者の戸籍に婚姻の記載がないことは社会的混乱を招く懸念があるからである。しかし，上記の例のように，在日フランス大使館で適式な婚姻が挙行され，フランスの大使に祝福されれば，その婚姻が日本では有効に成立したものとは扱われないとは思わない可能性が高く，思わぬ落とし穴になりかねない。この点，立法論としては再考の余地があろう。

(3) 婚姻届の提出・受理　日本が絶対的挙行地法主義を採用していたかつての法例のもとでの戸籍先例によれば，たとえばギリシャにおいて日本人同士でギリシャ正教会の儀式婚をしたつもりであったが，実はそれは観光業者によるものにすぎず，ギリシャ法上の方式を満たしていない場合であっても，彼らがわざわざ日本から持参した婚姻届をギリシャから日本の本籍地の市町村長に郵便で送付したときは，婚姻届を受領した日本が婚姻挙行地であると解釈して，方式上有効に婚姻が成立するものとされていた。しかし，当時の学説は，当事者のいるギリシャが婚姻挙行地であると解すべきであり，上記の戸籍実務は誤りであるとの批判が有力であった。

もっとも，現在では上記のような場合の婚姻挙行地がどこかを論ずる実質的意味がなくなっている。すなわち，平成元年の法例改正とそれを引き継いだ通則法24条3項は当事者の一方の本国法上の方式によることを認めているので，少なくとも一方が日本人である限り，外国から送付されてきた婚姻届はその本国法としての日本法上の方式を具備するからである。そして，現在の戸籍実務では，このような場合には通則法24条2項ではなく，3項に基づいて受理するようになっている（平成元年10月2日民2第3900号通達第1の1(2)）。

しかし，婚姻以外の親族関係（認知や養子縁組）の方式については，通則法34条2項が適用され，そこには24条3項に相当する規定はないため，外国から届出書が送付されてきた場合の行為地がどこかという問題はなお存在する。後述のように，それらの場合の処理との整合性の観点からは，現在でも外国から婚姻届が届いた場合には，日本が婚姻挙行地であると解するべきである（第3章Ⅱ5(3)）。

もっとも，24条3項但書の「日本において婚姻が挙行された場合」という文言の解釈についてまで上記と同様に解する必然性はない。この但書の趣旨は，前述のとおり，一方が日本人であって日本で生活をすることになる可能性の高い場合には，戸籍への記載のない婚姻の成立は認めないという法政策に基づくものである以上，少なくとも日本人当事者が実際に日本にいる場合には日本が挙行地であると解すべきである。その結果，たとえば，ともに日本在住の韓国人と日本人が婚姻をするにあたり，戸籍に相当する制度を所掌する韓国の当局へ日本から婚姻届を送付した場合には，24条3項但書の適用があり，日本法上の届出がない限り，日本ではその婚姻を有効と扱うことはできないことになる。

(d) 婚姻の身分的効力

(1) 単位法律関係　婚姻の効力について，通則法は後述の夫婦財産制（財産的効力）の規定を設けているので，25条の「効力」はそれを除いたもの，すなわち，婚姻の身分的効力を意味することになる。法律関係の性質決定の問題として，これにはどのような事項が含まれるであろうか。

第1に，同居義務や貞操義務はこれに含まれる。ただし，これらの義務違反が離婚原因となるかは離婚の準拠法による。第2に，夫婦間の扶養義務は，扶養義務の準拠法に関する法律2条による（同法1条，通則法43条1項）。第3に，日本にはない制度である婚姻による成年擬制や妻の無能力のうち，成年擬制はその者自身の問題であるので，通則法4条によるべきである。他方，妻を無能力も同様であるが，このようなことを定める外国法の適用結果は，異常性が高く，内国関連性のいかんを問わず，公序違反とされるであろう。第4に，婚姻費用の分担や日常家事債務の連帯責任の問題は，婚姻共同体を円滑に営むためのものとして，身分的効力と解する説もあるが，夫婦の財産関係の問題であるので，通則法 26 条によるべきである。第 5 に，夫婦の一方が後見開始等の審判をされた場合に，他方が後見人などとなるか否かの問題は，婚姻共同体の維持ということから本質的に発生するものとはいえないので，通則法 35 条によるべきである。第 6 に，夫婦間の契約の効力（取り消すことができるかなど）は，単なる契約の効力の問題ではなく，婚姻共同体を円滑に営むための特別の制度であるとの理由から，通則法 25 条の適用範囲とすべきであるとの説が多い。しかし，経済的な内容を有する夫婦間契約については，夫婦財産制との関係が密であるので，通則法 26 条によるべきである。第 7 に，夫婦の氏の問題は，人格権に関する問題として本国法によらせるべきであるとする立場があり（百選 74 事件），また，身分関係の変動に伴って氏が変わる場合には，その身分関係の効力の問題に含まれると解する立場も多い。しかし，氏については一般に公法上の問題と考えるべきである（第 3 章Ⅳ）。

以上のことから，25 条の単位法律関係に含まれる問題は同居義務・貞操義務にすぎない。

⑵　連結政策　　通則法 25 条は，婚姻の身分的効力について，夫婦の同一本国法→同一常居所地法→最密接関係地法，という**段階的連結**を採用している。これは，一方の本国や常居所だけでは相応しい準拠法を導くことはできないとの考慮から，複数の連結点がともに同じ地を指し示していることを要求するという連結政策を採用するものであり，最終段階では，サヴィニー型国際私法における公理そのものに戻って，最密接関係地法によるとするものである。なお，長期にわたることもある婚姻が対象であり，その時その時に相応しい法を適用すべきであるので，変更主義が採用されている。

25 条は段階的連結の第 1 順位として，「夫婦の本国法が同一であるときはその法」によると規定し，同一本国法を採用している。立法の過程では同一常居所地法を第1順位とする主張もあったが，本国と常居所地国とが一致しない者について，常居所地国と異なる国籍をあえて保持している点を重視して本国法との関係が優位におかれた。なお，前述のように（第3章Ⅰ③），重国籍者は通則法38条1項により本国を特定してから，他方の配偶者の本国と一致するかどうかをチェックする。また，38条2項に定めるとおり，無国籍者については常居所地に差し替えて同一本国があるか否かをチェックするのではなく，次順位の段階に移る。さらに，38条3項に定めるとおり，地域的不統一法国の国籍を有する者については，本国とされるべき地域を特定してから同一本国法のチェックを行う。

夫婦の本国法が異なる場合には，第2順位の連結として，「夫婦の常居所地法が同一であるときはその法」による。なお，通則法40条1項は，人的不統一法国の国籍を有する者について，38条3項と同様に定めた上で，40条2項で，25条を含むいくつかの場合に，本国法とされるべき人的集団の法と他方配偶者の本国法とが一致するかどうかをチェックする旨定めている。しかし，これは前述のところ（第2章Ⅳ①(d)）と同じ問題があり，人的不統一法国は1つの法域であって，そのいずれのルールを適用すべきかはもっぱらその国の実質法の問題であると考えられる。そうすると，たとえば，ともにインド人であれば，ヒンドゥー教徒の法が適用されるべき者とシーク教徒の法が適用されるべき者との婚姻の効力という問題は，インド法に委ねられるべきことであり，同一本国法がないとして，次順位の段階に移るという扱いをすべきではない。したがって，立法論としては，40条2項は見直されるべきであろう。とはいえ，40条2項が存在している以上，解釈論としては，そのとおりに，ヒンドゥー教徒の法を本国法とする者とシーク教徒の法を本国法とする者は同一本国法がないとして扱うほかない。

最後に，第3段階として，同一本国法も同一常居所地法もない場合，たとえば国籍の異なる夫婦が異なる国で別居をしているような場合には，「夫婦に最も密接な関係がある地の法」による。最密接関係地法の適用の前に，最後の同一常居所地法や共通本国法などがあればそれによるという段階を設ける段階的連結も考えられないわけではないが，類型的判断として，それらの法は必ずしも最密接関係地法とはいいがたいことから，ケース・バイ・ケースでそのような要素をも含めて考慮して最密接関係地法によることとされている。これは，準拠法決定の一般原則に立ち戻るものであって，具体的に妥当な準拠法決定はできるが，予測可能性がないという欠点がある。

最密接関係地の決定にあたっては，夫婦の婚姻共同生活の中心地を求めるべきであり，過去のことである婚姻挙行地などよりは，最後の同一常居所地や夫婦の一方が未成年の子と同居している地といった要素を重視すべきである。

なお，25条の最終順位の連結点は，最も密接な関係がある「地」であって，最も密接な関係がある「国」(38条1項）ではないので，地域的不統一法国については，直接的にその国の一地域の法が指定されることになる。人的不統一法国について通則法40条2項が不適切な規定であることは，上記の同一常居所地法の有無の判断においてと同じである。

(e) 夫婦財産制

(1) 単位法律関係　夫婦の財産関係を契約によって定めておくことを認めるか否か，認める場合，その契約の時期の要件，許される内容，変更の可否などの問題，さらに夫婦財産契約のない場合の法定財産制の内容（別産制，共有制等）などが通則法26条の夫婦財産制に含まれることについて異論はない（百選48事件)。これに対し，婚姻費用の分担，日常家事債務の連帯責任，経済的な内容を有する夫婦間の契約の効力等については，婚姻共同体を円滑に営むための特別の制度であるとの理由から婚姻の身分的効力と解する説もあるが，前述のように，いずれも夫婦の財産関係に影響を与える経済的な事項であるので，通則法26条によるべきである。ポイントは25条と26条との間には後者では当事者による準拠法の選択が認められるという違いがある点であり，経済的な事項であれば，当事者自治という合理的な行動の自由を一定の範囲で保障している26条によるのが適当であると考えられる（同条3項・4項により，第三者との関係では必ずしも選択した法のとおりになるとは限らないが，夫婦の間ではそのとおりになる）。

なお，夫婦財産契約締結能力については，財産的法律行為の問題として，通則法4条によるべきである。また，夫婦財産契約そのものの方式については，通則法34条による（これに対して，夫婦財産制の準拠法指定の方式は26条2項に定めるとおりである）。

⑵ **連結政策**　通則法26条は，身分的効力に関する25条の規定を夫婦財産制についても準用するとともに，夫婦が夫婦財産制の準拠法を選択することをも認めている。

25条の定める段階的連結の最終段階の最密接関係地の決定にあたっては，26条1項により準用する場合には，単位法律関係が夫婦財産制であることから，婚姻生活を実質的に営んでいる地，ビジネスを営んでいる場合にはそれに関係する地，財産所在地などの要素を重視すべきであろう。

婚姻生活は長期にわたる場合もあるところ，26条1項の規定はその時その時の夫婦の本国・常居所等により準拠法を定める**変更主義**を採用している。状況の変化に応じて，その時々の最密接関係地法を適用すべきであり，安定性の確保を望む夫婦は同条2項により準拠法選択をすればよいからである。なお，婚姻継続中に準拠法の変更があった場合，準拠法の変更以前から夫婦が所有している財産については，従来の準拠法が適用され新準拠法が遡及的に適用されるわけではないとの説がある。しかし，遡及適用を否定すると，金銭の同一性の判断，ある時点で購入した物の財源の取得時期の判断などの問題を生じ，現実には機能しないであろう。夫婦財産関係は継続的な法律関係であり，新準拠法はその時点でのすべての財産に適用されると解するべきである（ある時点の準拠法によれば生じないとされる日常家事債務の連帯責任が，変更後の準拠法によれば生ずべき場合であっても，過去の時点で生じた法律関係はそのままとされるべきことはもちろんであり，遡及的に適用されるという趣旨は，過去の財産取得の時点で適用されていた準拠法によれば一方の特有財産とされていても，変更後の準拠法により共有とされる場合には，夫婦財産の清算においてはその財産も夫婦の共有財産として処理されるという意味である）。

通則法 26 条 2 項は，夫婦が夫婦財産制の準拠法を一定の法の中から選択する**限定的当事者自治**（**当事者自治の量的制限**）を認めている。これは，夫婦財産制の準拠法に関するハーグ条約その他の立法例に合致し，国際私法の統一に資すること，夫婦間での財産処分合意を尊重する考え方と調和すること，変更主義では不都合であると考える当事者に準拠法を固定する途を用意できることなどを理由とするものである。この準拠法選択は夫婦財産契約とともになされることが多いであろうが，選択した準拠法上の法定財産制によることを排除するわけではない。また，法選択の時期についても制限はない。ただし，9 条・16 条・21 条とは異なり，準拠法選択の定めは，「将来に向かってのみその効力を生ずる」とされている（そのため，事後的な準拠法選択の場合には上記の変更主義における遡及効を認めない説と同じ問題が生ずるが，この場合には明文の規定に従うほかない）。

この準拠法選択の合意の成立要件のうち，方式については，日付及び署名のある書面によってすべきことが規定されている。これは，準拠法選択を有効とするために国際私法上要求される方式であって，何らかの準拠実質法によるわけでない。この方式が具備されていなければ26条1項により準拠法が決定される。これに対して，夫婦財産契約そのものについて要求される実質法上の方式の準拠法は通則法34条によって定まる。なお，詐欺や錯誤の問題など合意の実質的成立要件については，一般の契約準拠法の場合と同じく，指定された準拠法によることになろう（第4章Ⅱ1(c)(3)）。

選択できる準拠法の範囲については，婚姻共同体との関係を無視し得ないので，一般の契約準拠法の場合（7条）とは異なり，量的制限が付されている。すなわち，夫婦の一方が国籍を有する国の法(26条2項1号)，夫婦の一方の常居所地法（2号)，及び不動産に関する夫婦財産制についてはその不動産の所在地法（3号）のいずれかでなければならない。1号は「本国法」ではなく「国籍を有する国の法」であるので，重国籍者について通則法38条1項による絞り込みをする必要はなく，国籍を有するいずれの国の法でも選択することができる。地域的不統一法国の国籍を有する者はいずれの地域の法でも選択できる。人的不統一法国の国籍を有する者は，前述のとおり，単一の法域であると考えられるので（第2章Ⅳ1(d)），国単位の法を選択し，その夫婦の財産制にいずれの宗教法などが適用されるかはその国の問題であると解される。3号は，不動産が各国に散在しているときには，それぞれについてその所在地法によるという選択を認めるものである。

(3) 内国取引保護　以上の規定によって夫婦財産制の準拠法が外国法とされ，日本法と異なる制度が適用されると，内国取引の安全が害されるおそれがある。日本の事業者が日本の夫婦財産制を前提に日常家事債務の連帯責任を追及したところ，外国法によりそれが否定されるような場合である。そこで，通則法 26 条 3 項・4 項は内国取引保護を図っている。これらによれば外国法による夫婦財産制は，「日本においてされた法律行為及び日本に在る財産」については，善意の第三者に対抗できない。

ここでいう「日本においてされた法律行為」の意味について，当事者が異なる法域に在る法律行為（隔地的法律行為）が含まれるか否かが問題となる。26 条 4 項が日本で登記された夫婦財産契約については 3 項の例外としていることから，そのような登記をチェックすることが期待される場合，すなわち，第三者が日本に在れば，夫婦の双方又は一方が外国に在っても，26 条 3 項の適用対象になると解すべきである。

また，「日本に在る財産」とは，債権については，日本で裁判上請求できるものであればよいと解される。

26 条 3 項は「善意の第三者」を保護対象としている。取引の相手方が思わぬ損害を被ることがないようにすれば十分だからである。「善意」とは，夫婦の国籍・常居所が外国であることや夫婦による外国法選択という事実を知らないことを意味し，それらのことを知っていれば，通則法 26 条の内容や適用される外国法の内容を知らなかったからといって「善意」とはいえない。法の不知を救うことはできないからである。

26 条 3 項により内国取引保護が与えられる場合，外国法上の法定財産制のみならず，外国法上の夫婦財産契約も第三者に対抗することができず，その第三者との間の関係では日本法による。もっとも，同条 4 項は，外国法上の夫婦財産契約については，これを日本において登記しておけば第三者に対抗することができることとし，夫婦の側に防衛手段を与えている。夫婦財産契約に限定されているのは，外国法上の法定財産制については，そもそも判例法を含む外国法の内容を登記簿に記載することは困難であり，法改正があった場合など常に最新の外国法の内容を反映させることは無理であるという技術的な理由に基づいている。

(4) 夫婦財産契約の準拠法の登記　通則法26条2項の夫婦財産制の準拠法選択に要求される国際私法上の方式を満たしていれば，それ以上のことは必要なく，その書面を紛失しても，同項の要件を具備していたことの証明が困難となるものの，準拠法選択が効力を失うわけではない。これに対して，同条1項又は2項により日本法が準拠法になる場合には，夫婦財産契約は婚姻の届出までにその登記をしなければ夫婦の承継人及び第三者に対抗することができない（民法756条）。他方，外国法が準拠法になる場合には，夫婦財産契約はその法の定める要件具備が必要であり，外国法に基づいて適法にされた夫婦財産契約であっても，これを日本において登記しておかなければ，第三者に対抗することはできない（通則法26条4項）。これらの登記は，夫婦が夫の氏を称するときは夫の，妻の氏を称するときは妻の住所地の法務局等が管轄登記所となり，夫婦双方（代理人でもよい）の申請によってすることとされている（外国法人の登記及び夫婦財産契約の登記に関する法律5条1項)。「外国法によって夫婦財産契約がされた場合にあっては，これを証する情報」の提供が求められる（夫婦財産契約登記規則8条3号ロ)。また，外国語で記載された夫婦財産契約には日本語の翻訳文の添付が求められる。

なお，外国人夫婦については，たとえば韓国人夫婦のように婚姻前の姓のまま婚姻生活を行うことがあり，上記の登記所の管轄の定めの前提と異なることになる。そのような場合には夫婦いずれの住所地の法務局等でも登記はできると解するほかないであろう（その結果，取引の相手方としては，そのような夫婦については夫婦双方の住所地の登記所の登記をチェックすることが要求される)。

(f) 婚約・内縁

婚約や内縁の成立について通則法24条を準用し，それらの不当破棄による損害賠償について25条を準用するとの説がある。しかし，これらについて法律上問題となるのは不当破棄や相続の局面であり，それぞれ，不法行為の準拠法（通則法17条以下），相続の準拠法（36条）によれば足りると解される。婚約・内縁のような関係にある者の保護の問題は，それぞれの局面に適用される準拠法上の判断に委ねるべきであり，通則法上に存在しない婚約や内縁という単位法律関係にあたるか否かをあえて問題とすることは適当ではないと考えられるからである。もちろん，婚姻関係がないとの判断は通則法24条によって定まる準拠法によることになる。

なお，裁判例として，婚約の成立について24条と33条の双方を適用したもの（百選52事件），内縁解消による損害賠償について不法行為の問題と性質決定した最高裁判決がある（百選53事件）。

2 離婚及び別居

(a) 離婚という単位法律関係

国際社会の中には，カトリックの教義を背景に離婚をまったく認めないもの，一定の有責離婚原因についてのみ認めるもの，破綻主義を採用するもの，夫からの一方的離婚を認めるもの，日本のように協議離婚を認めるものなど，離婚について多様な法制が存在している。また離婚を認める場合にも，いかなる機関がこれに関与し，どのような手続をとるのかについても，各国の法は様々である。

(1) 離婚の許容性・離婚原因　離婚は禁止されていないか，離婚を認める場合，いかなる原因があるときに離婚が認められるのかといった問題は，離婚という単位法律関係に含まれることは明らかであろう。

(2) **離婚の方法**　多くの国では，離婚は裁判所の判決によってのみ認められているが，イスラム諸国では「タラーク」と3度言えばよいという男子専制離婚が存在する（百選51事件）。日本の協議離婚も比較法的には珍しいものである（百選49事件は中国法上の協議離婚を認めたものである）。協議離婚の可否は法律行為による離婚の可否という実体問題であり，離婚という単位法律関係に含まれる（百選49事件）。他方，離婚準拠法上は特定の宗教裁判所によることとされていても，そのような手続問題は準拠外国法に送致されていないので，日本では日本の裁判離婚の手続によればよい（手続は法廷地法によると説明されることもある）。もっとも，実体法が予定する手続と日本での手続とが食い違う場合，次のような適応問題が生ずる。

第1は，準拠法が裁判離婚主義をとっている場合に，日本の家庭裁判所で調停離婚（家事事件手続法244条以下）をすることができるか，また，その場合にも調停前置主義（同法257条）の適用があり，いきなり離婚の訴えを提起することは許されないかという問題である。これらの点については，調停離婚もまた裁判離婚の一種であると解すれば，いずれも肯定することになるのに対し，調停離婚は協議離婚制度を前提とするものであると解すれば，離婚の準拠法が協議離婚を認めていない以上，調停離婚は認められないということになる。従来，実務上，調停離婚を認めた例はきわめて多いが，学説上の多数は認めるべきではないと主張している。日本での離婚の効力が外国でも認められることを確保するために，多数説が説くように，離婚について調停をするのは離婚準拠法が協議離婚を認める場合に限るという裁判実務を確立すべきである。

第2は，日本法上は用意されていないカウンセリングのような手続をどうするかという問題である。たとえば，裁判離婚主義をとりながら，離婚合意の存在を離婚原因として認め，かつその離婚合意の作成過程に国家機関が関与する法制や，離婚の訴えが提起されると，裁判所内外にあるカウンセリングの専門機関にその調停を依頼し，そこでの和解が成立しなかった場合，「仲直りの見込みのない不一致」を離婚原因として裁判離婚をする法制がある。このように離婚法の内容が実質的に手続法の中に組み込まれている場合，離婚準拠法と手続法との切り分けは困難であるが，手続は実体法の実現のためにある以上，家庭裁判所の手続において，できる限り離婚準拠法が予定している手続に配慮し，できない部分は日本法の定めるように手続を進めていくほかあるまい。

第3は，家庭裁判所における手続に当事者一方が出頭しない場合の扱いが問題である。調停手続は，両当事者が自身で出頭したところで進められるべきものであるが，当事者の一方が外国にいる場合には，その当事者の不出頭や代理人が出頭するケースがある。このようなことは通常の国内事件については認められないものであるが，当事者の意思を確認する手段を講じた上で，調停によって処理している事例があり，今後，その他の工夫も可能な範囲で行っていく必要があろう。

第4は，離婚につき事案ごとの国会の制定法を要するとするカナダ・ケベック州が準拠法になったような場合の問題である。日本の国会でそのような法案を可決することは不可能である。そもそも，離婚手続の問題は離婚準拠法には送致されていないので，日本での離婚である以上，裁判所の手続によるのが当然であり，その手続の中で，ケベック州法の趣旨に配慮する以上のことはできず，それで十分であるというべきである。

⑶　**協議離婚の方式**　協議離婚は法律行為であるので，その方式の準拠法は通則法34条による。協議離婚については，日本法上，

外交婚（民法741条）のような特別の規定はない。外国から本籍地の市町村長宛に離婚届を郵送した場合，たとえばA国にともに常居所を有する日本人とB国人の夫婦の離婚であれば，離婚の準拠法は通則法27条により同一常居所法であるA国法となるので，方式は34条1項によりA国法によることも，同条2項により行為地法によることもできるところ，日本に離婚届が届けば行為地は日本であると解されるので，日本法上の方式を具備していることになる（第3章Ⅱ[5](3)）。

(4) **子の親権者・監護者の決定**　離婚に伴う子の親権者・監護者の決定の問題は，離婚の付随的効果の問題という面もあるが，子の福祉が中心課題であり，32条が子についての連結点を中心とした連結政策をとっていることから，親子間の法律関係と性質決定すべきである。裁判例でも，また戸籍実務でも，そのように扱われている（平成元年10月2日民2第3900号通達第2の1(2)）。

(5) **離婚給付**　離婚の際の夫婦間の財産関係の処理の問題には，夫婦財産の清算，慰謝料，扶養料の支払いなど様々の異なった内容のものが含まれている。これらは一括してすべて離婚準拠法によるとの見解もあり，裁判例においてもこのように扱うものが多い。

しかし，これらの事項はそれぞれの性質を異にしていると考えられるので，個別に性質決定すべきである。第1に，夫婦財産の清算，すなわち夫と妻の離婚に際しての財産持分の確定の問題は，相続の局面と並んで夫婦財産制が現実の意味をもつ局面であり，離婚に備えて夫婦財産契約をしている場合も考えられるので，26条によるべきである。第2に，慰謝料の問題は，離婚に至る諸事情が社会的にどのように評価されるかの問題として不法行為と性質決定すべきである（17条）。ただ，20条により，明らかにより密接に関係する地の法として離婚準拠法によることも多いであろう。第3に，離婚後の扶養の問題は離婚について適用された法による（通則法 43 条 1 項，扶養義務の準拠法に関する法律 4 条）。

(6) 夫婦の氏・行為能力　離婚による復氏や，婚姻によって無能力とされた妻の離婚後の行為能力などについて，離婚の問題と性質決定する見解もある。しかし，氏の問題は一般に公法上のものと考えるべきことは後述のとおりである（第 3 章Ⅳ(b)）。また，外国法により無能力とされた妻や成年擬制された者の離婚後の扱いの問題は，本人の問題として 4 条によるべきである（婚姻時と離婚時とで本人の本国法が同じであれば整合的な解決が与えられているであろう。準拠法が異なる場合には適応問題として処理するほかない）。

(b) 連結政策

離婚の準拠法については，裁判管轄権があれば法廷地法を適用する英米法系の国などもあるが，大陸法系の諸国では，本国を連結点として準拠法を定めるのが一般的である。通則法 27 条は，婚姻の効力の準拠法に関する 25 条を準用し，夫婦の同一本国法→同一常居所地法→最密接関係地法，という段階的連結によるとしている。

最密接関係地の決定にあたっての基本的な考え方は婚姻の効力の場合と同じである。ただ，離婚の場合における第 3 段階の最密接関係地法の決定にあたっては，直近の婚姻生活地のウエイトは大きいと考えられる。

ところで，離婚は利害対立がある状況であるため，法律回避のおそれがある（第 2 章Ⅲ[2]）。すなわち，変更主義であるため，一方が国籍や常居所を変更することによって同一本国や同一常居所がなくなり，次順位以下の連結に移行して，裁判の途中であっても準拠法が変更されることがあり得る。立法論としては，少なくとも裁判離婚においては，訴え提起当時を基準とすることも考えられるが（ドイツ民法施行法 17 条 1 項），このような規定がない以上，一般原則により口頭弁論終結時が基準とならざるを得ない（第2章Ⅲ[2](b)）。

通則法27条但書は，夫婦の一方が日本に常居所を有する日本人であるときは，離婚の準拠法は日本法とすると規定している。同一本国法又は同一常居所地法が日本法であるときは当然日本法が準拠法となるから，この但書が実際に意味をもつのは，それらが存在しない場合である。そのような場合，日本に常居所を有する日本人が配偶者の一方である夫婦の離婚であれば，日本の戸籍窓口に協議離婚届が提出されることが十分に予想されるので，日本法が準拠法になることにしておくことにより，それを問題なく受理できるようにしておこうというのが，この但書の趣旨である。戸籍及び住民票により，日本国籍及び日本に常居所があることの確認は機械的に行うことができるからである。また，このような夫婦の離婚が日本で問題となっているのであるから，仮に最密接関係地法を個別に検討してみてもそれが日本法となる場合がほとんどであると考えられるので，実際上，最密接関係地法は日本法であるとみなしても大過なく，戸籍処理を円滑にするというメリットがあるのであれば，立法論としてもあえて反対をするほどのことはあるまい。

もっとも，外国に同一常居所を有していた本国を異にする夫婦のうち日本人配偶者が相手を遺棄して単身日本に帰国したような場合，はたしてその夫婦の離婚に関する最密接関係地法が日本法といえるかどうかは疑わしい。このような場合には日本の裁判所の離婚の国際裁判管轄を否定されることが多いであろうが（第5章Ⅰ[2](c)(1)），仮に，例外的に管轄が認められた場合には，27条但書の趣旨に反する結果となることがないように，日本に常居所があることの確認は慎重に行う必要があろう。

(c) 別　居

国によっては，婚姻関係は終了しないが，同居及び扶養の義務を失わせる裁判による法定別居が認められている。これは離婚に類似する制度であるから，国際私法上は離婚という単位法律関係に含まれると解し，27 条によるべきである。なお，わが国の裁判所に別居を求める訴えが提起された場合には，離婚手続を準用して対処することになろう。

3 親　子

(a) 親子関係に関する 5 つの単位法律関係

親子関係をめぐっては，まず，いかなる要件を具備すれば親子関係が認められるかという親子関係の成立が問題となる。これは実親子関係と養親子関係に分けられ，前者はさらに嫡出親子関係と非嫡出親子関係に分けられる。さらに非嫡出子の準正という問題もある。通則法は，嫡出子，非嫡出子，準正，養子の 4 つのタイプの親子関係の成立についてそれぞれ異なる連結政策を採用し，28 条から 31 条まで 4 つの単位法律関係を設定している。そして，親子関係が成立した場合には，親子間の法律関係についてはすべて 1 つの連結政策を採用し，32 条を置いている。

(b) 嫡出親子関係の成立

(1) 単位法律関係　　実親子関係のうち，婚姻から生まれた子を嫡出子として，夫婦をその子の父母とみることにつき推定規定を置き，その否認につき厳格な要件を定めている法制は多い。通則法 28 条は，そのような実質法に関する各国の状況を前提として，嫡出である子の親子関係の成立という単位法律関係を設けている。

28 条が「……により子が嫡出となるべきときは，その子は，嫡出である子とする」と規定していることから，嫡出性の推定だけを単位法律関係にしているようにもみえるが，抵触法上の規定である以上，嫡出否認等の問題も含まれていると解すべきである。解釈論としては，「子が嫡出となるべきとき」という文言を，嫡出推定と嫡出否認の両者を含むものとして解釈することになる。準拠法が嫡出・非嫡出を区別しない法となる場合の扱いについては，(c)(1)参照。

諸国の実質法の中には，婚姻成立の要件を欠くことによって無効又は取り消された婚姻から生まれた子について，当事者の善意を要件とし，あるいはそのような要件を付することなく，これを嫡出子とみなすものがある。これを**誤想婚**又は**善意無効婚**（marriage putatif）という。この場合の父母は夫婦とはいえないことになるが，本条の夫婦とはこのような誤想婚の場合も含むものと解される。

なお，嫡出子が非嫡出子とどのように異なる扱いをされるか（たとえば相続分が多いか否か）は，その扱いが問題となる局面の単位法律関係（たとえば相続）の問題である。

⑵ 連結政策　通則法 28 条 1 項は，「夫婦の一方の本国法で子の出生の当時におけるもの」を準拠法としている。ここで「夫婦の一方」という文言が用いられているのは，嫡出親子関係の成立の問題が決定されてはじめて父・母ということができるので，そのことを問題とする条文では中立的な表現にする必要があるからである。もっとも，29 条では父・母という文言が用いられており，必ずしも一貫していない。

嫡出親子関係の性質上，夫婦の一方とのみ嫡出親子関係が成立するのはおかしなことである。28 条 1 項は，夫婦の一方の本国法上嫡出子となるのであれば，他方の本国法上は嫡出子とならないときであっても，当該他方との間でも嫡出子となるという選択的連結を採用している。これは，子に嫡出子の身分が与えられる機会をなるべく増やそうという連結政策に基づくものである。このことから逆に，夫婦の本国法の双方によって嫡出とされているときは，双方の本国法により嫡出性が否認される場合でなければ嫡出性は否認されない（百選 55 事件）。

いつの時点の本国法かという点については，事柄の性質上当然のことであるが，「出生の当時」と定められている。父が子の出生前に死亡した場合には，その死亡時の本国法による（28 条 2 項）。

生殖補助医療により，A・B 夫婦の体外受精卵を C・D 夫婦の妻の胎内で成長させ，出産してもらうという契約等が締結され，実際にそういう方法で子が出生したとする。28 条は親の側の本国を連結点としているので，A 又は B の本国法上は A・B 夫婦の嫡出子とされ，C 又は D の本国法上は C・D 夫婦の嫡出子とされるという事態が生じ得る。このことは通則法の採用している連結政策（親側の本国法によること）から生ずるものであり，適応問題として処理せざるを得ない（第 2 章 II 3）。もっとも，親子関係の成立という問題は公序性が強く，日本法の考え方（出産した者を母とする）に反する結果は公序則（42 条）により排除されることになろう。実際，そのように判断した判例がある（百選 57 事件）。

(c) 非嫡出親子関係の成立

各国の実質法上，実親子関係の成立について 2 つの立法主義が対立している。1 つは，出生の事実によって当然に親子関係の成立を認める**事実主義（ゲルマン主義）**である。このもとでは，親子関係の存否そのものは問題とならず，扶養，相続など親子関係を前提とする具体的な権利の主張の段階で個別的に血縁関係を証明していくことになる。これに対して，婚姻関係のある男女から生まれた子とそうでない子とを区別し，後者の子については，一定の方式を具備した親の認知によって親子関係を認めるものがあり，**認知主義（ローマ主義）**と呼ばれる。このもとでは，親子関係の存否それ自体がまず抽象的に決定され，それによって親子関係に基づく個々の法律効果の主張が認められる。

以上のような実質法レベルでの異なる立法主義を視野に入れれば，国際私法上，非嫡出親子関係の成立（婚姻していない父母から生まれた子との間の親子関係）という一般的問題に関する規定に加え，出生とは異なる時点ですることもある認知による場合についても別に規定を置くことが考えられ，通則法29条はそのようにしている。

(1) **単位法律関係**　通則法29条は，嫡出親子関係と区別して，「嫡出でない子の親子関係の成立」という単位法律関係を設けている。事実主義によるのか認知主義によるのか，認知の許否，認知能力，認知についての母などの承諾の要否，遺言認知や死後認知の許否，死後認知の出訴期間などの事項が含まれる。認知により出生に遡って親子関係が成立するか，認知は撤回できるかといった問題も29条によって定まる準拠法による。

通則法上，28条によって定まる準拠法によって嫡出親子関係が成立しない場合に，29条によって定まる準拠法が適用されて，非嫡出親子関係の存在が判断されるという条文上の適用順序がある（百選54事件）。28条により適用される準拠法が嫡出・非嫡出の区別をしない法である場合，すなわち，夫婦の子である場合にはできるだけ一体的に親子関係を成立させるという制度をもたず，常に親は誰かを個別に決めていく法である場合には，28条の「嫡出となるべきとき」に該当しないので，29条を適用することになろう。

認知の方式については，親族関係についての法律行為の方式に関する通則法34条による。外国人父が日本人子の認知届を外国から日本の本籍地の市町村長宛に送付した場合，34条2項の行為地を日本と解すべきことについては後述のとおりである（第3章Ⅱ[5](3)）。なお，中華民国法は生父がその婚外子を引き取って養育した場合には，認知の効果が発生するとする撫育認知を認めているが，このようなものは，国際私法上は認知の方式の問題ではなく，認知の実質的要件の問題（養育するということが認知の成立要件の1つとされている）として，29条により中華民国法が準拠法となる場合に認められると解すべきである。

⑵ 連結政策　実質法上，事実主義と認知主義があることを前提に連結政策を考えると，前者については親子関係の成立は出生の時点でどうであったかが問題となるにすぎないので比較的単純であるが，認知主義については，胎児の間に認知することや，出生後相当の期間を経てから認知をすることもあるので，いつの時点の連結点を用いるかが問題となる。さらに，本国法主義か常居所地法主義かという問題のほか，本国法主義を採用するとしても，両親と子の3名のうち誰の本国法によるかも問題となる。

通則法29条1項は，事実主義か認知主義かを問わず，子の出生時の非嫡出親子関係の成立について規定し，2項は出生時とは異なる時点での認知について規定している。すなわち，1項により，出生時に非嫡出親子関係が成立したか否かは，父子関係については父の，母子関係については母の，出生時における本国法が準拠法となる。その本国法が認知を要求していれば，いずれの時点でするにせよ，その法律上の認知がされなければ親子関係は成立しない。

2項は，認知による非嫡出親子関係の成立に関しては，1項による定まる準拠法に加え，父子関係については父の，母子関係については母の，認知時の本国法又は認知時の子の本国法によることもできる。たとえば，子の出生時の時点での父の本国法上の認知ができない場合であっても，認知当時の父の本国法によれば認知ができるのであれば，認知ができることになる。このような選択的連結が採用されているのは，出生後，長期間を経てから認知される場合もあり，認知についてはその時点で相応しい準拠法を適用することも国際私法上あってよいことであるとの考慮とともに，認知の成立を容易にしようとする考慮に基づいている。逆に認知が無効とされるのは，上記の準拠法のいずれによっても認知が無効とされる場合のみである（百選56事件）。

なお，胎児認知の場合，認知の時から子の出生までの間に認知者の本国法が変更したときには，1項に加え2項の適用もあり，その場合の2項の「子の本国法」は認知当時の母の本国法と解すべきであろう。

29条は，以上の連結政策に加え，いわゆる**セーフガード条項**を置いている。すなわち，認知による親子関係の成立については，実質法上，成年に達した子についての同意要件のような子の保護要件が課されていることもあるので，抵触法上も，たとえ父又は母の本国法上そのような保護規定がなくても，認知の当時の子の本国法が，その子又は第三者の承諾又は同意を認知の要件としているときは，その要件をも備えなければならないとし（1項後段），さらに，この規定は出生後の認知であって，認知する者の本国法が準拠法とされる場合にも準用することとしている（2項後段）。1項後段による認知当時の子の本国法は，胎児認知については，母の本国法をもって子の本国法と解すべきであろう。

子の出生時に父がすでに死亡していたり，認知時には父が死亡している場合（死後認知）など，非嫡出親子関係の成立が関係者の死亡後に問題となることがあり得る。29条3項は，それぞれの関係者死亡当時の本国法をその者の本国法とみなしている。前段で父についてのみ規定されているのは，通常，子の出生当時，母が死亡していることはないことが前提とされているからである。

⑶　準拠法の適用の仕方　29条が選択的連結を採用していることから，準拠法となり得る法のうちどれによるのかが問題となることがある。条文の趣旨から，たとえば，死後認知の出訴期間は最も遅

くまで可能とする法により，認知の遡及効については，適用可能な法のうちで最も早い時点に遡らせるものによるべきであろう。また，認知の撤回については，適用可能なすべての法が撤回を認めている場合にのみ撤回できると扱うべきであろう。

(d) 準　正

(1) **単位法律関係**　準正とは，非嫡出子が嫡出子になることである。このような制度を有する国の法によれば，認知後に父母が婚姻すること（婚姻準正）や，父母の婚姻後に認知すること（認知準正）がその原因とされている（日本では民法789条）。

30条の単位法律関係は準正による嫡出親子関係の成立だけであり，準正の要件を構成する非嫡出親子関係の成立や婚姻の成立は，先決問題として，それぞれの準拠法による（第2章Ⅱ[2]）。

(2) **連結政策**　30条1項は，出生後に嫡出子となる準正について，出生による嫡出親子関係の成立に関する28条の連結政策のうち時間的要素を修正し，「準正の要件である事実が完成した当時」の父母の本国法を準拠法としている。これに加えて，30条1項は，その当時の「子の本国法により準正が成立するとき」も嫡出子とする旨規定している。これは，認知に関する29条2項が認知当時の子の本国法も準拠法の1つとしていることと平仄を合わせ，父母の婚姻後，子の本国法のみによって認知が認められる場合に，単に非嫡出親子関係が成立するだけではなく（ここまでは29条2項の問題），その子の本国法が準正を認めているときには，嫡出親子関係の成立も認めることとしたものである。この点は，嫡出親子関係の成立についての考え方を一歩踏み出すものであり，これ以外の点は解釈に委ねても29条の準用により同様の結論を導くことができると考えられるので，子の本国法による準正を認めている点にこそ30条1項の実質的な意義があるということができよう。

「準正の要件である事実が完成した当時」とは，準拠法を適用してみてはじめて分かることである。したがって，これは，父若しくは母又は子の本国法を父母の婚姻や認知などの事象に適用し続け，いずれかの法により準正が成立するとされた時に，その子は嫡出子の身分を取得するということになるということを意味する。なお，その時点ではすでに父母・子が死亡していることがあるので，その際には死亡当時の本国法をその者の本国法とみなすとされている（30条2項）。

(e) 養親子関係の成立

(1) **単位法律関係**　養子縁組のとらえ方として，家系を守るためとか，親のためと考える傾向が強い国と，身寄りのない子や途上国の貧しい家庭の子の幸福のためと考える国とがあり，さらに宗教上の理由から養子縁組を禁止している国（イスラム諸国）もある。また，養子縁組を認める場合にも，当事者間の契約として合意によりその成立を認める契約型の法制と，裁判所その他の機関の関与によるべきものとする決定型の法制があり，両者とも有する法制もある。さらに細かくみると，養親子間の年齢差要件，夫婦共同養子の要否，成年養子の禁止など多くの点で異なっている。また，とくに先進国において実方の血族との親族関係を断絶する特別養子縁組制度（**断絶型養子縁組制度**）が採用されるようになっており，日本も1987年の民法改正によりこれを導入している。他方，一般に途上国にはこのような制度はなく，養子縁組が成立すれば実の親に加えて養親ができると考えられている。このように，婚姻に比べて養子縁組に関する各国法はバラエティーに富んでいることに加え，一般に，国際養子縁組においては途上国の子が先進国の親との間で養子縁組をするケースが多い。ただし，正確な統計はないが，日本は例外のようであり，日本から出て行く子の数が入ってくる子の数を上回っているとされている。

通則法31条の「養子縁組」に該当する問題としては，養子縁組の可否，養子縁組の実質的成立要件，すなわち，養親又は養子となるための年齢及び年齢差，法定代理人の代諾，公的機関の許可の要否などがある。

養子縁組の方式については通則法34条による。外国にいる日本人が養親として同じ国にいる子と養子縁組をする場合，通則法31条により養子縁組成立の準拠法は日本法となるので，日本の市町村長への養子縁組届の送付か，養子も日本人である場合には当該外国に駐在する日本の大使等に対する届出によって（民法801条），方式上有効な縁組をすることができる。また，A国在住の外国人養親と日本人養子との養子縁組届をA国から日本の戸籍窓口に送付した場合，縁組成立の準拠法は外国法であるものの，国家機関への届出というタイプの方式については，届出の受領された地を行為地とみるべきであり，このような養子縁組は方式上有効なものと扱うべきである（第3章Ⅱ5(3)）。

養親子関係の内容は，他の親子関係と同様に，通則法32条により定まる準拠法による。また，養子と養親との間の財産の相続権や扶養義務などは相続や扶養義務の準拠法によるべき問題である。

ところで，養子縁組に関し，養子縁組の成立にあたって官庁や裁判所といった公的機関の許可その他の処分や，養子決定手続によることを要求する国は多い。そこで，たとえば日本の家事事件手続法は養子縁組については，日本民法上，家庭裁判所の許可を要するとされている一部の場合について審判をすると規定しているところ（39条，別表第一の61・63の項），養子縁組準拠法が養子縁組について常に裁判所の決定を要するとしている場合，家庭裁判所は扱うことができるかが問題となる。これについて，準拠外国法がどこまでの修正を認めるかを問題とし，その限度で日本において家庭裁判所が代行することができると説く見解がある。しかし，手続問題は養子縁組の準拠法に送致していないので，日本の手続法上の問題として考えればよいことである。そこで，日本法上利用できそうな手続としては家庭裁判所の手続しかあり得ず，その手続の中で許される限度内で準拠法の趣旨に沿って適用していくほかない。同様に，官庁の許可が必要とされている場合であっても，日本では家庭裁判所での手続以上のことはできないし，する必要もないと解される。もっとも，そもそも養子縁組を法律行為としてできるか否かは養子縁組の準拠法に送致している問題であり，準拠法が法律行為による養子縁組を認めない以上，法律行為で済ませてしまうわけにはいかないことに注意すべきである。

(2) 連結政策　養子縁組の実質的成立要件の準拠法としては，子を中心に考えると，養子となるべき者の常居所地法によらせることも考えられるが，通則法 31 条 1 項は，縁組当時の養親の本国法によるものとしている。これは，養親子の生活は養親を中心として営まれるのが通常であるので，養親を基準とし，通則法を貫く本国法主義的な発想から，養親の本国法を連結点としたものである。

なお，夫婦が養父・養母となって養子縁組をしようとする場合，養親となる夫婦の本国法が異なるときには，養父，養母のそれぞれにつき養子縁組ができるかどうかを判断することになる（百選 58 事件）。それぞれの本国法が単独での養子縁組を認めていれば，それぞれで成立を判断すればよい。養父の本国法上は夫婦が共同でなければ養子縁組が認められないとされている場合，養母の本国法上は養子縁組が認められないときには，夫婦養子縁組にはなり得ないので，養父の本国法上の要件を具備できず，養父との縁組もできないことになる。

(3) セーフガード条項　上記の養親の本国法のみによると，子の保護に欠けることがあり得るとの配慮から，31条1項後段は，「養子となるべき者の本国法によればその者若しくは第三者の承諾若しくは同意又は公的機関の許可その他の処分があることが養子縁組の成立の要件であるときは，その要件をも備えなければならない」と規定し，これらの点について累積的連結を採用している。いわゆる**セーフガード条項**である。

子の本国法が養子縁組を禁止している場合，この条項により養子縁組はできないとする見解もある。しかし，この条項により子の本国法に送致される問題は養子縁組の成否ではなく，承諾，同意，許可などが必要とされているか否かだけである。したがって，子の本国法が養子縁組を禁止している場合にはセーフガード条項は働かず，養親の本国法により養子縁組が成立するのであれば，成立することになると解される。

同様に，子の本国法上，断絶型養子縁組は存在せず，伝統的な非断絶型養子縁組を前提とする同意制度があるような場合，セーフガード条項によって適用されるのは「養子縁組」について同意が必要か否かであるので，養子縁組が断絶型か否かを問わない。そのため，「養子縁組」について同意があれば，養親の本国法上の断絶型養子縁組の成立を認めてよいことになる。

セーフガード条項にいう「第三者」の範囲について，日本人の養親がフィリピン人の子との間で養子縁組をする場合，フィリピン法上，養親に10歳以上の嫡出子があるときにはその同意を得ることを養子縁組の要件としているときには，その嫡出子はここでいう「第三者」であって同意を得る必要があるとしつつも，その同意が得られないからといって養子縁組の成立を否定することは公序に反するとし，養子縁組の成立を認めた裁判例がある（百選60事件）。

しかし，このような嫡出子の立場は養子の立場と潜在的に対立しており（相続分が減少する），また，養子の本国法上に嫡出子の同意要件（拒否権）があることは養親の嫡出子が期待できるはずのないことであって，ここでいう「第三者」には含まれないというべきであろう。また，同意が得られないことを理由に養子縁組の成立を否定することが常に公序違反（通則法 42 条）になるのであれば，この問題をセーフガード条項の対象とするという性質決定自体が条文の趣旨に反しているというべきであろう。

「公的機関の許可その他の処分」については，(1)で述べたとおりである。

(4) **養子と実方の血族との親族関係の終了**　この点は，普通に考えれば，終了させられる親族関係の準拠法，すなわち，嫡出親子関係であれば通則法 28 条によって定まる準拠法により，非嫡出親子関係であれば 29 条によって定まる準拠法によることになりそうであるが，そのようにすると，その嫡出親子関係の準拠法国が断絶型養子縁組制度をもたない場合には，通則法 31 条で定まる準拠法が断絶型養子縁組を認めていても，実親子関係は断絶しないこととなる。そこで 31 条 2 項は養子と実方の血族との親族関係の終了は同条 1 項で定まる準拠法，すなわち，縁組の当時における養親の本国法によることとしている。一般に，断絶型養子縁組制度をもたない途上国を本国とする子が断絶型養子縁組制度をもつ先進国を本国とする養親に引き取られるという典型的な国際養子縁組の場合において，養親側の思いの実現を優先させたものである（百選 59 事件）。

(5) **離縁**　31 条 2 項は，離縁についても同様に養子縁組当時の養親の本国法によるとしている。離婚についての 27 条は現時点の連結点を用いているのに対して，離縁では過去の連結点を用いているのは，断絶型養子縁組として成立したものは，その成立を認めた準拠法の定める離縁の要件を具備しない限り，離縁できないこととするためである。一般に，断絶型においては実方の血族との親族関係が終了しているので，離縁の要件は厳しく制限されているのに対し，普通の養子縁組では相対的に緩やかな要件で離縁を認めている。そのため，断絶型養子縁組後，養親が普通養子縁組制度しかない国を本国とする国籍変更がされた場合，その法に従って比較的容易に離縁することを認めるのは不都合であり，断絶型の成立時の本国法が離縁を認める場合にのみ離縁をすることができるようにしたわけである。もちろん，実質法の内容まで固定するわけはなく，縁組成立の準拠法の内容が改正により変わっている場合，いつの時点のルールによるかはその準拠法の時際法に委ねられている（第2章Ⅳ1(e)）。

なお，離縁の方式については通則法34条による。

(f) 親子間の法律関係

(1) 単位法律関係　通則法28条から31条までの規定により定まる準拠法によって親子関係が成立した場合,「親子間の法律関係」は，親子関係のタイプにかかわらず，親子関係の身分的効力・財産的効力が1つの単位法律関係とされている（32条）。たとえば，各国様々であるが，親権者の決定，居所指定権，懲戒権，職業許可権，財産管理権などがこれに含まれる。このうち，離婚の際の親権者の決定については，かつては離婚の問題と性質決定をする見解もあったが，27条が夫婦にのみ着目した連結政策を採用しているのに対して，32条は子を含めた三者にとっての最密接関係地への連結を意図しているので，現在では，裁判例・戸籍実務・学説とも一致して32条によるとしている。

なお，親子間の扶養義務という単位法律関係は，扶養義務の準拠法に関する法律2条による（同法1条，通則法43条1項）。

親権は親が未成年の子に対して行使するものであるから，通則法32条適用の先決問題として子が未成年であるか否かが決定される必要があり，これは通則法4条によるべきである。

(2) **連結政策**　32条は，父又は母の本国と子の本国とが同一であれば，子の本国法により，これらの同一本国がない場合には子の常居所地法によるという**段階的連結**を採用している。なお，かっこ内の「父母の一方が死亡し，又は知れない場合にあっては，他の一方の本国法」という文言は，このような場合に，死亡当時などの本国法を基準としてその者の本国法とするのではなく，その親との関係では同一本国法はないと扱うべきことを注意的に定めたものである。つまり，生存している親との間で子が同一本国法を有する場合にこそ準拠法としての資格があるということである。

段階的連結の順位づけについて，子が実際に生活している常居所地にもっとウエイトを置くべきであるとの批判がある。このような考えにも一理あるが，日本法が離婚の準拠法となり，協議離婚届が戸籍窓口に提出された場合，事務処理を円滑に行うには親権者の指定についても日本法が適用されることが明確である必要があり，この点で，戸籍によって日本人であることがはっきり分かる本国が高順位の連結点として採用されている。

4　その他の親族関係

通則法33条は，24条から32条に掲げられた親族関係以外の親族関係，及びそれによって生じる権利義務について，当事者の本国法による旨規定している。適用対象としては，兄弟の関係や親族の範囲などの問題が考えられるが，それらの者の間の扶養義務については扶養義務の準拠法に関する法律によって準拠法が定められるので，結局，刑法における親族間の犯罪に関する特例（244条・257条）

や出入国管理及び難民認定法61条の9の3第2項4号における親族の範囲の決定のために適用されるだけである。

また，適用される場合でも，33条は単に当事者の本国法によるとしか規定していない。裁判例等はないが，各当事者の本国法の累積的適用により，双方で親族と認められる場合にのみ親族関係があると解するほかあるまい。

5 親族関係についての法律行為の方式

法律行為の方式の全般については後述に譲り（第4章Ⅱ2），ここでは通則法34条についてのみ触れる。

(1) 単位法律関係と連結政策　34条は，25条から33条までに規定する親族関係についての法律行為の方式を対象としているが，25条・28条及び32条の単位法律関係には方式が問題となるような法律行為は存在しない。したがって，実際に34条で準拠法が定められるのは，夫婦財産契約（26条），協議離婚（27条），任意認知（29条），裁判によらない養子縁組（31条1項），協議離縁（31条2項）という法律行為の方式ということになる（婚姻の方式は24条2項・3項で定められている）。

以上の問題について，34条1項・2項は，適用対象となる法律行為の成立の準拠法と行為地法との選択的連結を定めている。これは，10条1項・2項と同じく，方式が法律行為の成立の問題の1つであるので，実質的成立要件の準拠法として定められている法によるのが相応しいことに加え，方式要件具備のために他の国に出かけていって法律行為を行わなければならないという不便を解消するため，行為地法の定める方式に適合していればよいとしたものである。

(2) 通則法10条との関係　通則法は，10条において法律行為一般の方式についての規定を置き，34条において親族関係についての法律行為の方式だけを取り出して規定を置いている。平成元年の法例改正により34条の前身の規定（法例22条）が置かれた際には，その改正の対象外であった法律行為一般の方式の規定（法例8条）は法律行為の「効力」の準拠法と行為地法の選択的連結を定めており，両者は内容を異にしていたので，2つの条文に分かれたことは理由があることであった。しかし，法例8条を引き継いだ通則法10条は，34条と同じく，法律行為の成立の準拠法と行為地法との選択的連結に改正したのであるから，両者を統合することもあり得たはずである。なぜ統合されなかったのであろうか。

10条と34条の違いはいくつかあるが，親族関係についての法律行為については当事者による準拠法の事後的・遡及的変更は認められていないので（26条2項により，夫婦財産契約の準拠法変更も将来に向かってのみ効力を有する），10条1項のかっこ書きに相当する規定が34条1項には存在しないこと，また，10条5項は動産・不動産の物権等の設定・処分をする法律行為の方式についての規定であるので，34条には存在しないこと，これらは当然の違いである。実質的な違いは，34条には10条3項・4項に相当する規定がない点である。これはどういう理由からであろうか。すなわち，単独行為の方式に関する10条3項の考え方は親族関係に関する単独行為には妥当しないのか，また，隔地的な契約の方式に関する10条4項の考え方は26条の夫婦財産契約には妥当しないのか。これらが否定されるのであれば，34条の存在意義はなく，10条に統合されてしかるべきものであるということになる。

10条3項は法を異にする地に在る者に対する意思表示について，発信地を行為地とみなしている。これはいわゆる相手方のある単独行為についての規定であり，契約の取消し・解除，相殺などの意思表示のように，各国の実質法上，単独行為の意思表示自体の外部的な形式が定められていることがあることを念頭に，方式の具備を容易にしようとするものである。しかし，親族法上の方式については，行政機関への届出・受理のようなものがあり，とくに戸籍法に基づく届出・受理という日本法上の方式の国際私法上の扱いを念頭に置いて，10条3項のようなルールの妥当性を考える必要がある。このようなタイプの方式の特殊性については(3)で述べるが，10条とは別に34条を置いている理由は，10条3項のようなルールが届出・受理という方式の準拠法決定には妥当しないからであると考えるべきであろう。他方，夫婦財産契約の方式についても，日本ではそうではないが，婚姻の方式と関係づけて定めを置いている実質法もあり得るところであり，必ずしも，10条4項のルールが妥当するとは限らないと解される。以上のとおり，10条3項・4項は親族行為の方式には適用されず，法を異にする地に在る者による法律行為の方式の準拠法については，34条の解釈に委ねられていると考えられる。以上のことから，34条が10条とは独立の規定とされていることには理由があることになる。

(3) 戸籍事務を管掌する市町村長への届出の提出・受理というタイプの方式　たとえば，日本法上の法律行為としての養子縁組の方式は市町村長の戸籍窓口に養子縁組届を提出し，これが受理されることである。このような制度は二面性を有している。第1は行政的な観点から国民の身分関係を把握しておくという側面であり，第2は私法的な観点から養子縁組の意思の確かさが示されることを要求するという側面である。とはいえ，日本は，外国法上の方式による養子縁組を認め，それについての報告的届出は求めるものの，それがされなくても私法上はその養子縁組を有効なものと扱っているので，第1の側面は絶対的なものとは位置づけられていない（戸籍法137条により報告的届出義務違反には過料の制裁はある）。したがって，届出は，国際私法上の方式の準拠法として日本法が適用されるべきときの送致範囲内の問題である。

ところで，前述のように，かつては外国から日本の市区町村長（戸籍窓口）に送付されてきた婚姻届の扱いについて，婚姻挙行地は日本であると解してこれを受理するのが戸籍実務であったところ，平成元年の法例改正とそれを引き継いだ通則法24条3項のもとでは，そのような婚姻の挙行地は外国であって，日本は行為地でないと解した上で，本国法として日本法が適用されるときにはこれを受理することができるとする解釈に戸籍実務は切り替えている（第3章Ⅱ[1](c)(3)）。

しかし，この問題についての考え方は，外国からの離婚届・認知届・養子縁組届・離縁届などの扱いに影響を与えるので，国際私法上きちんと整理しておく必要がある。まず，重要なことは，法律行為の方式については2種類のものを区別するということである。

第1のタイプは，当事者間での法律行為の意思表示の仕方（外部形式）を定める通常のタイプの方式であり，意思表示を書面や公正証書によることを要求するといったものである。実質法上のこのような方式を前提とすれば，当事者が現実に所在する地が行為地であり，通則法10条3項・4項の定めるルールにより，異なる法域に所在している当事者から相手方への一方的法律行為の意思表示についての行為地は通知の発信地であるとみなし，同様の状況にある当事者間の契約については申込発信地又は承諾発信地のいずれもが行為地であって，そのいずれかに適合すれば方式上有効とすることでよいと解される。

他方，第2のタイプは，当事者間での意思表示の外部形式を定めているわけではなく，それとは別に，行政機関への届出・受理や，聖職者・立会人の前での儀式といった方式の具備を求めるというタイプの方式である。日本の養子縁組届等の制度もこれに該当する。このような場合，意思表示は当事者間でされるわけではなく，「公」に対してされることになる。しかも，このような方式について重要なことは，どこから通知を発したかではなく，どこでその通知が受信され，公にされるのかである。このように考えると，10条3項・4項のルールはこのタイプの方式は適用対象としておらず，第1のタイプの方式だけを対象としていると解するのが妥当であろう。そして，第2のタイプの方式が実質上採用されている親族関係の法律行為についての34条2項の行為地は，意思表示の通知が受信された行政機関等の所在地（法律行為が社会に公になった地でもある）と考えるべきである。たとえば，法律行為としての養子縁組届を養親となる外国人が養子となる日本人子の本籍地の市区町村長宛に送付した場合，34条2項により日本法も方式の準拠法となり，民法799条（が準用する739条）に定める方式を具備したものと扱うことができることになる。この結論は，戸籍法上の創設的届出は当事者の出頭を要せず，代理人や使者によってもすることができるとされていることと整合的である。郵送による届出の場合，市区町村長はどこから届出が発せられたものかをチェックする必要はなく，いわんや，届出に係る本人がどこに所在しているのかをチェックする必要はないことになるので，戸籍制度の運営を安定化させることになろう。なお，このように解する場合，実質的成立要件について問題ないとすれば，外国法上の方式具備と日本法上の方式具備の早い方の時点で法律行為は成立していることになる。したがって，かならずしも日本の戸籍窓口が受理して戸籍に記載した日が私法上の法律行為の成立日ではなく，成立日が問題となるときには，準拠法に照らして判断されることになる（これは戸籍の記載一般について妥当することである）。

また同様に，34条が適用される協議離婚，任意認知，協議離縁などについて，外国から戸籍窓口宛に送付されてきた届出は，34条2項の行為地が日本と解されることになるので，これを受理して差し支えなく，その受理によりこれらの法律行為は方式上有効とされることになる。

ちなみに，婚姻の方式についても，以上のような解釈と整合的に解することが必要であることは前述のとおりである（第3章Ⅱ[1](c)(3))。

(4) 夫婦財産契約の方式　夫婦財産契約の方式については注意が必要である。通則法26条2項は，夫婦が署名した書面で日付のあるものにより一定の法律を選択した場合には，それを夫婦財産制の準拠法とする旨規定している。そこでいう夫婦の署名と日付のある書面という形式をとることは，準拠法の指定という国際私法上の行為について通則法が直接に要求していることであって，選択された準拠法上の法律行為の方式ではない。したがって，たとえば，日本人とフランス人の夫婦が，日本で両者の署名と日付のある書面によってフランス法を準拠法として選択し，さらに具体的な夫婦財産契約をした場合，その準拠法選択は通則法26条2項1号で国際私法上は有効とされるが，その夫婦財産契約の方式については，34条により，成立の準拠法であるフランス法か行為地法である日本法のいずれかの定める方式を具備していなければ有効とされないことになる。また，逆に，仮に夫婦の署名した日付ある書面という要件を欠いていると，フランス法を準拠法として選択したこと自体が国際私法上認められず，通則法34条のいう成立の準拠法は26条1項によって定まる準拠法ということになり，その準拠法に従って夫婦財産契約をすることになる。

法律を異にする地に在る者の間で夫婦財産契約を締結する際には，

契約の意思表示自体の方式を定めるタイプの方式については，34条2項の行為地は，10条4項を類推適用して，申込発信地でも承諾発信地でも，いずれの法によることもできると解される。しかし，婚姻の行政機関への届出制度の中で夫婦財産契約の届出・受理という方式を設けているような国があった場合には発信地法によることはできず，前述のとおり，その行政機関の所在地である行為地の法に適合しなければならない。

なお，日本の民法756条は夫婦財産契約の成立に関する要件ではなく，第三者対抗要件に関する要件を定めるものであるので，日本法上，夫婦財産契約は無方式で成立が認められる。

6 扶　養

(a) 単位法律関係

私法上の扶養にはいくつかの態様がある。終身定期金のような契約に基づくもの，信託の効果として受託者が受益者に対して負うもの，親族関係があることに基づいて生ずる扶養義務（親族扶養）などである。このうち，親族扶養以外のものは契約，信託などの問題である。

日本は，ハーグ国際私法会議が作成した**扶養義務の準拠法に関する条約**（**一般扶養条約**）を1986年に批准している。これに先立ち，日本は1977年に**子に対する扶養義務の準拠法に関する条約**（**子扶養条約**）も批准しており，一般扶養条約18条1項により，両条約の締約国の間でのみ一般扶養条約が適用されることとされているので，子扶養条約のみの締約国であるオーストリア，ベルギー，リヒテンシュタインとの間においては，条約上の義務として子扶養条約が適用される。日本は，一般扶養条約の批准に伴い，**扶養義務の準拠法に関する法律**を制定しているところ，同法3条2項は，両条約の内容が異なる点についての注意規定を置いている。なお，一般扶養条約は締約国法が準拠法となることを条件としていないので，同法も同様である。

扶養義務の準拠法に関する法律の単位法律関係は，親族扶養，すなわち，「夫婦，親子その他の親族関係から生ずる扶養の義務」であり（1条），「扶養権利者のためにその者の扶養を受ける権利を行使することができる者の範囲及びその行使をすることができる期間」などの問題が適用対象に含まれる（6条）。なお，扶養義務の前提として親族関係の存否については，その親族関係の成立，離婚・離縁の準拠法による。

以上の私的扶養に対して，社会保障法制に基づく公的扶養は，各国の制度が自身の地域的適用範囲を定めているはずであるので，国際私法の対象とはならない。もっとも，社会保障法の中には，公的機関が扶養権利者に対して行った給付について扶養義務者から費用の償還を受け得るものとするものがある（生活保護法77条1項，老人福祉法28条1項，児童福祉法56条1項。これらの法律では「民法」上の扶養義務者に限定されているが，準拠法となる外国法による場合も含むように改めるべきである）。この費用償還権自体は公法上のものであり，その機関が従う法による（扶養義務の準拠法に関する法律5条）。もっとも，公的機関が扶養権利者に対して行った給付の費用償還義務を負う「扶養義務者の義務の限度」は適用される私法のルールによって定められるべきであるので，これは私的扶養の問題である（同法6条）。

(b) 連結政策

扶養義務の準拠法に関する法律は，権利者・義務者の親族関係の種類に応じて異なる連結政策を採用している。

「離婚をした当事者間の扶養義務」については，その離婚について適用された法による（4条1項）。このルールは，法律上の別居をした夫婦間及び婚姻が無効・取消しとなった当事者間の扶養義務に準用される（同条2項）。

それ以外の親族間の扶養については，次のような段階的連結により準拠法が定められる。これは通則法25条・32条などとは異なり，定められている準拠法を適用した結果，扶養を受けることができないときは次順位に移り，また，一定の場合には扶養義務者の保護も図るという段階的連結となっている。

すなわち，第1順位は，扶養義務は扶養権利者の常居所地法による（2条1項本文）。それによれば，その者が扶養を受けることができないときは，第2順位として，当事者の共通本国法による（同項但書）。ここでいう「扶養を受けることができない」とは，事実上扶養能力のない場合のことではなく，法律上扶養義務が存在しないことを意味する。また，「共通本国法」とは同一本国法とは異なり，国籍が共通する法のことである（第3章Ⅰ③(d)）。さらに，これらの準拠法上扶養権利者が扶養を受けることができないときは，第3段階として，扶養義務は日本の法律による（2条2項）。扶養権利者を保護すべく，扶養が与えられる機会をなるべく広く認めるという実体法的な価値判断に基づくものである。

他方，あまり近くない親族の間では扶養権利者の保護にばかり傾斜するのは適当でないとの考慮から，扶養義務者とされる者に，自己に有利な準拠法の適用を主張する機会を与えている。すなわち，傍系親族間又は姻族間の扶養義務は，まず，扶養義務者が，当事者の共通本国法によれば扶養権利者に対して扶養をする義務を負わないことを理由として異議を述べたときは，その共通本国法によって定められる（3条1項前段）。また，当事者間に共通本国法がない場合には，扶養義務者の常居所地法による異議が認められている（同項後段)。当事者の異議申立てにより準拠法が差し替えられるという特殊な例である。裁判によって扶養料請求がなされる場合には，いつまでにこの異議を申し立てることができるかは，法廷地の手続法上の攻撃防御方法の提出時期に関するルールに委ねられる。

なお，同法は，通常の公序則（8条1項）のほかに，「扶養の程度は，適用すべき外国法に別段の定めがある場合においても，扶養権利者の需要及び扶養義務者の資力を考慮して定める」（同条2項）と規定している。これは，渉外実質法的規定と解される。

Ⅲ　相続・遺言の準拠法

1　相　続

相続とは，死者の所有していた財産が，その者と一定の身分関係を有していた者によって承継される制度である。相続法制度は国により，相続人の範囲，相続分など多くの点で相違があるが，最大の相違は清算主義と包括承継主義の対立である。**清算主義**とは，英米法系の国々で採用されている法制度であり，人の死亡により，死者の有していた権利義務が，死者の人格代表者である遺産管理人（遺言があれば遺言執行者）に帰属し，そこでまず死者の財産関係を清算する遺産管理が行われ，その清算の結果，プラスの遺産が残れば相続人への移転が認められるが，マイナスになる場合には遺産の限度で債権者に対して割合的な弁済が行われ，相続人が債務を承継することはないというものである。これに対して，**包括承継主義**は，日本を含む大陸法系の国々でとられている法制度であり，原則として，清算を行うことなく，死者に帰属していた権利義務が死亡と同時に相続人に包括的に承継される。このため，包括承継主義をとる日本で清算主義をとる外国法を適用する際には様々な困難が生ずることになる。

(a) 単位法律関係

通則法36条の「相続」の範囲をめぐって，次のような事項が問題となる。

(1) **相続の開始**　相続開始の原因・時期などの問題が相続に該当することについては問題ない。もっとも，人の死亡自体は権利能力の問題であり（条理により本国法による），また，失踪宣告による死亡推定は通則法6条により定まる準拠法による。

(2) **相続人・相続分・順位・遺留分**　誰が相続人となるかなどの問題は相続準拠法による。たとえば，相続人の範囲，相続分，相続順位，相続人の欠格・廃除などの問題である。

遺言そのものの有効性の問題は通則法37条により定まる準拠法によるが，遺言による相続人の範囲，順位などの修正の可否とその限度，たとえば遺留分の問題などは，相続問題である。

また，胎児の相続能力や，事故等により複数の者が死亡した場合に，その中の年長者が先に死亡したと推定するのか，あるいは同時に死亡したと推定するのか（同時死亡）という問題は，権利能力の問題ともみることができるが，それらが相続との関係で問題となる限り，相続という単位法律関係の問題である。すなわち，これらは誰が相続人かという問題に含まれ，同時死亡の問題についていえば，夫婦や親子である日本人Aと外国人Bとの同時死亡の場合，Aの財産相続にあたっては，民法32条の2の規定が相続準拠法として適用され，同一事故で死亡したBは相続人には含まれないという扱いをすることになる。他方，Bの相続準拠法上はAもBの相続人になるのであれば，そのように扱った上で，Aの相続問題を処理することになる。ただ，相続準拠法の定め次第では，相互に相続人となるという適応問題が生じ得ることは否定できない（第2章Ⅱ[3]）。

(3) 相続財産　どのような財産が相続財産を構成するかは相続問題である。カリフォルニア州での自動車事故で負傷した日本人から死亡した運転者（日本人）の相続人に対する損害賠償請求について，相続の準拠法である日本法と不法行為の準拠法であるカリフォルニア州法とがともに認める場合でなければ，債務は相続されないとした裁判例がある（百選67事件）。しかし，相続と不法行為の単位法律関係の外縁の明確化とそれに対応して送致範囲を明確に認識することが必要である。相続財産を構成しない財産とはどのような性質をもつ財産なのかは相続問題であり，これは日本法によるので，一身専属的財産でない限り相続財産に含まれることになり，他方，具体的な財産が一身専属的性質をもつか否かは当該財産の準拠法によるべき問題であって，不法行為の準拠法であるカリフォルニア州法上は不法行為債務の引受けは可能であるので，不法行為債務は相続されることになる。

また，相続人の一部が，相続財産である日本所在の不動産の相続持分を第三者に譲渡した事案につき，共同相続人の間での相続財産の遺産分割前の譲渡ができるか否か（台湾法上はできない）は相続問題であるとしても，第三者への処分により物権変動が生ずるか否かは目的物所在地法（通則法13条2項）である日本法によるとし，譲渡を有効とした判例がある（百選1事件）。

ところで，相続財産の相続人への移転の仕方も相続問題であると解されているところ，清算主義との関係で困難な問題が生じる。英米法が準拠法となる相続事件では清算手続をとらなければならないが，日本の遺産管理人選任手続は相続人がいない場合のものであって，相続人が存在している場合は予定していない。また遺言執行者が選任された場合にも，その権限は，英米法と日本法の間で大きな差異がある。すなわち，被相続人の本国法が清算主義をとっている場合，日本にはその法が予定している遺産管理手続がないため，相続準拠法をうまく適用することができないのである。ドイツで死亡したアメリカ人の相続事件の処理において生ずるこの困難を回避するため，ドイツでは，ドイツ法が実体問題の準拠法にならないときは手続を行わないとする**並行原則**が生まれた。しかし，日本ではこのような原則は採用されていない。適応問題として，どの限度まで法廷地手続法により相続準拠法の内容を実現することができるかを考えるべきである。その限界については明確な原則はないが，手続法は実体法のために存在する以上，手続法の側ができる限り柔軟な対応をとるべきである。具体的には，上記の場合には日本で外国法上の遺産管理人を選任し，その権限も原則として当該外国法によるという扱いをすべきである。

なお，国際私法は国際的に不統一であるので，通則法では被相続人の本国法により相続問題を処理するとはいっても，外国所在の財産について，日本と同じ準拠法が適用されるとは限らない。たとえば，相続分割主義をとる国に所在する不動産についてはその国では自国法に基づいて相続問題の処理がされ，異なる相続人が異なる相続割合でそれを承継してしまうリスクがあることは認識しておくべきである。

日本からみても，相続財産の相続人への移転について登記・登録を要するか，それがされていない間に第三者が善意取得することがあるかなどの問題は，その財産自体に適用される法，すなわち，動産・不動産であれば通則法 13 条により定まる所在地法，特許権・著作権等であれば保護国法による。さらに，農地，鉱業権，特別の規制のある会社の株式などの相続について，一定の制約が課されていることがある。その多くは公法的な規制であり，相続準拠法とは別にそれに優先して適用されることにも注意が必要である。

⑷　**相続の承認・放棄**　相続の承認（単純承認・限定承認）・放棄，その取消しの可否，さらには，それを法律行為でできるのか，裁判手続を要するのかなどの事項は相続の問題である。被相続人の本国法により相続放棄等が法律行為としてできる場合（日本法が準拠法となれば，民法924条・938条等の定める家庭裁判所への申述について錯誤の主張が認められるとの判例があり，法律行為である），通則法10条により，外国が行為地であれば当該行為地法に定める方式によってもよい。

具体的には，相続開始の時における被相続人の住所が日本国内にあるとき等には，家事事件手続法3条の11第1項により日本に国際裁判管轄が認められ，同法201条1項及び民法883条により，被相続人の住所地の家庭裁判所へ相続放棄等の申述をすることになる。その場合，外国にいる相続人は，日本の家庭裁判所での申述をすることもできるほか，その外国法上の方式に適合する相続放棄等をすることもできる。外国法が相続準拠法になる場合であって，法律行為による相続放棄等が認められていれば，日本を行為地として上記の家庭裁判所への申述という方式によることができる。

⑸　**相続財産管理人**　相続人のあることが明らかでない場合には，相続財産を管理しつつ相続人を捜索し，一定の手続を経た後，債権者・受遺者への弁済・財産譲渡という清算手続を行う必要が生じる。日本のように包括承継主義をとる国でも，このような場合には相続財産管理人が選任されるのが一般的である。この制度のもつ国際私法上の性質については，理解が分かれている。第1の立場によれば，それが不在者の財産管理に類似した機能をもつという理解に立ち，

財産所在地法を適用すべきだとされる（百選69事件）。これに対して，第2の立場として，相続財産管理人は，単にそのような一時的な財産管理のみではなく，相続人を捜索し，債権者に請求の申立てをさせ，一定期間の後それらの権利を失わせる権限をもっていることを重視し，この問題は相続準拠法によるとの考え方がある。相続人不存在が確定すればもはや相続の問題ではないとしても，そのような結論になるか否かが分からない段階での相続財産の扱いであるので，相続問題の一部であると考えるのが自然であり，後者の考え方が妥当であろう。このことから，実体と手続との間の適応問題が生ずることはやむを得ないことである（第2章Ⅱ[3]）。

(6) **相続人の不存在**　最終的に相続人が不存在となった場合において，被相続人のプラス財産があるときは，その処理が問題になる。多くの法制では，このような場合，国庫その他の公共団体にその財産が帰属することとされている。これについて，国際私法上，国家が最終的相続人となると考え相続の問題とみる立場と，無主の財産が領土主権の働きによって国庫に帰属するのだと考え財産の帰属の問題とみる立場とに分かれている。財産の相続という問題は一定の身分関係の存在に基づく財産権の承継であるので，相続人不存在となった段階で相続問題ではなくなるとする後者の立場が妥当である。そうすると，動産・不動産が残った場合には通則法13条により，また，特許権，著作権などについては保護国法による。したがって，日本法が適用される動産・不動産については，民法958条の3に定める特別縁故者への財産分与（百選70事件），959条による国庫への帰属という処理がされることになり，特許権，著作権などについては権利が消滅する（特許法76条，著作権法62条1項1号等）。そうすると，逆に，外国法によるべき財産については，被相続人が日本人であっても，その外国法によることになる。

なお，「相続人曠欠ノ為国庫ニ帰属シタル財産ハ管理人ヨリ遅滞ナク被相続人ノ住所ヲ管轄スル地方行政官庁ニ引渡スヘシ但シ外国ニ在テハ領事又ハ貿易事務官ニ引渡スヘシ」と定める「相続人曠欠ノ場合ニ於テ国庫ニ帰属シタル財産ノ引渡ニ関スル件」（明治33年勅令409号）（現在でも有効）の但書部分は，外国所在の財産であっても日本国に帰属することを前提としている。しかし，日本に財産を残して所有者の外国人が死亡し，相続人が不存在である場合に，上記のような処理をするのであれば，立法論としてはこの但書は削除し，本文の「財産」の前に「日本所在ノ」という文言を挿入すべきである。

⑺　**遺言執行者**　　相続に関する遺言を実現するための遺言執行者の選任，権限などは相続の問題である。遺言執行者の選任事件については，相続開始の時における被相続人の住所が日本国内にあるとき等には，家事事件手続法3条の11第1項により日本に国際裁判管轄が認められ，同法209条及び民法883条により，被相続人の住所地の家庭裁判所が管轄する。また，外国の裁判所等により遺言執行者が選任された場合には，家事事件手続法79条の2により，民訴法118条の要件を準用して，その地に被相続人の住所があったことなどの要件を満たす限り，その権限を日本でも認めることになる。

⑻　**配偶者居住権**　　配偶者居住権は他の一部の国でも類似のものが見られるところ，この制度の国際私法上の性質決定をどうするかが問題となる。被相続人の相続人である配偶者が相続財産の一部である建物に居住する場合に，他の相続人に対して居住を継続する債権を有するかという問題は，相続人間の関係であるので相続の問題であるが，当該配偶者が当該建物に対して物権を有するかという問題は物権の問題である。したがって，たとえば，日本に所在する建物であれば，配偶者居住権の設定の登記があれば対世効を有するこ

とになる。これに対して，外国に所在する建物については，相続準拠法が日本法であっても民法1031条2項は適用されず，当該外国法が配偶者居住権類似の権利を物権としている場合にのみ，物権としての保護が与えられることになる。

(9) 特別寄与　被相続人に対して無償で療養看護その他の労務の提供をしたことにより被相続人の財産の維持又は増加について特別の寄与をした被相続人の親族に対して金銭等の請求をすることができるかは，相続人間の関係を規律する相続問題ではなく，被相続人のプラスとなる行為を促進し，そのコストは被相続人の遺産から支払うのが社会にとって好ましいという考え方に基づくものであることから，通則法14条の「事務管理」の問題と性質決定すべきである。労務提供地が原因事実発生地であり，その法による。もっとも，たとえば，日本在住であった日本人Aが甲国で老後を過ごしていたところ重病となり，日本在住のAの子であるBの配偶者Cが甲国に赴いて半年間ホテルに滞在しつつAを看病した後，Aが死亡した場合，CがAの他の相続人Dに特別寄与料を請求するときは，C・Dの常居所地はともに日本であるので，甲国よりも日本がより密接に関係する地であると考えられ，通則法15条により，日本法（民法1050条）によるということになろう。

(b) 連結政策

財産の相続という問題は一定の身分関係に基づく財産権の承継であり，このうち，「身分関係に基づく」という部分に着目すると親族法的な性質をもつものと考えられるのに対して，「財産権の承継」という部分に着目すると財産法的な性質をもつものと考えられる。前者の発想をとる大陸法系諸国の国際私法では，財産の種類・所在地にかかわりなく，被相続人の本国法や住所地法などの1つの法が相続全体を規律する**相続統一主義**が採用されており，他方，後者の発想をとる英米法系諸国に加え，フランス，中国などの一部の大陸法系諸国の国際私法では，動産と不動産とを区別して，動産相続は被相続人の住所地により，不動産相続はその所在地法によるという**相続分割主義**が採用されている。相続統一主義は，国外にある遺産を実際にはすべて相続財産に組み込むことができるとは限らないという点で実効性に問題があり，他方，相続分割主義は，遺産が各国に分散している場合には処理が複雑化するという問題がある。

さらに，スイスやドイツの国際私法において被相続人による相続準拠法の指定（当事者自治）が部分的に採用され，ハーグ国際私法会議が1988年に採択した「死亡による財産の相続の準拠法に関する条約」も，被相続人の死亡時にその常居所と国籍とが同一の国にあるときはその国の法律を第1順位とする段階的連結を定めつつ，遺言をする場合の相続準拠法の予測を確実にするため，被相続人が指定時又は死亡時に国籍又は常居所を有した国の法律を指定することを認めている。

以上のような国際的動向を考慮して，通則法の制定に際しては当事者自治の導入も含めて議論がされたが，最終的には，法例の規定をそのまま引き継ぎ，通則法36条は被相続人の本国法による旨規定している。

なお，たとえば本国法として相続分割主義をとる国の法が適用されるべき場合，通則法41条の適用により，日本所在の不動産についてのみ反致が成立することがある（部分反致）（第2章Ⅳ[2](f)(3)）。

[2] 遺　　言

(a) 遺言の実質的成立要件及び効力

(1) **単位法律関係**　遺言は，死後に法律効果が発生することを期待してされる意思表示であり，相続関係のほか，認知，信託などについて遺言することもある。もっとも，遺言したとおりになるためには，それぞれ相続，認知，信託などの準拠法により遺言によってすることが許された範囲内においてである。たとえば，相続分を定める遺言は，相続準拠法に遺留分といった制度があれば，それを侵害しない範囲でしか有効ではない。

通則法37条1項の単位法律関係は，「遺言の成立及び効力」である。これは，遺言という意思表示自体の成立及び効力を意味する。そして，他の規定との関係から，遺言の取消しの問題と方式の問題は除かれるので，含まれるのは，意思表示の瑕疵という実質的な成立にかかわる問題と，遺言の効力発生時期やその要件などである。

遺言能力は，行為能力一般とは異なる考慮に基づくものであるので，4条ではなく，37条1項によるべきである。共同遺言の可否は含まれず，遺言の対象となる問題の準拠法が共同遺言によることを認めるか否かによる。

なお，英米をはじめとする国々の法では，遺言の有効・無効を確定する手続として，検認（probate）が要求される。日本でこれを行う必要がある場合には，準拠法の趣旨に配慮しつつ，家事事件手続法別表第一の103の項に類似するとみて，同法209条以下により行うほかない。なお，同法3条の11第1項により，相続開始の時における被相続人の住所が日本国内にあるとき等に日本の裁判所は国際裁判管轄を有する。

⑵　**連結政策**　　通則法37条1項は，遺言成立当時の遺言者の本国法を準拠法としている。遺言の成立は準拠法を適用してみなければ分からないことであるので，遺言者の本国法が変更されている場合には，それぞれの準拠法を適用し，最初に遺言が成立するとされる本国法によることになる。

(b) 遺言の取消し

通則法 37 条 2 項は，遺言の取消しは取消し当時の遺言者の本国法によると規定している。ここでいう取消しとは，有効に成立した遺言の撤回である。意思表示の瑕疵により最初から遺言の効力がないという場合の取消しは 37 条 1 項の問題である。

(c) 遺言の方式

遺言が有効に成立するためには，公正証書，自筆証書などの一定の外部的形式が要求される。このような遺言の方式について，わが国は，ハーグ国際私法会議が作成した条約を 1964 年に批准し，遺言の方式の準拠法に関する法律を制定している。

この法律の基本は，人の最終意思ができるだけ実現されるように，遺言の方式の不具備が原因となって遺言が有効とされないという事態をできるだけ避けようとする点にある。そのため，連結政策としては，行為地，遺言者の遺言の成立又は死亡当時の国籍・住所地・常居所地，不動産に関する遺言については不動産所在地という多数の連結点を並べて，それらの選択的連結を採用し，いずれかの法に適合していれば遺言は方式上有効であるとしている（同法 2 条）。また，遺言を取り消す遺言についてもこれらのほか，従前の遺言を有効とする法によることも認めている（3 条）。

Ⅳ　渉外的身分関係と戸籍

(a) 渉外的身分関係は戸籍にどう反映しているか

わが国の戸籍という制度は 2 つの側面をもっている。第 1 に，親族関係を明らかにし，これを公証する公簿としての側面である。この面では，戸籍法は民法の補助的な法である。また第 2 に，戸籍に登載されるのは日本国民だけであるので，戸籍は日本国民の台帳であるという側面をもつ。この面では，戸籍法は国籍法の補助的な法である。

第1の側面に関して，たとえば，日本で日本人と外国人が婚姻した場合，婚姻の方式の準拠法は必ず日本法であるので（通則法24条3項但書），婚姻届の提出が必須となり，この婚姻は日本人配偶者の身分事項欄にその旨の記載がされる。

しかし，日本人に関する身分関係であっても，完全に戸籍に表示されているわけではない。届出は日本法が定める法律行為の方式として位置づけられ，外国法上の方式に適合する婚姻が有効であることを否定するものではないからである。したがって，外国で挙行された日本人の婚姻については，戸籍上の届出がされなくても，私法上は有効な婚姻として扱われる。もちろん，そのような婚姻をした場合には戸籍への報告的届出が義務とされるが（戸籍法41条），これを怠っても，私法上その婚姻が有効であることは否定されない（同法137条により過料の制裁を受けることがある）。さらに，外国人配偶者との婚姻が戸籍に記載されていても，その間に生まれた子が，たとえば外国で生まれて日本の国籍留保をしなかった場合（外国国籍のみを取得し，日本国籍を保有しない），この子は日本国民である親の身分事項欄にも記載されない。以上のように，通則法の指定する準拠実質法上有効な身分関係が成立していれば，戸籍の記載の有無やその記載内容によってその身分関係が左右されることはなく，戸籍の記載は証明の便宜以上のものではない。

(b) 氏の準拠法と戸籍

婚姻，離婚，養子縁組など，身分変動に伴って氏が変わるか否かをいかなる法によって判断すべきであろうか。氏の問題は，①その身分関係の効力に含まれると解する立場や，②人格権に関する問題として本人の本国法によるとの立場があり，②を採用した裁判例もある（百選74事件）。①・②はいずれも，氏の問題は実体法上の問題であり，実体法上氏が変動すれば，それは戸籍に反映すべきものと考えるものである。しかし，確立した戸籍事務の取扱いによれば，外国人男と婚姻し，婚姻の効力の準拠法上は夫の氏を称することとされている日本人女についても，その者の身分事項欄に婚姻事項が記載されるのみであって，その準拠法上変更した氏を戸籍上表示することはない。

このような戸籍実務の背景には，日本の氏制度は日本人に特有なものであって，外国人の姓とは異なるとの考え方がある。これをより理論的にいえば，各国の氏（姓）は自国民についての識別符号であり，氏が形成されてきた歴史的経緯から身分関係の変動に伴って通常は氏の変更が生ずる仕組みをとっているけれども，必ずしも実体法上の身分変動に直結しているわけではなく，公法としての独自の規律に従っていると考える立場ということになろう。そうすると，日本民法上の氏の規定（750条・751条・767条など）は，公法としての戸籍法体系の一部であって，外国人を含む婚姻の身分的効力の準拠法が日本法となっても，当然には氏は変動するわけではないということになる。このような考え方を**氏名公法理論**という。この見解が妥当である。

1984年（昭和59年）の国籍法改正による父母両系血統主義の採用は，日本国民を含む国際的家族関係について，その氏の面でも重要な影響を及ぼすものであった。上記の改正と同時に行われた戸籍法改正により，日本人と外国人との婚姻の届出があったときは，その日本人について新戸籍が編製される（戸籍法16条3項）。そして外国人と婚姻をした者がその氏を配偶者の称している氏に変更しようとするとき（107条2項），及びこのようにして氏を変更した者が離婚，婚姻の取消し又は配偶者の死亡によりその氏を変更の際に称していた氏に変更しようとするときは（同条3項），一定期間以内であれば家庭裁判所の許可を得ないで，届出によって氏を変更することができる。さらに父又は母が外国人である者で，その氏をその父又は母の称している氏に変更しようとする場合にも，同様に届出による変更と新戸籍の編製が認められる（107条4項・20条の2第2項）。

この改正により，カタカナの氏をもつ日本人が認められ，それを戸籍に登載できることになった。しかし，この改正は，身分変動によっても，日本国民の氏は当然には変動せず，変更手続を必要とすることを再確認したとみることもできる。すなわち戸籍法上の氏はあくまで公法としてのものであり，いずれかの準拠法によるわけではないという考えである。このような考え方には学説上批判もあり，今後とも議論が続けられることになろう。

ちなみに，外国人と婚姻した日本人が，自らの氏を，当該外国人の氏ではなく，両名の氏を結合したもの（この事件では「福本ロビンソン」）に変更することを求めた事件で，当該外国ではその結合氏を用いており，日本でこれと異なる氏を用いることは日常生活上きわめて不便であるとの主張を認め，戸籍法107条1項にいう「やむを得ない事由」があるとして，これを認めた裁判例がある（東京家審平成2年6月20日家月42巻12号56頁）。

なお，上記の氏名公法理論は，自らの呼称についての希望に反してその者を表示する行為が不法行為となるか否かといった問題において，自分の呼称についての権利の有無をその者の本国法によって定めるという考え方を排除するものではない。

第4章 国際取引と国際私法

Ⅰ　国際取引の主体

国際取引の主体となるのは，自然人と法人その他の団体である。

自然人については，権利義務の主体となる始期と終期はいつか（権利能力），どのような要件のもとで単独で契約の締結などができるか（行為能力）といった点についての準拠法が問題となる。

他方，巨額な国際取引の中心主体は，株式会社など出資者が有限責任のみを負う法人である。また，法人格をもたないパートナーシップや組合，さらには組合員が表に出ない匿名組合のようなビークル（組織的手段）を用いて取引を行うこともある。法人制度は各国で様々であり，ガバナンスの観点からの法改正も頻繁に行われている。そこで，法人格はどの国の法に基づいて認められ，それは他の国ではどう扱われるのか，法人等の組織内の関係や第三者に対する責任などの問題はどこの法律によるのかが問題となる。

さらに，安全保障を含む公益的観点から外国人・外国法人等に対して特定の権利の取得制限，特別規制等が行われている。これが外人法の問題であり，便宜上ここで扱う。

では，まず，自然人について，その生死にかかわる権利能力及び失踪宣告による死亡の擬制に関する問題をみた上で，行為能力，後見開始の審判等，そして，成年被後見人と未成年者のための後見・保佐・補助についてみていこう。

1 自然人

(a) 権利能力

(1) 単位法律関係　権利能力とは，財産関係であれ，家族関係であれ，人が権利義務の主体となることを認められるための法律上の資格である。独立の単位法律関係として一般的な権利能力を観念する必要はないとの考え方もあるが，それが法律上の資格である以上，出生・死亡の時点等は1つの単位法律関係としてとらえるべきである。

とはいえ，権利能力が直接問題となることはない。生死の時点が問題となるのは，胎児に損害賠償請求権や相続権を認めるかとか，事故により死亡の時期が不明である者の間に相続が発生するかといった局面においてであり，どう扱うべきかは相続権，損害賠償請求権などの個々の権利のあり方と密接不可分の問題であって，それぞれの準拠法によって解決されるべきだからである。

なお，奴隷制，僧院死亡（Klostertod）などは属地的に適用される公法的制度であり，その付随的効果として，私法上の権利能力が否定されると扱う国があると考えるべきであろう（そのような外国法の適用結果は通則法42条により認められない）。

(2) 連結政策　通則法4条1項は行為能力だけを単位法律関係としており，権利能力についての明文の規定は存在しない。しかし，同条の背後には，権利能力についても本国法によるとの規範があると考えるべきであろう。

(b) 失踪宣告

人が行方不明となった場合には，とりあえずその者の財産を管理し，さらにそれが一定期間継続するときには，その者を死亡したものとして，その者をめぐる法律関係を確定することが必要となる。これが失踪宣告の制度である。

失踪宣告については，他の私法上の問題と同じ発想から，これを権利能力の喪失原因の1つととらえ，権利能力の準拠法である本国法によるという考え方があり得る。これに対して，失踪宣告は国家行為による死亡を擬制する制度であり，どの国の機関がその宣告をするかが問題の核心であって，国家行為である以上，当然その国の法によると考える立場がある。通則法は後者の立場を採用し，裁判管轄を基軸にした規定の仕方をしている。

(1) 日本における失踪宣告　通則法6条1項は，「不在者が生存していたと認められる最後の時点において，不在者が日本に住所を有していたとき又は日本の国籍を有していたとき」には，日本の裁判所は日本法により失踪宣告をする旨規定している。この規定を準拠法の観点から説明すること（住所又は本国を連結点とするものであるとの説明）は，規定の本質を見誤るものである。住所と本国が異なる者について一義的に準拠法が定まらないからである。通常の準拠法を考えるという発想を捨て，裁判管轄の原因を定め，日本に管轄が認められれば，当然に日本法によることとしたものであると理解すべきである。

さて，日本に住所がない外国人であっても，一定の場合には日本において失踪宣告をする必要があり得る。通則法6条2項は「不在者の財産が日本に在るとき」と「不在者に関する法律関係が日本法によるべきときその他法律関係の性質，当事者の住所又は国籍その他の事情に照らして日本に関係があるとき」にはその必要があるとしている。このような場合に行方不明者のままとしておくことは，その者をめぐる法律関係が確定せず，第三者や公益にとって不都合だからである。そこで，6条2項は，本来は外国の裁判所が失踪宣告をすべきことであるとの原則を踏まえ，前者の場合には「その財産についてのみ」，後者の場合には「その法律関係についてのみ」，日本法により失踪宣告をすることができると規定している。

財産が「日本に在る」とは，不動産や動産などの有体物の所在地が日本であることであり，船舶，航空機などについては日本を登録国とするものである。また，特許権，著作権などは日本法上のもの，債権は日本で裁判上の請求をすることができるものは日本に在るということができる（破産法4条2項，民事再生法4条2項など参照）。他方，「不在者に関する法律関係が日本法によるべきとき」とは，たとえば，通則法25条により日本法が準拠法となる婚姻や，7条以下の規定により日本法が準拠法となる契約などの当事者に不在者がなっている場合である。もっとも，このような場合に限定すると，たとえば，フランス在住の夫婦のうち，ドイツ人夫が行方不明になり，日本人妻が帰国して日本に住むようになり，日本で再婚しようとする場合でも，その夫について日本では失踪宣告の手続をとることはできないということになる。そこで，6条2項は，上記の場合を単に例示にとどめ，「その他法律関係の性質，当事者の住所又は国籍その他の事情に照らして日本に関係があるとき」には日本での失踪宣告を認めている。

以上のような失踪宣告の国際裁判管轄は家事事件手続法において定めるのが筋である。実際，通則法の制定にあたってはそうするとの案もあった。しかし，上記のように，準拠法決定とは異なる発想の規定から管轄部分を切り離し，準拠法の部分だけを通則法に残すことはできないと立法上判断がされ，法例の時代と同様に管轄を基軸とする規定が通則法にあるという状態になっている。このため，家事事件手続法には，不在者の財産管理の国際管轄規定（3条の2）に続き，失踪事件の国際管轄規定がなく，失踪宣告の取消しの国際管轄規定（3条の3）が置かれているというやや分かりにくい規定の仕方となっている（第5章Ⅰ2(c)(4)）。

失踪宣告の効力は死亡の擬制である。これに対し，とくに例外的な管轄に基づく失踪宣告については，例外管轄の根拠となった財産や法律関係について日本で確定的な処理をすることに目的があるので，死亡の擬制という直接的効果にとどまらず，婚姻の解消や相続の開始といった間接的効果も日本法により発生するとの見解がある。しかし，そもそも失踪宣告は生死不明の者を法律上死亡したことにしてしまうことに意味があるのであって，それ以上でも以下でもないというべきである。したがって，配偶者の死亡を原因として婚姻関係が解消するか否かなどは，もっぱらその法律関係の準拠法によるべき問題である。

通則法6条1項に基づいて日本において失踪宣告がされた場合には，日本としてはその効力は世界中に及ぶことを前提として他の問題を処理すればよい。たとえば，財産が所在する外国が日本の失踪宣告の効力を認めないとしても，日本では相続が開始し，その外国所在の財産を含めて遺産分割をすればよい（もっとも，当該外国でその財産の承継ができないリスクがあることは認識しておくべきである）。

6条2項に基づく失踪宣告の場合は，日本所在の財産や日本と関係ある法律関係についてのみ失踪宣告の効力は発生する旨規定されている。したがって，たとえば，日本では当事者の死亡が擬制され，相続の準拠法が外国法であっても，死亡したことが前提となるので日本では相続が開始して遺産の処理がされるとしても，外国所在の財産についてまで相続財産に含めることはできないことになる。

⑵　外国における失踪宣告　外国の裁判所が失踪宣告をした場合，家事事件手続法79条の2によれば，「その性質に反しない限り」，民訴法118条が準用される。すなわち，失踪宣告では対立する相手方がないので，118条2号の被告（相手方）への送達の要件は適用されないが，それ以外の管轄（1号），公序（3号）及び相互の保証（4号）の要件は適用されることになり，それらの要件を具備していれば，日本で外国失踪宣告の効力は承認される。承認されるのは当該外国失踪宣告が有している効力の限度においてであり，そもそも当該外国失踪宣告の効力が日本の通則法6条2項のように地域的に限定されており，当該外国国内でのみ効力があるとされているときには，日本でその失踪宣告が承認されても，日本では死亡は擬制されない。他方，当該外国失踪宣告の効力が世界中に及ぶとされていれば，必要な要件を具備している限り，そのような効力が日本でも承認されることになる。

要件のうち，管轄要件に着目すると，通則法6条1項に照らして，不在者が生存していたと認められる最後の時点において，不在者が当該外国に住所を有しているか又は当該外国の国籍を有していたと認められるのであれば，世界中に効力が及ぶ失踪宣告をする管轄を認めることができる。他方，通則法6条2項を外国に当てはめた事情があるだけの場合に，当該外国が世界中に効力が及ぶ失踪宣告をしたとしても，日本では当該外国において死亡が擬制されたという効力のみを認めることになる。

なお，外国失踪宣告が必要なすべての要件を具備して承認されても，失踪宣告というものの性質上，既判力があるわけではないので，本人が日本で生存している場合や異なる時に死亡したことの証明がされた場合には，失踪宣告の取消しの管轄が日本の裁判所にあれば（家事事件手続法3条の3），通則法6条にならって，日本法により失踪宣告を取り消すことができる。その取消しはあくまで本人が生きていることになるという効力があるだけであって，①失踪の宣告後その取消し前に善意でした行為の効力に影響を及ぼさないか否か，②失踪の宣告によって財産を得た者は権利を失うが，現に利益を受けている限度においてのみその財産を返還する義務を負うか否かは，その財産の準拠法（契約であれば契約準拠法，有体物に対する物権であれば所在地法）による（その準拠法が日本法であれば，民法32条によれば①・②は肯定される）。

(c) 行為能力

(1) 単位法律関係　行為能力とは，人が単独で法律行為をすることができる能力である。通則法4条の「行為能力」は，財産的行為能力だけが含まれていると解されている。この単位法律関係に含まれる主な事項は，①年齢に基づくもの，②心神の欠陥に基づくもの，③婚姻を契機とするものである。このうち，②は5条が規定しているので，①と③が4条による問題である。具体的に，①に属する事項として，成年年齢，未成年者の法定代理人の同意・追認，未成年者の瑕疵ある法律行為の効力，営業を許可された未成年者の行為能力などの問題があり，③に属するものとして，婚姻成年（婚姻適齢と成年年齢とが異なる場合に婚姻すれば成年とされる制度），妻の無能力（婚姻により妻を行為無能力者とし，夫のみが財産の処分等の取引をすることができる制度），離婚した場合のそれらの扱いなどの問題がある。なお，③については，婚姻の効力の問題（25条）であるとの見解もある。しかし，あくまでもその個人の能力という観点から婚姻をどう評価するかという問題ととらえ，4条によるべきである。もっとも，準拠外国法上，妻が行為無能力者とされる場合には，4条2項が適用されればそれによって行為能力を認め，そうでないときは42条の公序則によってその外国法の適用を排除する可能性が高いと思われる。

以上に対して，婚姻能力，認知能力，養子縁組能力，遺言能力などの身分的法律行為能力は，それぞれの法律行為の性質を考慮して定められるべきものである。このことを前提に，4条3項は，親権法又は相続法の規定によるべき法律行為に係る行為能力については，同条2項を適用しない旨定めているが，同条1項も適用されない。

なお，手形・小切手能力については特別規定がある（手形法88条，小切手法76条）。また，不法行為能力は不法行為の準拠法による。

⑵ 連結政策と取引保護　年齢に基づいて行為能力を制限するという制度は，思慮判断力が不十分な段階にある者が取引行為によって不測の損害を受けることがないようその者を守ることに目的がある。そのことから本人にとっての最密接関係地法を適用すべきである。しかし他方，行為能力に制限があるとは知らないで取引をした第三者を一定程度保護する必要もある。そこで，通則法4条1項は本国法主義を採用し，2項において，取引保護の規定を置くという折衷主義を採用している。

4条2項は内国取引だけではなく，行為地が外国であっても適用され，本国法上行為能力が制限されていても行為地法上能力者とされる場合には，能力者と扱われる。ただし，「当該法律行為の当時そのすべての当事者が法を同じくする地に在った場合」に限られる。この限定は，そのような国内取引でなく，国境を越えた取引の場合には，取引の相手方は，目の前にいない取引当事者の行為能力が本国法により制限されているおそれがあることに注意を払ってしかるべきであると考えられるからである。他方，4条2項は取引の相手方の善意・悪意，過失の有無などを問題としていない。そのため，たとえば，企業がウェブ上に開設したサイトに外国所在の者がアクセスして契約を締結するといった隔地的取引の場合，その者が本国法上未成年者であれば，企業側は親権者の同意がないことを理由とする契約の取消しに応じなければならない。慎重な取引をするのであれば，各国の成年年齢を調べ，かつ，取引に際して顧客に年齢を申告してもらう仕組みにする必要がある（しかし，このようなことはビジネス上非現実的であろう）。本国法によれば未成年者である者が，成年であると虚偽の申告をし，隔地的取引により契約を締結した場合（4条2項の適用はない），当該未成年の本国の実質法上の保護が与えられることになる（本国法が日本法の場合，民法21条の適用上，成年者であるとの虚偽の申告は詐術になり得る）。

4条3項によれば，「親族法又は相続法の規定によるべき法律行為」と「行為地と法を異にする地に在る不動産に関する法律行為」については，2項の取引保護規定を適用しないとされている。前述のように，前者は，もともと4条が対象としていない問題であるので，確認規定にすぎない。他方，後者は，A国においてB国所在の不動産に関する取引をした場合には4条2項は適用されず，4条1項が適用されるということである。外国に所在する不動産に関する取引をするという特殊な場合には，相手方の行為能力を本国法に照らして判断するという特別の注意を払ってしかるべきであると考えられるからである。取引当事者が別の法域にいる場合に行為地はどこかについては，そのような問題の立て方をせず，関係当事者と対象不動産が同じ法域にある場合のみ4条2項の保護が相手方に与えられると考えればよい。

(d) 後見開始の審判等

成年被後見人・被保佐人・被補助人の制度は，判断能力が不十分な知的障害者，認知症患者などが無分別にした契約等を保護の役割を担う者が取り消すことにより，本人を保護するという側面がある。しかし他方，国家機関が後見人的な立場から要保護者を特定し，そのことを社会に公示することによって，この者と取引する者に警告を与え，取引秩序を守るという側面もある。前者の側面を重視すれば，連結点を介して準拠法を定めるという他の単位法律関係と同じ発想に基づき，本人の本国法によるということになる。これに対して，後者の側面を重視すれば，どの国の機関がその宣告をするかが問題の核心であるということになる。通則法５条は，失踪宣告についての６条と同様，後者の立場を採用している。

(1) **日本における後見開始の審判等**　通則法５条は，「成年被後見人，被保佐人又は被補助人となるべき者が日本に住所若しくは居所を有するとき又は日本の国籍を有するとき」には，日本法により，後見開始の審判等をすることができる旨規定している。この規定は，(**b**)(1)で述べた失踪宣告に関する６条と同様に，連結点を介して準拠法を定めるという通常の発想ではなく，裁判管轄の原因を定め，日本に管轄が認められれば，当然に日本法によることとしたものである。

そうすると，後見開始の審判等の国際裁判管轄は家事事件手続法において定めるのが筋であるが，そうしなかった点も上記の失踪宣告の場合と同様である。家事事件手続法第２編第２章「家事審判事件」は，第１節「成年後見に関する審判事件」以下に各種の事件類型が並んでいるにもかかわらず，国際管轄に関する３条の２以下では，不在者の財産管理の審判事件（第２編第２章では第４節）の管轄規定から始まっているのは，通則法５条に後見開始の審判等の事件の国際裁判管轄の規定が置かれているからである。日本にこれらの審判事件の国際裁判管轄がある場合には，家事事件手続法117条・128条・136条により被後見人等の住所地を管轄する家庭裁判所に管轄が認められる。

後見開始の審判等を行うには，本人の精神上の障害の程度を詳しく調べる必要がある。そのため，本人が日本にいる場合にはよいとしても，日本人であるからといって，日本にいない者についてそのような審判を行うことができるのかという点について，立法の過程では強い疑問が呈された。しかし，たとえば，老年期を外国で過ごしている日本人が当該外国で認知症になった場合，日本に残した財産の処分等について後見人等を選任する必要が生ずることも予想されることから，その前提としての後見開始の審判等の管轄原因に日本人であることを加えることが必要であるとの意見が採用された。実際の審判手続においては，司法共助を活用するなどの方法により，本人の状態の正確な把握に努める必要があろう。また，ここにいう「居所」とは，規定の趣旨に鑑みると，日本で後見開始の審判等をする必要があると認められる程度の滞在でよく，短期間の滞在でも「居所」があるとされる場合もあろう。他方，日本に外国人の財産があり，いかにその処分等の必要があっても，5条では財産所在地であることは管轄原因とされていない。後見開始の審判等が本人保護のための制度だからである。

5条に基づいて日本において後見開始の審判等がされた場合には，日本としてはその効力は世界中に及ぶことを前提として他の問題を処理すればよい。たとえば，財産が所在する外国においては日本の審判の効力を認めないとしても，日本からみれば，その財産について本人がした法律行為は成年被後見人等によるものとされる。5条には6条2項のような限定的な効力を有する宣告が予定されておらず，5条の文言は，効力の地理的範囲に制限がないと解される6条1項の文言と同様であるからである。

なお，以上のことは，後見開始の審判等の取消しにも準用されると解される。

(2) 外国における後見開始の審判等　外国の裁判所が後見開始の審

判等をした場合，家事事件手続法79条の2により，「その性質に反しない限り」，民訴法118条が準用され，要件を具備していれば，日本でその効力は承認される。承認されるのは当該外国裁判所が後見開始の審判等に与えている効力である。要件としては，この種の手続では対立する相手方はいないので，民訴法118条2号は適用せず，管轄（1号），公序（3号）及び相互の保証（4号）の要件を適用することになる。管轄の要件としては，通則法5条における日本を外国に置き換えて，当該外国にその者が住所・居所を有しているか又は当該外国の国籍を有していることである。

なお，会社法331条の2第1項・第2項は，成年被後見人・被保佐人が取締役に就任するには，その成年後見人・保佐人が，成年被後見人・被保佐人の同意・承諾を得た上で，就任の承諾をし又は就任の同意を得なければならないと定めている。この規定は2019年の会社法改正により，外国法上成年被後見人・被保佐人と同様に取り扱われている者は取締役に就任することができない旨定めていた旧331条1項2号を削除した上で新設されたものであるところ，331条の2第3項が民法の規定と結びつけて規定していることからも明らかなとおり，「成年被後見人」・「被保佐人」は日本法上のそれを指すと解される。したがって，現行法上は，外国法による類似の行為能力制限者については何ら制約はないようにも読めるが，日本の会社の健全な運営のためには331条の2の類推適用がされると解すべきであろう。そして，たとえ外国における後見開始の審判等が日本で承認される場合であっても，成年被後見人・被保佐人がした取締役の資格に基づく行為は行為能力の制限によっては取り消すことができない旨定める331条の2第4項も類推適用されると解される。

(e) 後見・保佐・補助

日本民法では，親権を行う者がない未成年者及び成年被後見人に対して後見人をつけ，被保佐人・被補助人に保佐人・補助人をつけている。通則法35条は，親権を行う者がいない未成年者についての後見（未成年後見）とそれ以外の後見等（成年後見等。ただし，未成年者が対象となることもある）をあわせて規定しているので，親子関係の規定の後に置かれている。そのため，5条との関係が分かりにくくなっているが，成年後見等については5条と直結している。

後見については，一方では，必ずしも国家機関の関与と一体となっているわけではなく，手続から離れて問題となる事項もある。しかし他方では，後見人等の選任の審判という手続においては，準拠する実体法と手続法の一体性は強固である。そのため，通則法35条1項は通常の準拠法決定ルールの形をとりつつ，2項は5条・6条に類似した規定振りとなっている。

(1) 単位法律関係　35条1項の後見等とは，後見人等選任・解任，後見人等の権利義務，後見等の終了などの事項を意味する。

未成年者後見について，32条の単位法律関係である親子間の法律関係と35条1項の単位法律関係である後見とは重なり合うことがあってはならない。たとえば，父母の双方と本国法を異にする子について，32条により適用される子の常居所地法によれば，その子について親権者がいないとされているが，35条1項により適用される子の本国法によれば，後見開始の原因がないとされるという適応問題が起きると考えるのは，子の常居所地法への送致範囲と子の本国法への送致範囲の理解に間違いがあるからである。次のように考えるべきである。35条1項の単位法律関係には，後見開始の原因は何かという問題が含まれるので，それについて子の本国に送致する。そして，子の本国法が後見開始の原因は親権を行う者がいないことだとしていれば，次にその子に親権者はいるかという問題に移る。これは32条の単位法律関係に含まれる問題であるので，同条により指定される子の常居所地法にその子に親権者がいるかという問題を送致する。以上のように考えることは，単位法律関係を適切に切り分けることにより，適応問題はそもそも発生しないという一例である（第2章Ⅱ[3](b)(1)参照）。

(2) **連結政策と例外的措置**　35条1項は，後見等は被後見人等の本国法によると定めている。しかし，5条によれば，日本に住所又は居所がある人について日本法により後見開始の審判等をすることがあり，これは後見等が必要であるからそうしているのである。したがって，この場合には，後見人等の選任についてその人の本国法を適用するまでもなく，そのまま日本の裁判所が日本法により後見人等の選任をすればよい。そこで，35条2項2号は，被後見人等が外国人であって，日本において当該外国人について後見開始の審判等があったときは，35条1項の本国法主義の例外として常に日本法によって審判を行う旨規定している。このように解することにより，成年後見については，5条と35条2項2号とは直結することになる。

他方，35条2項1号は，「外国人の本国法によればその者について後見等が開始する原因がある場合であって，日本における後見等の事務を行う者がないとき」には，日本法により，その外国人について後見人等の選任その他の後見等に関する審判を行う旨規定している。これは，日本において後見等の事務を行う必要があるという要保護状態に対処するための緊急的な対応を認めるものである。

これらの35条2項の定める例外的措置は，前述のように，後見人等の選任という実体法と手続法の一体化を踏まえて，準拠法決定という発想から離れ，審判の管轄を基軸とするルールであるとみるべきである。

なお，5条によれば，外国に住所・居所を有する日本人についても後見開始の審判等をするのであるから，後見人等の選任その他の後見等に関する審判についても日本の裁判所の管轄を認めてよいと考えられる。

(3) 外国における後見人等の選任　外国で選任された後見人の日本での権限行使の承認についても，家事事件手続法79条の2により，その性質に反しない限度で民訴法118条が準用される。

横浜に居住していたスウェーデン人母からその死亡にあたってその子（日本生まれのスウェーデン人）の養育を託された日本人が養育したところ，スウェーデンで選任された後見人がその子の引渡しを求めたという事件において，引渡しを認めた裁判例がある（**マリアンヌ事件**・百選66事件）。裁判所は後見の準拠法となるスウェーデン法の適用により，請求認容という結論を導いているが，むしろ，外国国家機関が選任した後見人の権限の日本での承認の問題として，管轄等の要件審査をすべきであったと思われる。未成年者後見人の選任については，日本からみれば未成年者の住所地国又は本国に管轄が認められるところ（家事事件手続法3条の9），この事件では，未成年者本人の本国で選任されているので，一応は管轄があることになるが，この事件の事情，とくに未成年者である子の利益に鑑みれば，スウェーデンの管轄を否定すべき特別の事情があるということになるのではないかと思われる（同法3条の14）（以上の判断は当時も条理に照らして同様であると考えられる）。そうすると，スウェーデンで選任された後見人の権限は日本では認められないとの理由で，本件の請求を棄却すべきであったと思われる。

なお，外国で後見人等が選任され，それが日本で承認されるとしても，既判力があるわけではないので，その後見人を代えるべきときは，日本で改めて後見人等の選任をすることは妨げられない。

2 法　人

ビジネスに長けた個人が多くの資金を集めて時間のかかる大きな事業を営もうとしても，投資をする側からみれば，その人の病気や死亡のリスクがあるため，投資を控えることになる。そこで考え出されたのが法人であり，1600年に設立された英国の東インド会社がその最初のものである。この会社は国王の特許状に基づいて設立され，その存続が個人の寿命に左右されないことから，長期にわたる事業が可能となり，貿易・投資，海運などハイリスク・ハイリターンの事業を行うのに適したものであった。その後，法人制度は各国に普及し，法人設立の要件は緩和されてきて，今日では多くの国で一定の要件を具備していれば設立が認められる準則主義が採用されている。

法人制度なくして今日までの社会経済の発展はなかったであろう。もっとも，法人のあり方は国により様々であり，たとえば，法人の暴走に歯止めをかけるガバナンスの強弱には大きな差異がある。そのため，法人格の取得の有無，解散事由，法人の代表資格，機関の構成，執行役員等の責任，株主等の権利といった点について，どこの国の法律によって決定されるかが問題となる。

(a) 法人格の取得——外国法人の認許

法人は，自然人と同様に権利義務の主体となり（すなわち法人格を有し），経済活動等に従事できるように，国家がその主権に基づいて創り出すものである。したがって，その国家の主権が及ぶ領域内においてその法人格が認められるのは当然であるが，その法人格が設立国以外で認められるとは限らない。外国法人の**認許**（recognition）とは，外国が国家行為として創設した法人格の承認である。

外国国家行為である外国判決について，国際私法により定まる準拠法に照らしてその成立や効力を判断するのではなく，それを承認するか否か，承認するとすればいかなる要件で承認するかという問題のとらえ方をするのと同様に（民訴法118条），外国法人についても，その法人格を承認するか否かが問題となるのである（「認許」にあたる英語などは判決の「承認」と同じ語である）。

認許の方法については，個々の外国法人について審査する**個別的認許主義**と，個別審査することなく一定の要件を具備していれば自動的に認許する**一般的認許主義**とがある。民法35条1項は一般的認許主義を採用している。日本で認許される外国法人は次のものである。

⑴　国及び国の行政区画　　これらは，国際公法上の必要性があるほか，売買や公債の発行のような私法的活動をすることがあるので，認許する必要がある。未承認国家は認許されない。

⑵　外国会社　　民法は私法人のうち，営利法人である外国会社は取引上の必要性が高いので，一般的に認許している。

会社法制定前の商法482条は，日本に本店を設け又は日本において営業をなすことを主たる目的とする会社は，外国で設立するものであっても，日本で設立する会社と同一の規定に従うことを要すると定め，日本で設立し直さない限り，法人格を認めないと読める規定を置いていた（百選21事件）。しかし，現在の会社法821条はこれを改め，法人格の承認とは切り離して，監督規定に純化している（第4章Ⅰ③⒟）。

外国の公益法人は原則として認許されない。外国の公益が必ずしも日本の公益に合致するとは限らないからである。また，世界各国に共通の利益をもたらすと考えられるような団体も同じく認許されない。たとえば，外国の福祉団体や芸術団体，さらには赤十字国際委員会，国際オリンピック委員会（IOC）などは認許されない。したがって，それらが日本で活動するためには，日本赤十字社のような別個の日本法人を設立しているのが現状である。

(3) 特別法による認許　民法35条1項但書にいう特別法による認許の例として，外国相互保険会社（外国会社ではない）への内閣総理大臣の免許の付与を挙げることができよう（保険業法193条）。

(4) 条約による認許　また，民法35条1項但書は，条約による外国法人の認許を規定している。たとえば，欧州共同体については，「欧州共同体委員会の代表部の設置並びにその特権及び免除に関する日本国政府と欧州共同体委員会との間の協定」2条により日本での法人格が認められてきた。また，国際連合，世界貿易機関（WTO）のような国際法人についても，条約の中でその法人格を認める規定が設けられている（国際連合の特権及び免除に関する条約1条1項，世界貿易機関を設立するマラケシュ協定8条1項，専門機関の特権及び免除に関する条約2条3項など多数）。

(5) その他の外国法人　以上に該当しない外国法人は認許されず，外国での法律行為などに関しても，日本からみる限り，その法人格を認めることができず，権利能力なき社団又は財団に準じて法律行為の効果の帰属を決定することになる。なお，このような団体でも日本で訴訟当事者となることはできる（民訴法29条）。

(b) 法人の従属法——設立準拠法

日本法人及び認許された外国法人について，法人の機関の組織・性質・人数・権限，法人と社員の関係などの法人の内部組織に関する事項や，法人の機関の代表権限の範囲，それに対する制限，株式や社債の性質・譲渡性・移転，法人の行為能力など，法人の外部関係に関する事項について，どの国の法律によるかが問題となる。法人の本拠地法によるとの見解もあるが，これらの問題は法人格の創設そのものと不可分の関係にあるので，**設立準拠法**によるべきである（百選19事件）。このことは，会社法が「外国の法令に準拠して設立された法人その他の外国の団体」を外国会社と定義し（2条2号），また，日本において取引を継続してしようとする外国会社の登記事項として，「外国会社の設立の準拠法」が挙げられていること（933条2項1号）からも裏づけられる（外国法人一般について民法37条1項1号も同じ）。上記の諸問題にその法律が適用されることを前提としていると考えられるからである。もっとも，最高裁は，ニューヨーク州法に準拠して設立され，かつ，本店を同州に設置していることを理由として，従属法を同州法としており，本拠地法と設立準拠法のいずれによるのか明確にしていない（最判昭和50年7月15日民集29巻6号1061頁）。

なお，法人が個々の権利の主体となることができるかは，問題となっている権利自体の準拠法によって決定される。

3 外人法

(a) 外人法とは

外人法とは，外国人や外国企業が内国における権利の享有，活動等を規制する法である。したがって，これは準拠法の決定・適用を任務とする国際私法とは別のものであり，特定の国家利益を守るための法制である。出入国管理，外国人登録，選挙権のような公法上の地位の問題と，土地や株式の所有制限などの私法上の地位の問題とがあるが，ここでは後者の問題を中心としてみていく。

(b) 法人国籍論

法人についても自然人と同じように，何らかの基準によって国籍を観念し，内国法人と外国法人とに区別することを**法人国籍論**という。歴史的にみると，当初，内外法人の区別の基準として設立準拠法が用いられていたところ，第一次大戦中に，フランス法人であっても，資本も経営権もドイツ人に帰属している会社を内国法人として扱うのではなく，敵性法人であるとの議論が盛んになり会社の経営権の帰属を基準とすることが主張された。現在では，法目的に応じて内外法人の区別をすればよいとされ，様々な基準が採用されている。したがって，法人の国籍を一律に論じることはもはや有益ではない。なお，自然人についても，国籍ではなく，居住地を基準として規制する例もある。たとえば，1909 年に制定され 1949 年に廃止された新聞紙法 2 条 1 号は，日本に居住していない者は新聞の発行人・編集人になれないとしていた。

なお，多国籍企業という語が用いられることがあるが，これは，複数の国家法秩序に準拠して複数の法人が設立され，それらの法人が株式保有等により有機的に結合していることを示すものであって，1 個の法人に複数の法人国籍が認められるという意味ではない。

(c) 権利享有の制限

外国人にも私権の享有を認め，認許された外国法人にも同種の日本法人と同一の私権の享有を認めるのが原則であるが，法令又は条約の規定により，権利の享有が禁止され，また，一定の制約が課されている（民法 3 条 2 項）。外国会社についても同様である（民法 35 条 2 項，会社法 823 条）。

権利享有の禁止・制限はいくつかの類型に分けることができる。

第 1 の類型は，自然人について，出入国規制等を通じて行われる労働規制である。日本では出入国管理及び難民認定法により，一定種類の在留資格が定められ，在留資格ごとに内国で許容される活動が定められており，これに違反して資格外活動を行った者は，退去強制等の措置がとられる。なお，労働が認められる場合には，国籍による労働条件の差別は禁止されている（労働基準法 3 条）。

第2の類型は，財産権の取得に関する制限である。日本には外国人土地法があるが，政令による指定がされていないので，実施されていない。

この類型に属するものとして，鉱業権・租鉱権（鉱業法17条・87条），漁業権（外国人漁業の規制に関する法律3条）の制限がある。また，船舶法1条・航空法4条は，外国人・外国法人所有のものだけではなく，日本法人であっても，役員や議決権者の一定割合以上が外国人・外国法人である場合には，日本の船舶・航空機としての登録を認めないこととしている。なお，著作権や特許権のような知的財産権については，条約によって外国人の権利享有が保障されている（工業所有権の保護に関するパリ条約2条1項，文学的及び美術的著作物の保護に関するベルヌ条約5条1項）。

第3の類型は，対内投資の規制に関するものである。日本には，外国為替及び外国貿易法26条以下の規定がある。同法27条3項によれば，「国の安全を損ない，公の秩序の維持を妨げ，又は公衆の安全の保護に支障を来すことになること」又は「我が国経済の円滑な運営に著しい悪影響を及ぼすことになること」を生ずるおそれがある対内直接投資等について審査を行い，最終的には27条10項によりその投資等の変更・中止を命ずることができる。

また，対内投資規制はパスしても，同様の目的から，一定の業種については一定割合以上の持分取得が制限されている。たとえば，電気通信会社や放送会社については，外国人の持株比率が一定水準以下となるように制限されており，法人によるこれらの会社の株式保有の場合には，その法人の外国人持株比率や取締役の構成などで外国法人とされるものを細かく定義している（日本電信電話株式会社等に関する法律6条，電波法5条，放送法93条・159条など）。

第4の類型は，自然人の職業選択についての制限である。外国人が公務員になることはできないのが原則であるが，一部の権力作用に従事しない職などは除外されている。また，公証人（公証人法12条），水先人（水先法6条）なども日本人でないことを欠格事由としている。なお，専門職については，外国で取得した資格について規定の設けられているものが多い（公認会計士法16条の2，医師法11条3号）。外国弁護士は，原則として，原資格国法に関する法律事務のみが許されている（外国弁護士による法律事務の取扱いに関する特別措置法3条）。

第5の類型は，社会保障法に関するものである。生活保護法は，その対象を日本国民に限定しており（2条），最高裁はこれを合憲としている。もっとも，国民年金法7条1項，児童手当法4条1項などは，日本に住所を有する外国人も適用対象としている。

(d) 外国法人に対する監督——とくに擬似外国会社の扱い

外国会社に対する一般的な監督規定は会社法817条以下の定めである。外国会社は日本において取引を継続してしようとするときは，日本における代表者を定めなければならず，そのうちの1名以上は日本に住所を有する者でなければならない（817条1項）（外国の社団・財団に対する過料事件については，非訟事件手続法5条3項・119条により，日本における代表者がいれば，その者の住所地を管轄する地方裁判所の管轄に属する）。他方，日本の株式会社等の代表者については，かつては1名以上は日本に住所を有する必要があるとされていたが，現在では，その必要はないとされている（平成27年3月16日付法務省民商第29号通知による昭和60年3月11日法務省民4第1480号民事局第4課長回答の廃止）。

外国会社の代表者は日本における業務に関する一切の権限を有し，これに制限を加えても善意の第三者には対抗できない（会社法817条2項・3項）。また，外国会社の日本における代表者の登記等については，民法37条の特則として会社法933条以下に規定があり，この登記をしないで日本において取引を継続してすることはできず，これに違反した場合には，取引の相手方に対して外国会社と連帯して当該取引によって生じた債務を弁済する責任を負う（818条）。その他，貸借対照表に相当するものの公告（819条。会社法施行規則214条3項により，外国語によるものでもよいとされている），日本に住所を有する代表者全員の退任の際の措置（820条），不法目的事業であることが判明した場合などの日本における取引継続禁止・営業所閉鎖の発令（827条1項）などが規定されている。

ところで，各国の会社法は様々であり，設立コスト，租税，倒産隔離などの観点から，関係者が意図する目的に最も相応しいタイプの会社を認める国の法律に準拠して会社を設立し，これを使ってビジネスを行うという実務がみられる。ケイマン法人や英領ヴァージンアイランド法人などが用いられることが多い。しかし，このような法律回避を野放しにすると，株主や取引の相手方の保護のためにガバナンスを強化している国の会社法は敬遠され，そうでない国の会社法に流れるという現象（race to the bottom）が生じてしまい，このようなことは前者の方向にある日本の会社法としては看過できない問題である。そこで，会社法821条は，「日本に本店を置き，又は日本において事業を行うことを主たる目的とする外国会社は，日本において取引を継続してすることができない」（1項）とし，「前項の規定に違反して取引をした者は，相手方に対し，外国会社と連帯して，当該取引によって生じた債務を弁済する責任を負う」（2項）と規定している。これは，本来であれば日本法人として設立すべきものが，日本法を回避して外国会社として設立されたという**擬似外国会社**に対する規制である。この前身は商法旧482条であり，これにより，擬似外国会社は法人格を認められないという扱いであった（百選 21 事件）。しかし，それではかえって取引の相手方の保護にならないことから，擬似外国会社の法人格は認めつつ，取引をした個人に当該会社との連帯責任を負わせるという制裁に改められた（会社法 821 条 1 項に違反した者は会社の設立の登録免許税の額に相当する過料にも処せられる〔979 条 2 項〕）。なお，法人格が認められることから，擬似外国会社でも日本における登記をすることはできるが，登記があっても，821 条の適用には影響を与えない。

会社法の参議院での審議（2005 年通常国会）において，この 821 条の規定が既存の外国会社や今後の対内投資に悪影響を与えないかが議論された。その結果，「日本において事業を行うことを主たる目的とする外国会社」とは日本における事業がその会社の存立にとって必要不可欠であることを前提として設立されたものであって，主観的な意図として，もっぱら日本において事業を行うことを目的として設立されたものをいうとの政府答弁がされ，さらに，外国会社を通じた対日投資に何ら影響を与えるものではなく，必要があれば，見直しを行う旨の附帯決議がされた。このような経緯に鑑みると，同条の適用はきわめて例外的な事例に限られることになろう。

なお，以上のほか，銀行業，保険業，証券業，航空運送事業などの業種ごとに制限が設けられていることがある（たとえば，銀行法 47 条以下による外国銀行支店の規制）。

(e) 組　合

国際的に複数の会社が協力して，資源開発などの合弁事業を行ったり，大規模なプラント輸出にあたって共同受注をする場合に，会社を設立することなく，ジョイント・ヴェンチャーとして国際的な企業活動が行われることがある。このような関係は，契約関係であるから，契約の準拠法に従って，当事者間の関係や人的結合の法的性格が決定されることになる。もっとも，取引保護の観点は必要であり，第三者との関係とくに組合員の代理権などについては，任意代理の準拠法に関するルールを準用する必要があろう。

Ⅱ 取引活動

以下では，通則法第3章第2節「法律行為」，第3節「物権等」，第4節「債権」が対象とする分野を扱うが，通則法の条文の順序とは異なる順序で整理する。すなわち，①契約を中心とする債権的な法律行為，②不法行為を中心とする法定債権，③三者以上が関係する代理・債権譲渡など，そして，④対世効が問題となる物権や知的財産権，以上の順である。

なお，通則法7条は「法律行為の成立及び効力」を単位法律関係としている。しかし，「法律行為」のうち，物権的な法律行為（13条），婚姻（24条・25条），夫婦財産契約（26条），協議離婚（27条）・認知（29条・30条）・養子縁組（31条），遺言（37条）などの親族・相続関係の法律行為はそれぞれ特別の規定により，また，消費者契約（11条）・労働契約（12条）も別の規定による。そうすると，それらを除く「法律行為」の重要なものは，債権的な契約と信託ということになる。

1 契約——一般原則

(a) 契約についての最密接関係地法と当事者自治

婚姻と比べれば，契約は内容も当事者もきわめて多種多様である。とはいえ，契約の準拠法の決定にあたっても，他の単位法律関係の場合と同様に，契約関係を構成している客観的な要素のうち，最密接関係地を指し示すものを連結点として用いるという方法がある。

これを**客観主義**という。サヴィニー（第1章Ⅲ(b)）は債務の履行地法によるべきことを主張した。しかし，債務の履行地が契約の最密接関係地とは必ずしもいえず，サヴィニー型国際私法を採用した国々でもこの点に関するサヴィニーの説はほぼ採用されていない。

これに対して，一般的にみられるのは**主観主義**（**意思主義**）であり，契約準拠法の決定を当事者の意思に委ねるということから，**当事者自治**（party autonomy）とも呼ばれている。これによれば，たとえば，当事者が契約書の中に「本契約をめぐる一切の問題は英国法による」という条項を置いていれば，英国法が契約準拠法となる。契約の多様性のため，類型的に最密接関係地法を導く連結点を見出すことができないという事情とともに，実質法上の契約自由の原則を背景とするものである。

もっとも，実際には，当事者の準拠法選択の意思が明らかでない場合も想定されるので，客観主義が組み合わされている。その基準は，国により時代により様々であり，契約締結地（かつての法例7条2項の「行為地」），「最も重大な関連性（most significant relationship）」，「適切な法（proper law）」（英米の国際私法でみられる），さらには，最密接関係地（通則法8条）などが用いられる。

なお，当事者自治による準拠法の決定は最密接関係地法の適用を目指していないので，サヴィニー型国際私法の中に異質なルールが紛れ込んでいるということができる。

(b) 当事者自治の原則の修正

資本主義の発展に伴って自由主義経済の欠陥が明らかになってきたため，各国の実質法上，労働法，消費者保護法，借地借家法，利息制限法など弱者保護のための強行法規が制定され，契約自由の原則が修正されてきた。このことは国際私法上の当事者自治の原則にも影響を及ぼし，様々な修正論が主張されるようになった。

⑴　質的制限論　これは，当事者自治の範囲を任意法規の分野に限定しようとする議論である。しかし，契約準拠法の決定以前に任意法規とか強行法規という実質法上の観念を国際私法上の作業において用いることは，論理的にできないはずである。

⑵　量的制限論　これは，当事者自治の対象をその契約と実質的な関連を有する地の法に限定しようという議論である。実際にアメリカなどで採用されてきた（2001年改定前のUCC の1-105条)。確かに，まったく無関係な地の法を当事者が選択する場合には，特定の地の強行法規から逃れようとする法律回避の意図があり得るため，これを規制すべきであるという考えは理解できる。しかし，当事者自治の原則が，契約については客観的な連結点によって準拠法を決定することができないという事情を背景としている以上，この方法による制限には限界がある。また，実質的な関連性の有無の判断は必ずしも容易ではない。たとえば，貨物海上保険の標準約款によれば，保険者の塡補責任の有無及び保険金の支払いについては英国法によるとの条項が入っており，ブラジルから日本への海上運送であってもこの点については英国法が準拠法とされている。英国とは一見無関係のようにみえても，再保険市場との関係及び歴史的に多数の裁判上の適用例があることによる内容の明確性などから，海上保険業界では，英国法によることが世界的なデファクト・スタンダードとなっているからである。実質的関連性の要件に照らして，このような実務を否定することは適当でなく，そのような事情まで勘案して関連性を考えるということになろう。そうすると，量的制限の基準は不明確であるといわざるを得ない。

なお，夫婦財産契約の準拠法決定における当事者自治に関しては，選択できる法の範囲を明記した上でこの量的制限論（限定的当事者自治）が採用されている（通則法26条2項)。

(3) **絶対的強行法規の特別連結**　これは，質的制限論に理論上の問題があり，量的制限論も一般的な形で採用することが困難とされる中で，第3に登場してきたものである。たとえば，契約の準拠法がA国法であっても，それとは別に，B国には社会的，経済的その他の公共的な目的を持つ法規があり，その適用範囲に入る場合には，その法規を適用すべきであるとの理論である。とくにB国でその契約の成立・効力が問題となるとき（法廷地法であるとき）に限定するものと，C国において問題となるときでも，C国はB国の絶対的強行法規を適用すべきであるとするものとがある。いずれにしても，これは，法規分類説（第1章Ⅲ(a)）に類似した発想によるものである。公法であれば，国際私法の外の問題であって，それぞれの法律の目的に応じて必要があれば域外適用されることになるが(刑罰法規については罪刑法定主義の観点から域外適用をする場合には明文の規定が必要となる。刑法1条・8条)，私法と公法との境界線上で，私法の色彩を残しつつも，強い公共目的を有する法律の適用を，国際私法理論の枠内に位置づけようとするものであるともいえよう。実質法上，一般に強行法規とされる法規の中には，その国の法律が準拠法となった場合にのみ適用される**相対的強行法規**と，準拠法のいかんにかかわらず適用される**絶対的強行法規**（overriding mandatory rules）とに分類されることになる。後者は前者よりも強い公的目的をもつものである。

この理論は，EUの条約・規則で最初に採用され，1986年のハーグ物品売買契約準拠法条約（日本は非締約国）17条でも採用されている。日本でも，「属地的に限定された効力を有する公序としての労働法」という表現を用いて，契約準拠法所属国でない日本の労働法の適用を認めた裁判例（百選14事件），また，「いずれの準拠法選択をした場合であっても，絶対的強行法規の性質を有する労働法規は適用されるべきである」と判示した裁判例がある（東京地判平成16年2月24日判時1853号38頁）。

日本の実定法としては，不正競争防止法19条の3がある。これは，国際的な産業スパイ事件に対応するため，不正の利益を得る目的等で，財物の窃取，施設への侵入，不正アクセス行為等により，日本国内において事業を行う営業秘密保有者の営業秘密（日本国外において事業の用に供されるものである場合を除く）を日本国外において取得した者等を処罰することを定めた同法21条8項が新設されたことが前提となっている。その後，このような場合の民事救済について，2023年の改正により，同法19条の3が新設され，当然に不正競争防止法が適用される旨定められた。日本が刑事罰を科すような行為について，通則法17条により外国法が準拠法となって損害賠償請求等が否定されることは筋違いであるからであり，通則法により定まる準拠法をオーバーライドするものである。なお，このような請求をする訴えについては，不正競争防止法19条の2により，日本の裁判所の国際裁判管轄が認められる。

また，日本が締約国となっている国際通貨基金協定8条2項(b)は，いずれかの加盟国の為替管理に関する規制に違反する為替契約はすべての加盟国の領域において強制力をもたないと規定している。ここでいう「為替契約」の意味など不明確な点もあるが，国際私法的には，絶対的強行法規の特別連結理論によって説明することができよう。

絶対的強行法規の特別連結は，必ずしも当事者自治によって準拠法が定まる場合にのみ適用されるのではなく，国際私法により準拠法決定がされるすべての場合に適用され得るものである。その意味で，通則法1条は「法の適用に関する通則について定める」と規定しているだけであるが，「ただし，この法律は，社会的，経済的その他の公的な目的から制定されている法律の適用を妨げるものではない。」といった不文の規定があると解すべきである。

(4) **弱者保護のための特則**　当事者自治の制約として，法律行為（契約）という単位法律関係から切り離して，弱者保護が求められる消費者契約や労働契約を別の単位法律関係とし，それぞれに相応しい準拠法の定め方をしようとする方法もある。これもEUの規則等にみられるものである。通則法11条・12条はこれにならって導入された規定であるが，若干の違いが存在する。これについては後述する（第4章Ⅱ③・④）。

以上のことから，当事者自治の制約としては，通則法26条2項のほか，絶対的強行法規の特別連結があり，さらに，一定の類型の契約についての特別の規定があるのが日本の現状である。

(c) 通則法7条——当事者自治

(1) **単位法律関係**　通則法7条の対象としている「法律行為の成立及び効力」のうち，契約の成立と効力をみると，契約の成立の問題としては，申込み及び承諾の意思表示に錯誤・詐欺などの瑕疵がないか，いかなる意思表示や行為がそれぞれ申込みや承諾となるか，意思表示が効力を発生するのは発信時か到達時かなどがある。ただし，契約の成立に必要とされる方式については，通則法10条によって定まる準拠法が適用される（第4章Ⅱ②）。

契約の効力の問題としては，契約当事者の権利義務，債務不履行の場合の効果，危険負担，不可抗力，利息，違約金などがある。当事者間で取り決めた内容が正確には何であったのかという契約内容の確定や，取り決めた内容が法律上許されることか否か（準拠法上の相対的強行法規に反しないか否か）なども対象となる。

(2) **連結政策**　通則法7条は当事者自治を認め，「当事者が当該法律行為の当時に選択した地の法による」と規定している。

当事者による準拠法の意思は，契約書の中に準拠法条項を置くという明示的な合意の場合もあるが，必ずしもそのようなものである必要はない。この点，EUの規則では，準拠法選択は明示的であるか，又は契約の文言・事案の諸事情から相当の確実性をもって明らかになることを要求している。これに対して，通則法7条の解釈としては，準拠法の選択は黙示的な合意でもよく（百選26事件），また，各当事者の内心の意図が同じ法を選択するものであれば，黙示の申込みと黙示の承諾による合意を認定するまでもなく，黙示的な選択があるものとして扱ってもよい（7条は「合意」ではなく単に「選択」と定めている）。

いずれにしても，通則法7条による明示の選択がない場合に黙示の選択があるか否かを判定するためには，通則法8条が最密接関係地法によることを定めていることから逆に考えて，8条によって定まる準拠法とは異なる法をあえて選択しているか否かという観点から行えばよいということになろう。なお，7条はあくまで具体的な当事者の現実の意思による準拠法選択がある場合の規定であるので，当事者と同じ立場の者を仮定して，その合理的な準拠法の選択の意思（仮定的意思）を推定するといった作業は許されない。

⑶　準拠法選択の有効性　　準拠法選択意思の瑕疵，意思の合致の有無が問題となり得る。たとえば，契約全体が錯誤によるので取り消すと主張している当事者が，準拠法条項も無効であると主張する場合などである。これについて，国際私法上の選択行為の有効性の問題であるから，国際私法独自に判断すべきであるとの見解がある。理論上はそうであるが，国際私法上に具体的基準があるわけではないので実際には機能しない。そこで，準拠法選択が有効であったと仮定した場合の準拠法により判断すべきであるとの見解がある。すなわち，上記の条項が英国法によると定めているのであれば，英国

法上，錯誤により準拠法選択の有効性を否定することができるかどうかを判断するとの考え方である。一般的にはこの見解によるべきであろう。

ただし，準拠法選択の行為があったこと自体に合理的な疑いがある場合には，通則法8条によって定まる準拠法によって判断すべきではないかと思われる。同様に，相手方が沈黙していても契約が成立するという規定をもつ法律を準拠法に指定して契約申込書を送付し，返答がなかったことを理由に契約の成立を主張するような場合には，その返答をしなかった当事者に自己の常居所地法の援用を認めるとの法制もあり，日本での同様の場合の処理についても参考になろう。

(4) **実質法的指定**　通則法7条による準拠法選択（牴触法的指定）と似て非なるものとして，**実質法的指定**がある。これは，特定の国の実質法を契約条項の形にして契約内容に取り込むものである。実質法的指定は契約自由が認められる範囲内で許されるものであり，その許否を判断する準拠法が別に存在することになる。したがって，実質法的に指定された法の内容が準拠法上の強行法規に反するときには効力をもたない。牴触法的指定なのか実質法的指定なのかは当事者の意思解釈の問題であり，海上保険契約中の英国法準拠条項や海上運送契約中の**至上約款**（**paramount clause**）などについて実質法的指定と解する見解もあるが，一国の法律が指定されている場合には，原則として牴触法的指定と解するべきであろう。

これに対して，**一括採用可能規則**（**採用可能統一規則**）と呼ばれるものがある。これは貿易条件に関する**インコタームズ**（**INCOTERMS**），国際決済に関する信用状統一規則（UCP），共同海損に関するヨーク・アントワープ・ルールズ（York-Antwerp Rules）などのように，ICC（国際商業会議所）などの私的機関が作成し，契約当事者がそれを契約書の中に取り込めるようにしているものであって，これ自体は法ではない。したがって，準拠法の指定か否かという問題は生じない。

学説上は，**レックス・メルカトリア**（lex mercatoria＝商人間の法）と呼ばれる国際商慣習によるとか，20××年×月×日現在有効なA国法によるといった**化石化条項**（**安定化条項**）を通則法7条の準拠法選択として認める見解がある。これらの条項は，政情不安な国家の国営企業との間で契約を締結するような場合，両者が折り合える法として選ばれ，また，事後的かつ遡及的な法改正によって契約の実効性が失われることを防ぐという目的もあり，その必要も認められる。しかし，少なくとも日本の国際私法体系における準拠法決定は法域選択により定まるのであり，通則法7条も「選択した法による」ではなく，「選択した地の法による」と規定している。したがって，上記のような合意はあくまでも実質法的指定にとどまり，別途，準拠法は通則法7条以下により定まると解すべきである。現実的に考えても，たとえば，529年に東ローマ帝国で適用されていた法によるという合意を認め，裁判所は職務上当然にそれを適用しなければならないというのは不合理であり，当事者がそのようなことを定めるのは自由であるが，あくまでそれは実質法的指定であり，契約条項の1つとしてその内容は当事者の側で主張立証すべきものとするのが筋であろう。

⑸　外国の国際私法規定を指定できるか　　契約中の準拠法条項の例として，契約準拠法をA国法とすると定めた上で，ただし，そのA国法にはA国の国際私法を含まない旨定めるものがある。通則法7条が認めているのは外国の実質法を選択することであるので，仮にA国の国際私法を含む選択をしたとしても，それは意味がなく，日本ではA国の実質法が指定されたと扱うことになる。した

がって，上記の条項が意味を持つ国はあり得るが，少なくとも日本では念のための定めであって，そのように定めていなくても同じことである。ちなみに，通則法の構造上，外国の国際私法によることがあるのは反致の規定（41条）の適用においてのみである。

(d) 通則法8条――最密接関係地法主義と特徴的給付の理論によるその推定

(1) デフォルト・ルールとしての最密接関係地法　通則法7条が主観的連結を定めているのに対して，8条は客観的連結の規定である。8条1項は，7条による準拠法の選択がないときは，「当該法律行為に最も密接な関係がある地の法による」と定めている。かつての法例7条2項が同様の場合に行為地法（契約締結地）によるという単純なルールであったことに対して，それでは適切な準拠法が決定されないことがあるとの批判に応えたものである。確かに，隔地者間契約について，行為地を原則として申込発信地とし，承諾者が申込発信地を知らなかったときは申込者の住所地とするという擬制をすること（法例9条2項）の妥当性は疑問であった。とはいえ，そもそも，既述のように，通則法7条の当事者自治は最密接関係地法を準拠法とすることを原則とするサヴィニー型国際私法とは異なる発想のルールであって，それを第1順位とする連結政策を採用していながら，第2順位としてサヴィニー型国際私法の原則に立ち戻って，ケース・バイ・ケースで最密接関係地法の適用に固執することは「木に竹を接いだ」ようにみえる。取引社会の基本を支える契約の準拠法について，当事者が準拠法選択をしていないときには，詳細な検討をしなければ準拠法が決まらないという仕組みになっていることは，立法論としては再検討されるべきであろう。

最密接関係地法の特定にあたっては，当事者の国籍，常居所，主たる事務所の所在地，契約目的物の所在地，契約締結地，契約目的の実現地（主たる義務の履行地）などを総合的に考慮することになろう。総合的考慮とはいえ，契約締結後の事情は考慮できない。条文上明記されているように，「法律行為の当時」における最密接関係地法を探求しなければならない。

ケース・バイ・ケースの認定が不安定すぎるという問題に対処すべく，次に見るように，8条は2項と3項に最密接関係地を推定する規定が置かれている。

⑵　**特徴的給付の理論**　これは，対象となる契約を特徴づける給付を行う当事者の常居所地法や営業所所在地法を最密接関係地法と推定するものである。EUの規則などで採用されている考え方である。特徴的給付をする当事者の相手方当事者は通常金銭の支払いをするだけであり，その契約を売買契約とかサービス提供契約とか特定の類型に特徴づける給付（特徴的給付）をする当事者が，その常居所地等で特徴的給付やその準備行為をすることから，その地が当該契約の最密接関係地であることが多いことに基づいている。

通則法8条2項は，「法律行為において特徴的な給付を当事者の一方のみが行うものであるときは，その給付を行う当事者の常居所地法……を当該法律行為に最も密接な関係がある地の法と推定する」と規定しており，特徴的給付の理論を基本的に採用した規定である。ただ，契約には，複数の契約類型が混合していたり，非典型的な契約もあるため，契約を類型化するという方法はとらず，また，最密接関係地と「みなす」とはせず，そのように「推定する」という規定振りになっている。

特徴的給付を行う当事者とは，たとえば，売買契約であれば売主側（百選28事件），保険契約であれば保険者，保証契約であれば保証人，消費貸借であれば貸主（信用を供与している），請負契約であれば請負人，委任契約であれば受任者，物品運送契約であれば運送人などである。ただし，8条3項は，不動産を目的物とする法律行為については，特徴的給付の理論の適用外とし，その不動産所在地を1項の最密接関係地と推定している。その引渡しをする当事者の常居所地よりも，不動産所在地の方が最密接関係地であると類型的に考えられるからである。

8条2項では，特徴的給付を行う者の常居所地法を最密接関係地法と推定しているが，「その当事者が当該法律行為に関係する事業所を有する場合にあっては当該事業所の所在地の法，その当事者が当該法律行為に関係する二以上の事業所で法を異にする地に所在するものを有する場合にあってはその主たる事業所の所在地の法」をそう推定する旨定めている。この規定は法人にのみ適用されるわけではなく，自然人であっても「事業所」を有し，そこで取引をするときには，事務所所在地法が最密接関係地法と推定される。「当該法律行為に関係する事業所」は，契約の申込み，承諾の発信，契約に基づく履行行為などの要素を総合的に判断して特定することになろう。そして，取引に関係する事業所が複数ある場合には，その当事者の「主たる事業所」を基準とするとされている。

もっとも，8条2項は推定規定であるので，具体的な事情によって，たとえば，動産の売買契約であっても，契約の締結地や目的物の引渡地が最密接関係地であると判断される場合には，8条2項の推定を覆してその地の法によることになる。8条3項の推定についても同様である。このように8条2項・3項が推定規定でしかないということは，準拠法を定めていない契約をめぐってトラブルが生じた場合には，8条の適用について見解の対立が生じ，決着がつかず，訴訟や仲裁をせざるを得ないリスクがあるということを意味する。実務上，契約に準拠法条項を入れておくことが肝要である。

(e) 準拠法の事後的変更

(1) 9条本文　当事者自治の原則とは，準拠法決定を当事者に委ねることである。したがって，契約の場合，当事者が7条によって選択した準拠法を事後的に変更することも，8条によって定まる準拠法に代えて事後的に準拠法選択をすることも許されるはずである。その変更は黙示的にしてもよく，また，契約締結時に遡って準拠法を変更する遡及的変更も，将来に向かってのみの準拠法変更も許される。さらに，変更の回数に制限はなく，再変更も許される。とはいえ，準拠法の変更は当事者の権利義務の内容を変えることになるので，新しい準拠法の適用結果はいずれかに有利であり，他方に不利になるのが普通であろう。したがって，当事者としては慎重に変更を行うべきであり，また，黙示の準拠法変更の認定には慎重であるべきであろう。このことから，準拠法変更は明示された場合に限るとか，書面によるとか，特段の合意がない限り将来に向かっての効力しかなく，遡及効はないこととするといった制約を立法上課すことも考えられるが，通則法9条はそれらの制約は課していない。立法論としては再考を要するように思われる。

9条本文は「当事者は……変更することができる」との定めであるから，黙示の変更も認められる。しかし，7条・8条によってA国法が準拠法とされている場合に，8条の客観的連結による準拠法の変更は認められない。これは，8条1項が「法律行為の当時」における最密接関係地法によるべきことを定めているからである。したがって，準拠法の変更は9条による場合だけである。

ところで，準拠法の変更は権利義務の変更をもたらすので，場合によっては契約の当事者自身にとって思わぬ結果を生ずることがあり得る。たとえば，準拠法変更の合意をした結果，より短期での消滅時効の完成を認める法が適用され，変更の瞬間に権利が消滅するような場合である。このような場合，準拠法変更の合意は錯誤であったという主張がされることが予想される。そのような変更に係る意思は，従前の準拠法指定を撤回するという意思と新たな準拠法を指定するという意思に分けることができ，(c)(3)で述べたように，前者の有効性は原則として従前の準拠法によって，後者の有効性は原則として新たに指定された準拠法によって，それぞれ判断されることになろう。

9条は，実際上，裁判において，一方の日本法に基づく主張に対して他方が同じく日本法に基づいて反論するということを通じて，両当事者が日本法によることについて黙示的に合意したとされ，日本法に基づく判決が下されるという事態を正当化するという機能を果たすことになる（百選29事件）。確かに，本来の準拠法である外国法と日本法とのいずれによっても，権利・義務の内容が大きくは異ならず，誰の利益も害することがない場合であれば，日本での裁判の場合に準拠法を日本法に変更することは，より迅速な判決を期待することができ，弁護士費用などの点で経済的なメリットもあるであろう。しかし，前述のように，準拠法の変更により権利義務が変化することがあり得る以上，不利になった当事者から変更合意に錯誤があるとの主張がされるといったリスクがあることなどを考えると，当事者及びその代理人弁護士としては，本来の準拠法は何かを十分に検討しないままに安易に日本法による主張をすることによって，依頼者の利益を害することがあってはならず，また，裁判所も，準拠法の黙示の変更になるような訴訟活動に対しては，訴訟指揮として，そのように扱ってよいかどうかを確認するという慎重な態度が望まれる。

(2) **9条但書**　通則法が準拠法変更について9条を置いた意義は，9条但書と10条1項のかっこ書きの定めをすることにあると考えられる。9条但書は，準拠法の変更が第三者の権利を害することとなるときは，その変更をその第三者に対抗することができない旨定めている。これは，9条による準拠法変更が契約の当初に遡って生ずること（遡及効があること）を間接的に示すものである。ここでいう「第三者」は，保証人，当該債権を差し押さえた者，第三者のためにする契約における第三者，債権譲渡の譲受人（準拠法を変更して重ねて譲渡されたような場合）などである。なお，税務対策等を目的として，準拠法変更という手段で契約を遡って存在・不存在にすることもあり得るが，ここでいう第三者に税務当局は含まれないであろう。

上記の第三者は準拠法変更により，期待していたところと異なり，利害関係を有している契約が不成立になったり，その効力が縮減・拡大することにより，権利が害されることがあり得る。そのような場合には，準拠法変更はそのような者には対抗できず，それらの者との関係ではもとの準拠法が適用されることになる。その結果，準拠法変更を行った契約上の債務者は，A国法が準拠法であった時に利害関係を有していた者に対してはA国法上の責任を負い，変更後のB国法上が準拠法になってから利害関係を有した者にはB国法上の責任を負うという二重の責任が発生するおそれがある。

⑶　**10条1項かっこ書き**　通則法10条1項・2項は，後述のように（第4章Ⅱ②），選択的連結を採用しているので，行為地法上の方式は具備していなくても，実質的成立要件の準拠法上の方式に適合していれば，契約は方式上有効に成立する。では，この契約について，準拠法の遡及的変更がされ，その新しい準拠法上要求される方式を具備していない場合には（たとえば，変更前の準拠法では単なる書面でよいとされていたのに，変更後の準拠法では公正証書によることが必要とされる場合），どう扱われるべきであろうか。10条1項かっこ

書きは，このような場合には，変更前に実質的成立要件に適用されていた法が方式の準拠法であり続けることを定めている。この規定は，上記のような場合に限らず，当初は方式上無効であった契約は，変更後の準拠法によれば方式上有効となる場合であっても無効のままとなることも意味する。これは，方式の問題は成立時に確定すべきだからであると説明されることがあるが，実質的成立要件についてはそのような説明は妥当しないのに，方式についてだけこのように説明するのは説得的ではない。むしろ，方式については当事者の思わぬ結果が発生するおそれが大きいとの判断から，当事者の意思がどうであれ，準拠法変更の遡及効を認めないという強行規定を政策的に置いていると解するべきであろう。

(f) 分割指定

当事者自治の原則から，契約をいくつかの部分に分けて別々の準拠法によらせることも可能であると解される。これを準拠法の**分割指定**（dépecage）という。通則法には明文の規定はないが，これを否定する趣旨ではない。問題は，①どこまで分割することができるのか，②通則法 8 条の適用上も契約の部分によって異なる最密接関係地法を認定することができるのかである。

①については，そもそも 1 つの契約の大きさを厳密に画することは困難であって，分割されたそれぞれが契約であるとみれば，分割に限界を設けることはできないはずである。当事者が相互に関連した問題について別の準拠法を選択すると，適応問題が生じるおそれがあるけれども，それは当事者自身がしたことの結果であり，また，選択を否定することは当事者の意思に反することからも，国際私法において限界を設けることは適切でない。

一般論として分割指定を否定した裁判例があるが，貨物海上保険証券上の保険者の塡補責任の有無とその内容については英国法によるとの条項は分割指定をしたものであるとした裁判例もあり（百選27事件），後者の裁判例が妥当である。

前述の②の客観的連結の場合の分割指定についても，契約の大きさを画定できない以上，とくにこれを否定する理由はない。たとえば，機械を製造・設置・稼働することを内容とする契約において，製造は売主の国で行い，設置・稼働は買主の国で行われる場合，製造に関する問題については売主の国の法が，設置・稼働に関する問題については買主の国の法が，それぞれの最密接関係地法とされることがあり得よう。また，分離可能の場合でなければ分離を認めるべきではないとの議論もあるが，それでは基準を提示したことにならず，結局，最密接関係地法を適用するという理念に基づいて判断するほかない。

分割指定は契約の側を分割するものであって，そのように分割されたものが単位法律関係となるのであって，準拠法の側を分割することを認めるものではない。一般に，準拠法中の特定のルールを回避するような指定は認められない（もっとも，その趣旨が事項を分ける点にあるのであれば，認められる）。たとえば，「……日本法による。ただし，日本の……法第L条，第M条及び第N条は適用されず，それに代えて，フランスの……法第S条，第T条及び第U条を適用する」という契約条項は，日本法を準拠法としているのに，日本法上の強行規定を排除する合意をしていると評価され，その部分の合意の効力はないと解される。契約ドラフティングの技法として，むしろ，「……日本法による。ただし，日本の……法第L条，第M条及び第N条が適用される事項については，フランス法による」と定めておけば，これは分割指定であるので，その効力は認められることになろう。

(g) 補助準拠法・通貨法

(1) 補助準拠法という考え方　契約の効力に関係する事項であっても，たとえば，営業日（どの日が休日とされるか）・営業時間などの問題は，たとえ契約の準拠法が選択されていても，履行地法による方が妥当と考えられる。これについて，契約本体の準拠法とは別に**補助準拠法**と呼ばれるものがあるとし，上記の履行地法などの適用を説明する考え方があった。

しかし，このような議論はかつて**準拠法単一の原則**という考え方が認められていた時代のものであり，私法上の問題については，今日では，準拠法の分割指定の議論の中に解消されると考えられる。また，いつを休日とするかという問題は公法上の問題であり，私法の適用において前提となる履行地の法的環境であるということもできよう（不法行為の準拠法の適用における交通法規の扱いと同じ）。

(2) 通貨法　支払通貨（通用力を与えられている貨幣は何か，約定通貨に代えて履行地の通貨で支払ってよいかなど）の問題についても，補助準拠法として履行地法によるとの考え方があった。しかし，そもそもこれらの通貨をめぐる問題の中には，一国の通貨主権にかかわり，公法としての通貨発行国法が少なくともその領域内では当然に適用されるべきものがある。たとえば，自国通貨の強制通用力を維持することは国家が独自の経済政策を実施する基盤であるから，外国通貨の支払いを約定していても債務者はこれに代えて日本の通貨で支払ってよいことを定める民法403条は，民法典の中に置かれてはいるが，通貨に関する公法規定又は絶対的強行法規であるというべきであろう。そうすると，支払地が日本国内である限り，契約の準拠法のいかんを問わず，民法403条は必ず適用されるということになる。

なお，民法403条とは別に，外国通貨をもって債権額が指定された金銭債権は任意債権であるとの理由から，債権者は日本の通貨による請求をすることができるというのが判例である（百選39事件）。手形法41条，小切手法36条には同趣旨の規定がある。また，かつて盛んに論じられた金約款禁止法などもこれを制定した国の通貨に関する公法であると解することができよう。

約定された通貨以外の通貨での支払いを請求したり履行したりする場合，通貨換算時点が問題となる。一般に現実の履行時点のそれによるべきであると解されるが，債権者が約定通貨に代えて日本円を請求する場合には，事実審の口頭弁論終結時の相場によるというのが判例である（百選39事件）。

(h) ウィーン売買条約

(1) 1条1項(a)・(b)　日本は2008年に「国際物品売買契約に関する国際連合条約」（ウィーン売買条約）を批准し（平成20年条約8号），2009年8月1日から日本について発効している（締約国数97）。

私法統一条約と国際私法との関係は条約により一様ではない。ウィーン売買条約の場合は，1条1項で，「この条約は，営業所が異なる国に所在する当事者間の物品売買契約について，次のいずれかの場合に適用する」として，「(a)これらの国がいずれも締約国である場合」と「(b)国際私法の準則によれば締約国の法の適用が導かれる場合」とを定めている。そして，同条2項によれば，「当事者の営業所が異なる国に所在するという事実は，その事実が，契約から認められない場合又は契約の締結時以前における当事者間のあらゆる取引関係から若しくは契約の締結時以前に当事者によって明らかにされた情報から認められない場合には，考慮しない」とされている。つまり，ネットを通じた売買契約のように，当事者は知らなかったが，実は国境を越える契約であったといった場合には，「営業所が異なる国に所在する」とは扱わないという趣旨である。

(a)は，国際私法を介さずに，直接にこの条約を適用することを定めるものである。これを国際私法の枠組みからみると，通則法が用意している単位法律関係（通則法7条から10条までの規定が対象としている事項）から，当事者の営業所が異なる国にあり，そのいずれもが締約国である場合における物品売買契約の成立並びにその契約から生ずる売主及び買主の権利及び義務（条約2条から5条）の問題は切り出されるということになる。そして，それらの問題については通常の国際私法による準拠法決定という処理はされず，直接にこの条約が適用される。つまり，その限度で，通則法7条から10条の適用は排除されるということである。

もっとも，通則法11条は優先的に適用されると解される。つまり，上記の条約対象事項の一部は通則法11条の定める消費者契約という単位法律関係と重なっており，その重なっている部分については，11条の規定により準拠法が定められることになると解される。そもそもウィーン売買条約2条(a)は，適用除外とされる売買の1つとして，消費者契約を挙げ，「個人用，家族用又は家庭用に購入された物品の売買。ただし，売主が契約の締結時以前に当該物品がそのような使用のために購入されたことを知らず，かつ，知っているべきでもなかった場合は，この限りでない」と定義している。この定義は，日本の消費者契約法2条1項から3項によって定義される「消費者契約」と同一ではない。とくに，条約2条(a)の但書は消費者契約法にはないため，その但書に該当するために条約の適用がある物品売買契約は，日本では消費者契約法の適用対象となるとされることがあり得る。そのような場合，日本がこの条約の締約国であるからといって，消費者契約法を排除して同条約を適用することを条約上強いられているとは解されない。消費者契約法は日本にとって公序法的な性格を有するものであって，その適用は確保されるべきであり，そのことはウィーン売買条約上も認められると解される。もっとも，通則法11条により適用される準拠法の所属国がウィーン売買条約の締約国である場合には，1条1項(b)の問題となる。

1条1項(b)は国際私法を介してこの条約が適用されるルートを示している。(b)の規定の趣旨をめぐっては，①国際私法により準拠法とされる締約国法の一部としてウィーン売買条約は適用されるとの見解と，②締約国法が準拠法となるか否かは国際私法によるが，締約国法が準拠法となることが確認されれば，日本の条約としてウィーン売買条約を適用すればよいとの見解に分かれている。

国際私法により日本法が準拠法となれば，両見解に違いはなくなるため，問題となるのは，国際私法により他の締約国法が準拠法となる場合である。たとえば，日本法人と非締約国の英国法人との間の物品売買契約において締約国であるドイツの法によるとの準拠法条項が置かれており，通則法7条によれば，ドイツ法が準拠法となる場合である。そして，実際に違いが生ずるのは，日本における条約解釈と，ドイツにおける条約解釈との間に違いが存在する場合である。本来，この種の条約は私法の統一を目指しているのであるが，各締約国の解釈はそれぞれの国の司法制度の枠内で確定されていくことになるので，時間の経過により，異なる解釈が判例として定着してしまうことは避けられない。同じく条約を適用するとしても，上記の①の見解によればドイツの解釈に従うことになり，②の見解によれば日本の解釈をとればよいことになる。また，消費者契約法のように，物品売買契約について一定の類型の者が当事者となっているものについて特別法がある場合，その特別法がウィーン売買条約を排除する範囲についても，①の見解と②の見解では違ってくることとなる（①の見解ではドイツ法の消費者契約法が適用される限度で条約の規定は排除されるが，②の見解では日本法上の消費者契約法が適用される限度で条約の規定が排除されることになる）。

文言の解釈としてはいずれも可能であるが，国際私法理論（単位法律関係のいずれに入るかという問題が準拠法決定・適用プロセスの第1段階となるとの考え方）との整合性を考えれば，①の見解をとるべきである。また，上記の消費者契約法による条約の適用排除の点において，①の見解によることによって，日本でも他の締約国でも同じ結論が得られる可能性が高くなる（②の見解によれば，各締約国は自国の消費者契約法が適用される限度でウィーン売買条約の適用を排除することになり〔消費者契約法がなければ排除しない〕，排除の範囲は様々となる）。さらに，各締約国における条約解釈に違いが生じている場合にも，1つの事案には1つの特定の締約国における解釈に服している条約が適用されることが，同じ適用結果を確保することにつながることになる。

(2) **95条留保国法の適用**　ウィーン売買条約95条は，1条1項(b)に拘束されない旨の留保を認めており，実際，アメリカ，中国，チェコ，シンガポールなどがこの留保宣言をしている（日本は留保していない）。これらの国々は，非締約国の企業との契約において自国法が準拠法となった場合には，従来どおりの自国法（国際売買契約のための特別法を有する国はその法律，またアメリカは統一商事法典〔UCC〕の基づく州法）の適用を確保することを意図している。では，日本法人と非締約国の英国の法人との間の物品売買契約において締約国であるアメリカ・ニューヨーク州法によるとの準拠法条項が置かれており，通則法7条によれば，ニューヨーク州法が準拠法となる場合に，日本の裁判所はどうすべきであろうか。これは1条1項(b)に該当することは明らかであるものの，では，①アメリカの95条留保により，ニューヨーク州の売買契約法を適用すべきか，それとも，②95条留保にかかわらず，ニューヨーク州法の一部としてのウィーン売買条約を適用すべきか，という問題である。アメリカの95条留保が日本での法の適用も左右するか否かという観点から，①を**絶対留保説**，②を**相対留保説**という。ドイツは条約締結時に絶対留保説に基づく解釈宣言を行っているが，日本はそのようなことはしていない。では，どのように解すべきか。確かに，同条約の他の留保条項の中には，92条2項のように，条約の規定の一部に拘束されない旨の留保を国はその事項について締約国とはみなさないと定めている規定があるところ（これは絶対的留保），95条にはそのような定めはない。しかし，前述のように，1条1項(b)は締約国の国内法の一部としての条約適用であり，条約が一定の場合に締約国に適用除外を認めている以上，上記の例に適用されるニューヨーク州法には，条約は含まれていないと解すべきである。すなわち，①の絶対留保説によるべきである。また，実際，このように解することにより，アメリカが法廷地となった場合との結果の同一性が確保されることになる。

(3) 6条による適用排除　　ウィーン売買条約6条は，「当事者は，この条約の適用を排除することができるものとし，第12条の規定に従うことを条件として，この条約のいかなる規定も，その適用を制限し，又はその効力を変更することができる」と定めている。これは，同条約の規定はすべて任意規定であり，当事者による排除などが自由にできることを定めるものである。12条が例外にされているのは，契約の締結・変更・終了等や申込み・承諾の方式として書面によらなくてよいことを定める11条・29条・第2部の規定は，当事者のいずれかが自国に営業所を有する場合には適用しない旨の留保が認められており，この留保をしている国（11カ国）は書面要件を課している可能性があり，それは強行規定だからである。

国際契約実務上，「……フランス法による。ただし，国際物品売買契約に関する国際連合条約を除く」という条項が散見される。これは，フランス法から同国法の一部であるウィーン売買条約のすべての規定を排除した残りの部分を適用することを定めるものである。一国の法の一部を排除して準拠法として指定することは，契約のドラフティング実務上は一般に避けるべきであるが（第4章Ⅱ①(f)），上記の条項は，ウィーン売買条約6条に基づき，同条約が任意規定を定めるものであることを前提としているので問題ない。

② 契約の方式

(a) 場所は行為を支配する

国際私法上，各種の法律行為の成立については，実質的成立要件と形式的成立要件（方式）とを別の単位法律関係とするのが一般的である。わが国では，消費者契約の方式（通則法11条3項から5項），婚姻の方式（24条2項・3項），親族関係についての法律行為の方式（34条），遺言の方式（遺言の方式の準拠法に関する法律），手形・小切手行為の方式（手形法89条，小切手法78条）については特則が設けられており，それ以外の法律行為については通則法10条によることとされている。

方式は，法律行為の成立に関する要件の問題であるから，実質的成立要件と同じ連結政策によるべきである。にもかかわらず，別の単位法律関係とされているのは，方式については，各国の国際私法上，「**場所は行為を支配する**（*locus regit actum*）」という原則が古くから認められているからである。これは，行為地法が方式の準拠法となるという考え方であり，そうでなければ，たとえば契約の準拠法上，公正証書によるという方式が要求されている場合，公証人制度のない国ではそのような方式を具備することができず，その契約を成立させることができないということになる。そこで，行為地法に適合する方式を具備すればよいこととし，通則法10条の1項・2項のように，方式については法律行為の成立についての準拠法と行為地法との選択的連結が採用されているのである。

なお，10条1項にかっこ書きが付いているのは，前述のとおり，準拠法の遡及的変更をしても方式に影響を与えないようにするためである（第4章Ⅱ1(e)(3)）。

(b) 方式とは

契約の成立のために，当事者間の意思の合致に加え，外部的な形式を要すると定める実質法がある。日本法にはそのような要件が少ないが，それでも，任意後見契約に関する法律3条によれば，任意後見契約は公正証書によってしなければならないとされ，また，民法446条2項では保証契約の締結について，特定商取引に関する法律40条1項・48条1項・58条1項，不動産特定共同事業法26条1項，ゴルフ場等に係る会員契約の適正化に関する法律12条1項などでは解除の意思表示について，臓器の移植に関する法律6条1項・3項，医学及び歯学の教育のための献体に関する法律4条・5条などでは臓器摘出等の意思表示について，書面や電磁的記録によることが要求されている。他方，契約成立要件としてではなく，それとは別に，契約成立に伴う説明を書面ですることを求めるものは，方式ではない（割賦販売法4条，特定商取引に関する法律4条・5条・18条・19条・37条・42条・55条・58条の7，貸金業法17条，旅行業法12条の4第2項・12条の5など）。また，各種の証書に対して要求される印紙の貼付も，一般的には公法上のものであって，方式ではない。

(c) 10条3項以下

通則法10条3項・4項は，隔地的な法律行為における2項の行為地を特定するためのものである。前述のように（第3章Ⅱ5(2)），親族法上の法律行為については国の機関への届出等が求められることがあるが，契約の方式については，当事者（単独行為の相手方を含む）間の意思表示を公正証書や書面等によるのが一般的である。10条3項・4項はこのタイプの方式を前提としている。10条3項は，単独行為について，意思表示の通知を発した地を行為地とみなし，4項は，契約について，申込みの通知の発信地又は承諾の通知の発信地のいずれかに適合していれば，方式上有効とする旨規定している。

3項は隔地的にされる相手方のある単独行為についての規定であり，契約の取消し・解除，相殺などの意思表示の外部的形式については，発信者が現にいる地の方式に適合する意思表示をしていればよいことにし，方式の点がその行為をすることの障害とならないようにしたものである。これに対して，4項は，隔地的な契約について，申込みが申込発信地法の方式を，承諾が承諾発信地法の方式を満たしているのでは足りず，申込みと承諾をセットとし，それが申込発信地又は承諾発信地の方式に適合していることを要求している。いずれかの当事者にとっては，相手方のいる地の法によらなければならないという不便が生ずることがあるものの，方式をさらに分割することは，それを定めている法の趣旨に沿わないと考えられた結果であるといえよう。

10条5項は物権その他の登記すべき権利を設定又は処分する法律行為の方式については，行為地法（2項から4項）によることはできず，もっぱら1項によることを定めるものである。たとえば，日本に所在する動産・不動産を目的として企業担保を設定する契約を締結する場合には，企業担保法3条の定める公正証書によることが必須の要件となる（日本法を準拠法とする債権を目的とする場合も同様に解するべきであろう）。これは，他の国でそのような法律行為ができないという不便よりも，目的物所在地法との密接関連性を重視したものである。

③ 消費者契約

(a) 消費者保護の必要性

通則法は，7条以下の法律行為という単位法律関係から消費者契約を切り出して，11条に特則を設けている。事業者との間で契約をする消費者は，素人であるか又は知識・能力を有していても十分な時間や労力を割くことができない。そこで，そういう消費者が不利益を被ることがないように保護を与えるため，事業者間の契約とは異なる連結政策が採用されてる。実質法上，消費者契約法，特定商取引に関する法律，割賦販売法などの消費者保護法制があるが，それらにおける消費者保護は，強者である事業者と弱者である消費者という構図のもと，契約締結，契約解除等について消費者に保護を与えるものである。これに対して，通則法11条は，準拠法の定め方による消費者保護でしかなく，何らかの特定の正義の実現を目指すものではない。したがって，11条の解釈適用に実質法上の価値を持ち込むことは間違いである（後述の12条についても同じである）。

(b) 消費者契約の定義

通則法11条1項は消費者契約の定義として，①一方の当事者が個人である消費者であること，②その個人は事業として又は事業のために契約の当事者となる場合でないこと，③相手方は事業者であること（法人その他の社団又は財団であれば当然，個人であっても，事業として又は事業のために契約の当事者となる場合にはこれに該当する），④上記の当事者間で締結される契約であること，⑤労働契約ではないこと，以上の要件を定めている。①のことから，零細企業と大企業の契約は，いかに経済的格差があっても消費者契約ではない。②のことから，たとえば，弁護士が企業と締結する顧問契約や仕事のためのコンピュータの購入契約は消費者契約ではない。③のことから，たとえば，自然人が弁護士と締結する法律相談契約は消費者契約である。他方，消費者同士の契約は消費者契約ではない。④のことから，たとえば，組合設立行為のような合同行為は該当しない。⑤は，通則法12条が別途設けられているからである。

(c) 消費者契約の準拠法

上記の定義に該当する消費者契約の成立及び効力についても，一般の契約同様，通則法7条・9条の適用が認められ，当事者による準拠法の選択が認められる。したがって，たとえば，事業者のウェブサイトで消費者が「はい」をクリックして買い物をする際，スクロールすれば読むことができる契約の中に準拠法条項があれば，原則としてそこに定められている地の法が準拠法となる。当事者自治を否定して，消費者契約の準拠法を常に消費者の常居所地法にするという立法もあり得るが，当事者の選択した地の法の方が消費者に有利であるということもあり得るので，11条は当事者自治を容認した上で，特別の保護を消費者に与えている。

他方，11条2項により，8条の規定の適用は排除されており，当事者による準拠法選択がなければ，消費者の常居所地法による。特徴的給付をする売主は日本語のウェブサイトで販売をしていても，外国の事業者であることもあり，その事業者の常居所等の所在地法を準拠法とすることは消費者にとっては思いもよらないこともあり得るからであり，逆に消費者の常居所地法は消費者にとってなじみがあり，当該消費者が準拠法について何も考えていなくても，その適用は自然なことだからである。

11条1項は，消費者に特別の保護を与えるため，当事者による準拠法の「選択又は変更により適用すべき法が消費者の常居所地法以外の法である場合であっても，消費者がその常居所地法中の特定の強行規定を適用すべき旨の意思を事業者に対し表示したときは，当該消費者契約の成立及び効力に関しその強行規定の定める事項については，その強行規定をも適用する」旨規定している。これは，消費者の常居所地法上の強行規定により消費者に保護が与えられていれば，準拠法が異なる法であっても，その保護を享受できることとする一方で，自動的には享受することはできず，消費者がその常居所地法上の特定の強行規定を適用すべき旨の意思を事業者に対して表示することを条件とするものである。立法の過程では，弱者である消費者を保護するにあたって，このような意思表示をすることができる適切な法的判断能力があることを前提とすることは背理であって，むしろ，EU の規則にみられるように，常に消費者はその常居所地法上の保護を奪われないという扱いをすべきであるとの意見もあった。しかし，裁判上，契約準拠法である A 国法と常居所地法である B 国法とを比べて，どの点についてどちらが消費者に有利かを比較することは困難であるとされ，消費者に適用を欲する規定を特定させるというルールになっている。常居所地の実質法上は当事者の主張がなくても適用されるべき強行規定であっても，その規定は本来は準拠法とならない限り適用されないことを前提に，その適用についての消費者の意思表示がない限り適用されないということである（(f)で言及する絶対的強行法規はこれと異なる）。

11 条 1 項は日本が消費者の常居所地である場合に限らず，外国が常居所地である場合にも適用がある。したがって，日本の事業者が外国の消費者を相手にビジネスをする場合には，ビジネス上のリスクの 1 つとして，外国の消費者がその常居所地法中の特定の強行法規の適用を主張してくることを計算に入れておかなければならない。

何がここでいう「強行法規」であるかは個々のルールをみて，それに反する当事者の合意の効力を認めないものであるか否かによる。実際に外国の強行法規を適用するためには，その規定の適用対象事項に該当していること（事項的適用範囲に入っていること）が必要であるが，その規定の地域的適用範囲の定めは当該外国の国際私法ルールであるので，これを無視し，11条1項に従って適用の有無を判断すればよい。

裁判例として，ラスベガスでカジノを運営するネヴァダ州法人が日本在住の個人を旅費・飲食宿泊費等を無料とする「ジャンケット契約」を提示して勧誘し，日本からラスベガスに赴いて賭博行為をした当該個人に掛金を貸付け，その後，日本での取立てを第三者に委託して行った過程で当該第三者が恐喝未遂等で検挙され，回収金が日本の国庫に編入されたことから，日本国に対して不当利得等を理由とする返還請求訴訟を提起した事案がある（百選12事件）。これは通則法施行前のものであるが，現在であれば当該契約は消費者契約に該当すると思われる（11条6項2号の点については(e)参照）。この事件で裁判所は日本との関係が希薄であるので公序には反しないとしたが（この点について第2章Ⅳ2(d)），通則法11条のもとでは，消費者である個人が常居所地である日本の強行規定として民法90条の適用を主張すれば，賭博契約のための金銭消費貸借の無効と判断されるはずである。なぜならば，通則法11条1項に基づく民法90条の適用においては，国際事案であるからといって公序良俗違反性が弱まるということはなく，準拠法として民法90条が適用される以上，国内事案に適用するのと同じように適用されることになるからである。

意思表示は，事業者を相手方としなければならないが，裁判上でも裁判外でもかまわず，また，特定の方式は要求されていない。裁判で認定されるか否かは別として（この点は手続法としての日本法による），通則法上はタイミングも伝達手段も制限されていない。意思表示の内容は特定の強行法規の適用を求めるものでなければならず，たとえば，自己の常居所地法であるA国法の適用を求めるという一般的な主張では足りない。ただ，どこまで特定する必要があるのかは法規の存在形態により異なる。制定法の場合には，法律名を特定すれば，条数まで引用する必要はないであろう。また，判例法であれば，その判決を特定することまでは必要なく，適用を求める判例法理を特定できれば足りるであろう。なお，このような当事者による適用法規の主張に類似している例として，扶養義務の準拠法に関する法律3条1項の「異議」があるが，それは特定の法に基づく法律効果の主張（扶養義務を負わないことを理由とする異議）である点で通則法11条1項の意思表示とは異なる。

消費者の事業者に対する意思表示により特定の強行規定が適用されることとなった場合，その規定だけが適用されるのではなく，その規定と関連する他の規定もセットとして適用されることになる。というのは，11条1項は，消費者からその常居所地法中の強行規定が与えている消費者保護を奪わないことを目的とするものであって，その強行規定を適用する際には一体となっている法制度の一部のみを切り取って適用する自由を消費者に認めるものではなく，そのような適用は当該強行法規の趣旨にも反しかねないからである。たとえば，ある主張をするのに時間的制限がある場合，時効中断や再度の時効期間の進行等を同じ規定の中で規定するか，離れた個所の別の規定とするかは法文化の違いにすぎず，また，判例法国の法の場合は，いくつかの判決に分散しているルールが統合されて適用されるのであって，消費者の意思表示をきっかけに，ひとまとまりの強行規定が適用されることになる。

(d) 消費者契約の方式

各国の実質法としての消費者保護法では，消費者が慎重に契約を締結するように，契約成立の方式を厳格にするという例が多くみられる。そのため，通則法 10 条等の定めるように，方式の点で法律行為の成立が妨げられることがないようにする選択的連結は消費者契約については不適切である。厳格な方式を定めた強行法規の遵守こそが消費者保護につながるからである。

そこで，通則法 11 条 3 項は，消費者契約の成立について当事者自治によって消費者の常居所地法以外の法が選択された場合であっても，消費者契約の方式について消費者がその常居所地法中の特定の強行法規の適用意思を事業者に表示したときは，専らその強行規定を適用する（10 条 1 項・2 項・4 項は適用しない）旨規定している。

同様に，11 条 4 項は，消費者契約の成立について当事者自治によって消費者の常居所地法が選択された場合において，消費者契約の方式について消費者がその常居所地法中の特定の強行法規の適用意思を事業者に表示したときは，専らその強行規定を適用する（10 条 2 項・4 項は適用しない）旨規定している。つまり，このような場合，契約の締結地（行為地）が他の国であるからといって，10 条 2 項・4 項によって行為地法によることが認められてしまうと，消費者保護の趣旨に反するおそれがあるからである。

さらに，11 条 5 項は，消費者契約の成立について当事者自治による法選択がない場合には，消費者契約の方式は消費者の常居所地法による旨規定している。「専ら」という文言はないが，10 条 1 項・2 項・4 項の適用が排除されているので，11 条 3 項・4 項と同じく，専らその法によることになる。

(e) 消費者契約としての特別扱いが認められない場合

消費者保護は厚ければ厚いほどよいというものではない。健全なビジネス上の予測に反して消費者の常居所地法上の強行規定が適用されるようなルールのもとでは，事業者側に不合理なコストが発生し，結局，それは全消費者を含む市場全体が負担することになってしまうからである。そこで，通則法11条6項は，1項に定める消費者契約に該当する場合であっても，消費者に特別の保護を与えるべきではないときを列挙している。

11条6項1号で定めているのは，「事業者の事業所で消費者契約に関係するものが消費者の常居所地と法を異にする地に所在した場合であって，消費者が当該事業所の所在地と法を同じくする地に赴いて当該消費者契約を締結したとき」である。たとえば，韓国から日本に旅行してきて，日本の小売店（事業者）で買い物をするような**能動的消費者**の場合である。日本の事業者としては，その消費者契約について，当該消費者が意思表示をすれば韓国法上の強行法規が適用されるとは考えないであろう。そのような常識的判断を保護するのがこの規定である。

これに対し，日本の事業者が韓国の消費者をターゲットにしてビジネスを行う場合には，このような取引の安全への配慮は不要なので，同号は，「ただし，消費者が，当該事業者から，当該事業所の所在地と法を同じくする地において消費者契約を締結することについての勧誘をその常居所地において受けていたときを除く」と定めている。ここにいう「勧誘」とは，単なる一般向けの宣伝行為では足りず，何らかの形で特定した消費者を相手とするものである必要があろう。しかし，ダイレクト・メールのような個々人を特定した方法に限られるわけではなく，たとえば，一定期間内の韓国から日本への航空機の座席表示券を持参した顧客には格安で販売する旨のインターネット上の広告をしているような場合には，韓国の消費者をターゲットとしているといえ，事業者に韓国法の適用を覚悟させても不当とはいえないと思われる。

ところで，クーリング・オフ制度がなかった当時のスペインを旅行中のドイツの消費者がドイツ語によるバスツアーへの誘いを受け，そのツアーにおいて高額商品の購入をした場合の消費者保護が問題となった**グラン・カナリア事件**と呼ばれるドイツの事例がある。これを通則法に照らすと，消費者がドイツで勧誘を受けていれば11条6項1号但書に該当するが，スペインに来てから勧誘を受けている事例では，この但書には該当しないことになる。

11条6項2号は，「事業者の事業所で消費者契約に関係するものが消費者の常居所地と法を異にする地に所在した場合であって，消費者が当該事業所の所在地と法を同じくする地において当該消費者契約に基づく債務の全部の履行を受けたとき，又は受けることとされていたとき」を例外としている。たとえば，韓国の消費者が韓国滞在中にネットで日本のホテルのウェブサイトにアクセスして宿泊予約契約を締結し，来日して当該ホテルに宿泊したような場合である。履行を「受けることとされていたとき」も含まれているので，契約はしたが，最終的には来日していない場合も含まれる。これも1号と同様の考慮に基づくものであり，但書に例外の例外が規定されている点も同じである。なお，(c)で挙げたカジノ事業者が大口顧客にセールスをかけて締結する「ジャンケット契約」は典型的な「勧誘」によるものであるので，仮に11条6項2号本文に該当する場合であっても，同号但書により消費者契約としての保護が与えられる。

11条6項3号は，「消費者契約の締結の当時，事業者が，消費者の常居所を知らず，かつ，知らなかったことについて相当の理由があるとき」を例外としている。たとえば，音楽配信事業のように，インターネットを介した消費者契約であって，しかも事業者側の義務の履行もインターネットを通じて行われるために，消費者の常居所を知らないまま取引が完了する場合もある。このような場合，事業者から消費者に対してその常居所の情報開示を求めることは円滑な取引を阻害することになるので，消費者の常居所を知らないまま契約を締結することには「相当の理由」があるということができるであろう。しかし，同じくインターネット取引であっても，有体物を消費者宛に送付することが必要な取引は，その宛先により消費者の常居所が分かるので，この例外には該当しない。

11条6項4号は，「消費者契約の締結の当時，事業者が，その相手方が消費者でないと誤認し，かつ，誤認したことについて相当の理由があるとき」を例外としている。たとえば，一般にアフターサービス・コストがかかる消費者向けに，ビジネス向けよりも高い価格設定をして電子機器を販売している事業者のウェブサイトがあるとして，安く購入するために購入者が消費者であることを隠し，ビジネス向けの価格で当該機器を購入したようなときには，11条6項4号に該当するであろう。

(f) 絶対的強行法規との関係

通則法11条により，消費者の適用を求める意思表示を条件として適用されるその常居所地法上の特定の強行法規とは別に，少なくとも日本法上の絶対的強行法規は，その適用範囲に入る場合には必ず適用される（第4章Ⅱ[1](b)(3)）。絶対的強行法規について当事者による適用を求める意思表示が不要であるのは，その保護法益が社会的，経済的その他の公益であって，かつ，その公益性が，準拠法のいかんにかかわらず適用されるべきであるほど強いからである。したがって，消費者契約法8条から10条，特定商取引に関する法律9条8項・24条8項・40条4項・48条8項・58条4項・58条の14第8項，割賦販売法5条2項，18条の5第7項，30条の2の4

第2項，30条の4第2項，35条の2第2項，35条の3の10第15項などの規定は，その法目的に鑑みると，絶対的強行法規とされる可能性が高く，これらについては当事者の適用を求める意思表示は不要である。ということは，通則法11条において強行法規の適用が問題となるのは，外国に常居所を有する消費者が当事者である場合におけるその外国の強行法規（絶対的強行法規か否かは問わない）と，日本に常居所を有する消費者が当事者である場合における日本法上の相対的強行法規（絶対的強行法規ではない強行法規）とであるということになる。後者の例としては，民法90条のほか，裁判例によれば同法96条1項や消費者契約法4条1項1号などが挙げられている（百選30事件）。

4 労働契約

(a) 労働者保護の必要性

雇い主との関係で類型的に弱者の地位にある労働者の保護の必要性は，消費者保護についてよりも古く，ロシア革命前後から各国の労働法制は大きく発展してきた。そして，各国の消費者保護法制と労働保護法制とを比較すると，前者が契約締結時と解約時の保護に焦点を当てているのに対して，後者では，契約内容と解雇時の保護に焦点を当てているという違いがある。そして，この違いを反映して，国際私法上も異なる扱いがみられる。すなわち，消費者契約について，通則法11条3項から5項は契約締結時に問題となる方式についての準拠法のあり方に意を用いているのに対して，労働契約について12条は，方式の点についてはとくに手当をしていない。また，同様に，労働者保護については，労働契約締結の段階ではなく，その後のことに重点があるので，12条には契約締結時に着目した11条6項のような定めは存在しない。これらのことは，国際私法ルールが現に存在する諸国の実質法を前提として組み立てられていることの証である。

通則法12条は労働者・労働契約の定義を解釈に委ねている。対価を得て指揮命令に従って労務を提供する者を労働者，そのことを定める契約を労働契約と解すことになろう。したがって，報酬がいかに高額であれ，企業の在外駐在員責任者もチーム制のプロスポーツの選手もここでいう労働者である。しかし，その活動の独立性が強い場合には，労働契約ではなく，請負契約や委任契約とみられることになろう。

(b) 労働契約の準拠法

労働契約の成立及び効力の準拠法についても，一般の契約及び消費者契約と同様，7条・9条による当事者自治が認められる。他方，当事者による準拠法の選択がない場合，消費者契約については8条全体を排除して消費者の常居所地法によるとされているのに対して(11条2項)，労働契約については，8条2項だけを排除して，「当該労働契約において労務を提供すべき地の法を当該労働契約に最も密接な関係がある地の法と推定する」旨規定している(12条3項)。

8条2項をそのまま適用し，賃金と労務提供との取引であると考えると，労働者の常居所地が最密接関係地と推定される。しかし，たとえば，フランスに住んでいてスイスに毎日働きに行くような場合には，推定は覆されてしかるべきであろうし，また，労働契約においては使用者も労働環境を整える等の債務を負っており，労務提供が特徴的給付とは必ずしも言えない。そこで，12条3項は使用者が用意し労働者が労務を提供すべき地に着目しているわけである(百選31事件)。11条2項が消費者契約について消費者の常居所地法によると確定的に規定しているのに対して，労働契約については推定にとどめているのは，様々な労働形態があるためである。労働契約の準拠法は契約締結時に定まっている必要があるので（労務を提供している地ではなく，労務を提供すべき地と定めているのはその趣旨である），ほとんどの場合，重要な契約要素である労務提供予定地が最密接関係地と推定されるが，その推定を覆す事情がある可能性は排除されていない。

以上のような定めに加え，12条1項は，当事者による準拠法の選択・変更があっても，「労働者が当該労働契約に最も密接な関係がある地の法中の特定の強行規定を適用すべき旨の意思を使用者に対し表示したときは，当該労働契約の成立及び効力に関しその強行規定の定める事項については，その強行規定をも適用する」旨規定している。そして，12条2項により，「当該労働契約において労務を提供すべき地」を最密接関係地法と推定するとともに，「労務を提供すべき地」が特定できない場合は，「当該労働者を雇い入れた事業所の所在地の法」とすることとされている。

労働契約の準拠法決定は契約締結時に定まっている必要があり，労働者と使用者との最初の接点として雇入事務所所在地が最密接関係地と推定されていると考えられる。契約締結時の「労働を提供すべき地」は外国であったが，時間の経過とともに，現実の労務提供地が日本になっている場合，12条1項・2項により労働者の意思表示があれば適用されるのは当該外国法上の強行法規である。しかし，このような場合には日本の絶対的強行法規の適用及び通則法42条の公序則の適用はあり得る。

労務管理地を雇入事務所所在地とする見解もあるが，労務管理地は使用者側の事情のみにより定まり，また，使用者側の事情により変更されることもあるので適当ではない。

労務提供地が特定できない場合として，国際線に就航している航空機の客室乗務員が挙げられることがある。しかし，契約上はA

国とB国との往復便の勤務であり，多くの時間を公海上又はいくつかの国の領空を飛行するとしても，ベースとなる国（自宅がある国）はA国であり，そこでは欠員補充に備えた待機業務等があるような場合には，労務提供地が特定できないとして雇入事務所所在地法によるよりも，ベースの国を労務提供地とし，その法によるべきであろう。

12条の適用上の論点は，11条1項の場合とほぼ同じである。なお，日本の絶対的強行法規がこの規定によらないで適用されることも消費者契約の場合と同様であり，したがって，労働者の意思表示によって適用が問題となるのは，外国の強行法規（絶対的強行法規か否かは問わない）と日本の相対的強行法規である。たとえば，日本法人の外国駐在員事務所において，日本法を準拠法とする雇用契約に基づいて現地で雇用した非正規社員の解雇をめぐって紛争が発生し，その社員が日本で会社に対して提訴した場合において，当該外国法上，非正規社員保護のための強行法規が存在し，その社員がその特定の強行法規の適用を主張するときには，12条により，日本法に加えて，当該特定の外国法規が適用されることになる。

5 契約の解除など

通則法7条から10条の規定は，法律行為のうち，別段の規定が置かれていないものに適用される。そうすると，契約の取消しや解除などの単独行為も1つの法律行為であるので，たとえば，契約準拠法がA国法の場合において，9条に基づき，当事者の一方が単独で解除についての準拠法をB国法に変更して（分割指定かつ準拠法の変更），A国法では認められない事由により解除することができるだろうか。契約全体とは別に，その単独行為の行為者がひとりで準拠法の選択・変更をすることができるというのは不合理であるので，7条から9条までの規定における法律行為には解除等は含まれないとの解釈があり得よう。これに対して，契約の解除等も7条以下の法律行為であるとしつつ，9条は，準拠法の変更が第三者の権利を害することとなるときは，その変更を第三者に対抗することができない旨規定しているので，9条は適用されると解しても，単独行為の行為者以外のすべての者は同条但書にいう「第三者」になるため，結局，不当な結果となることはないという説明もできよう。いずれでも結論は同じであるとすれば，条文に基づいて説明することができる後者の解釈で差し支えないように思われる。

他方，10条でいう法律行為には契約の解除等も含まれると解すべき積極的な理由がある。というのは，たとえば，契約準拠法所属国とは別の国に在る者が契約の解除の意思表示をする際に，契約本体の準拠法上定められた解除についての方式の具備ができないことがあり得るため，10条3項はそのような状況を救うために合理的な規定であるからである。

6 信託など

さて，契約の解除等と異なり，独立の単独行為については通則法7条から10条はすべて適用されると解される。たとえば，信託，贈与，懸賞広告などである。これらについては，実質法上，契約と扱う法制もあるが，国際私法上の契約とこれらの単独行為の区別の基準は，7条等でいう「当事者」が複数なのか単数なのかという点にある。国際私法上，これらの法律行為について信託設定者，贈与者，懸賞広告をする者など以外の者に準拠法の選択・変更をする権限を与える必要はないと考えられる。したがって，単独行為については，行為者が単独で準拠法を選択・変更することができ（7条・9条），それをしていないときには客観的連結として，最密接関係地法が適用され（8条），また，方式については，成立の準拠法と行為地法の選択的連結が認められる（10条）。

組合設立行為のような合同行為については，国際私法上は契約と区別して議論する必要はなく，行為者全員が7条等の「当事者」であると解される。

以上のうち，とくに信託は，そのビジネス上の重要性から次のことも付記しておこう。日本は締約国にはなっていないが，1985年のハーグ信託準拠法条約によれば，委託者（設定者）による準拠法指定が認められている（同条約6条）。そして，準拠法指定がない場合には最密接関係法によるとされ，その確定にあたっては，委託者の指定した信託事務遂行地，信託財産の所在地，受託者の居住地又は営業地，信託の目的及びその目的を達成すべき地などを参酌することとされている（同条約7条）。このような扱いは，通則法のもとでの信託の準拠法を考える際に参考となろう。信託を設定することを約する契約と信託の設定行為そのものとは明確に区別すべきであり，前者は通常の契約であり，ここでいう信託は後者の意味である。このような観点から，信託は設定者による単独行為であって，通則法7条の「当事者」は設定者のみを指すと考えられる。信託を単独行為とし，9条の適用を認めても，契約の解除等に9条を適用する場合と同じく，信託設定者以外のすべての者は同条但書にいう「第三者」になるため，不当な結果は生じないと解される。

なお，信託と物権，信託と相続といった単位法律関係の切り分けが問題となり得る。たとえば，A国法に基づいて設定された信託の対象となる財産がB国に所在する場合，受託者の債権者がその財産を受託者自身のものとして強制執行の対象とすることができるかという問題が生ずる。これは，財産の所有者は誰かという問題であるから，物権の問題として財産所在地法であるB国法により，B

国法が信託財産を受託者自身の財産（固有財産）と区別して特別に扱うことを認めていることがまず必要となり，この前提が満たされた場合に，信託が有効に設定されているかを問題とし，この点についてA国法を適用して判断することになる。実質法上，信託制度を有していない法域は少なくなく，そこでは信託財産の独立性が認められないであろう。それでは信託を用いたビジネスに支障があるため，そのような法域でも信託設定の効力が肯定され，信託財産が受託者の固有財産と区別されて特別の扱いがされるようにしようとしたのが，上記のハーグ信託準拠法条約（締約国数14）である。しかし，日本はこの条約の非締約国であり，一般には，信託制度がない国においては信託財産が受託者の固有財産と区別して特別には扱われないリスクがあることは認識しておく必要があろう。また，相続との関係については，たとえば，信託を活用することによって相続人の遺留分を侵害するような結果となることがある。このような場合，遺留分侵害に該当するかどうかは相続準拠法によって判断すべきであり，その相続準拠法が信託の設定は通常の遺留分制度に優る効力があるとされているときに，信託が有効に成立しているか否かの点のみが信託準拠法によることになると解すべきである。

7 代　　理

代理の問題は取引法においてのみならず，家族法においても問題となるが，ここで一括して扱うこととする。まず，ある法律行為について代理が認められるか否かは，代理される法律行為の性質に関する問題であるので，その法律行為自体の準拠法による。たとえば代理人によって婚姻することができるか否かは，婚姻の成立の問題であり（通則法24条1項）（もっとも，できるとする外国法の適用結果は公序違反となるであろう），委任契約において受任者が代理人を用いることが許されるかは委任契約の効力の準拠法による。

法定代理は一定の法律関係から当然に生ずるものであるから，その発生原因である法律関係の準拠法が適用される。たとえば親権者・後見人の代理権は，それぞれ通則法32条・35条により定まる準拠法による。なお，法人の機関の代表権の問題は，任意代理と類似する面もあるが，実質法上，法人制度の重要性から代表権については特別の公示制度（登記）が設けられているのが通常であるので，国際私法上の扱いとしても，あくまでも法人の従属法によるべきである。

任意代理については，本人・代理人・相手方の各関係に分けて準拠法が論じられる。

第1に，本人と代理人との関係は，任意代理が当事者間の合意によって代理権を発生させるものである以上，授権行為，すなわち通常は委任や雇用のような原因関係の準拠法によって規律されるのは当然であり，通則法7条以下の規定によって準拠法が決定される。

第2に，代理人と相手方との関係，すなわち代理による法律行為自体の成立及び効力の問題は，当該法律行為の性質によって定まる準拠法による。たとえば，代理による法律行為が契約締結であれば通則法7条以下によって，物権の移転であれば通則法13条によって，それぞれ定まる準拠法によることになる。

第3に，本人と相手方との関係，すなわち代理人のした法律行為の効果が本人に帰属するための要件の準拠法については，授権意思と代理意思のいずれを代理権の理論的根拠とするかという実質法上の対立とも関係し，国際私法上見解が分かれている。すなわち，授権行為準拠法説，代理行為地法説，代理行為自体の準拠法説，代理人の営業所所在地法説などがあり，これらを組み合わせる説（百選22事件）もある。

問題は本人の保護と代理行為の相手方の保護のいずれを国際私法上重視するかである。前者を重視すれば授権行為準拠法説になるが，これは相手方にとって不意打ちとなりかねない。他方，相手方にとっては代理による法律行為自体の準拠法であれば自らも関係する法であるので不都合はないが，これでは，本人にとって準拠法の予測可能性の点で問題がある。1978 年のハーグ代理準拠法条約は，相手方と本人の利益のバランスをとって原則として代理人の営業所所在地法によるとしつつ，かなり広く例外を設けて代理行為地法によることとしている（11 条）。しかし，代理人がその営業所から外国に出向いて代理行為を行うような場合，代理人の行為が本人に帰属するかという問題について，代理人の営業所所在地との関係はあまりないように思われる。

いずれの説にも長短があり難しい問題であるが，結論としては，授権行為の準拠法によれば代理権限が認められる場合に加え，その準拠法によれば代理権限が否定される場合であっても，代理行為地法により肯定されるときには代理権限ありとすべきであろう。代理行為地は本人のあずかり知らない地であることもあり，本人保護の観点からは問題となり得るが，その場合の本人保護はその地の実質法に委ねることになる。

なお，上記の第 3 の本人と相手方との間の準拠法は，代理行為の効果が本人に帰属しない場合に，代理人が相手方との関係でいかなる責任を負うかといった問題も規律すると考えるべきである。仮に事務管理・不当利得・不法行為と扱うとしても，通則法 15 条・20 条により，より密接に関係するとして代理行為地によることが考えられる。

8 手形・小切手

手形・小切手は，今日ではあまり利用されなくなっているが，国際取引における決済手段・現金代用手段として利用されることを前提として，1930年・31年に，手形・小切手に関する実質法の統一条約が作成されている（第1章I(b)）。しかし，それらによる実質法の統一ができなかった点が残されたので，同時に，「為替手形及約束手形ニ関シ法律ノ或牴触ヲ解決スル為ノ条約」（昭和8年条約5号）及び「小切手ニ関シ法律ノ或牴触ヲ解決スル為ノ条約」（昭和8年条約8号）が作成され，日本はこれらもあわせて批准し，手形法・小切手法の附則の中でこれを国内法化している（以下，条文の引用では手・小とする）。

手形・小切手能力については本国法が適用され，狭義の反致のみならず，転致も認められる（手88条1項，小76条1項）。また署名地法上能力のあるときは能力者とみなされる（手88条2項，小76条2項）。これは，主として現実の署名地（行為地）の取引保護を定めたものである。

手形・小切手の方式は署名地法によるが（手89条1項，小78条1項），小切手については支払地法上有効であれば有効とされる（小78条1項但書）。手形・小切手法上の先行行為が署名地法上方式に関し有効でなくとも，後の行為の行為地法上その先行行為が有効であるときは，後の行為は先行行為の不適式によって無効とならない（手89条2項，小78条2項）。日本人による外国での手形・小切手行為については特則がある（手89条3項，小78条3項）。

小切手の支払人たる資格は支払地法によるが（小77条1項），署名地法上有効の場合には署名の効力は妨げられない（同条2項）。

為替手形の引受人，約束手形の振出人の義務（手90条1項）及び手形の一部引受け（92条）は支払地法による。ただし遡求権行使期間は振出地法による（手90条2項但書，小79条但書）。資金関係は，為替手形については振出地法，小切手については支払地法による（手91条，小80条6号）。拒絶証書に関する事項も，手形・小切手の効力問題の一部であるが，その行為地法による（手93条，小81条）。

公示催告・除権決定の手続については支払地法による（手94条，小80条8号）。そのほか，小切手については，先日付小切手の効力，一覧払たることを要するか，呈示期間，引受・支払保証の効力，線引小切手の効力，などの問題が支払地法によることとされている（小80条）。

Ⅲ 法定債権

1 不法行為——一般原則

(a) 単位法律関係

通則法17条の単位法律関係である「不法行為によって生ずる債権の成立及び効力」とは，不法行為能力，不法行為の主観的要件（故意・過失等），権利又は法律上保護される利益の侵害，損害の発生，行為と結果の因果関係などの成立の問題と，損害賠償請求権者，賠償の方法，損害賠償の範囲，過失相殺，時効，共同不法行為の連帯責任，損害賠償請求権の移転可能性などの効力の問題とを含むものである。

不法行為と性質決定するとしても，不法行為の数をどうとらえるか，すなわち，単一の不法行為と考えるか複数の不法行為と考えるかという問題がある。最密接関係地を探求する国際私法の目的に照らし，異なる地に密接に関係する複数の不法行為であるととらえ，それぞれについて17条以下を適用すべき場合がある。たとえば，A国のオフィスから一社員が全社員宛に内部情報を拡散させるウィルスを仕込んだ電子メールを送信し，B・C・D国所在のオフィスの顧客情報等が流出する被害が生じた場合，1つとの不法行為ととらえ，かつ，B国での損害が最も大きいからといってB国法を全体に適用するのでなく，B・C・D国それぞれが結果発生地であるととらえてそれぞれの地の法により，当該一社員の行為とそれぞれの地での結果を評価すべきである。逆に，A国で加害行為も結果発生もあった場合，加害行為者のB国所在の使用者の責任が問題となるとしても，1つの不法行為としてA国法により使用者責任を判断すべきである。

特許権侵害について，差止めの請求等は特許権の効力の問題であるが，損害賠償の問題は不法行為の問題であるとした判例がある（カードリーダー事件・百選41事件）。同様に，他人の物の利用等を妨げる行為に対する妨害排除請求は，物権の本質的な効力であると考えられるので，物権という単位法律関係に含まれる問題である。

(b) 不法行為の準拠法についての基本的な考え方

不法行為とは他人の権利を侵害する違法な行為であり，被害者には加害者に対して被害の回復を求めることが認められる。このような不法行為法の目的は，そのような行為がされた地の秩序維持にあるとともに，加害者と被害者との利害のバランスを図る上でも，一般に，不法行為地が最密接関係地であると考えられている。けんかや自動車事故などの不法行為については，不法行為地は明らかである。これに対して，A国にいる者が国境を越えて銃を撃ち，B国にいる者を射殺したような場合，すなわち，加害行為が行われた地とその結果が発生した地とが異なる**隔地的不法行為**の場合には，いずれの地の法によるべきかが問題なる。また，その際，加害行為者の予見可能性を問題としなくてよいのかも問題となる。

現代の高度な文明は新しい科学技術を用いた産業の発展のたまものであり，どの法のもとで責任を負わされるのかが分からない準拠法決定ルールでは，加害者となるおそれのある者が必要以上に萎縮してしまい，進歩が阻害されることは全体としてはプラスとはいえない。そこで，通則法17条は，加害行為地とは異なる地で結果が発生した場合，その結果発生地法によることを原則としつつも，通常予見可能性の要件を置き，加害者が思わぬ法のもとでの責任を負うことがないように配慮している。

このような基本的なルールに対して，不法行為には様々な種類があり，それらを一括して1つの単位法律関係とすることには無理があり，不法行為類型ごとの規定を置くべきであるとの考え方もある。ハーグ国際私法会議は，そのような考え方に基づき，交通事故（1971年）及び製造物責任（1973年）の準拠法に関する条約を作成している。通則法は，生産物責任（18条）と名誉・信用の毀損（19条）について特則を設けている。

さらに別の発想として，加害者と被害者が同じ国に常居所を有している場合には，不法行為地ではなく，その常居所地国法による方がよいのではないかとか，加害者と被害者との間に契約その他の関係があり，その契約等に関連して不法行為が発生した場合には，その契約等の準拠法によるべきではないかとの考えもある。通則法は，これら2つの場合を例示しつつ，一般的な形で，17条から19条までで定まる準拠法に比べて明らかにより密接な関係がある他の地があるときには，当該他の地の法による旨定めている（20条）。

また，不法行為債権は財産上の請求権の1つであり，成立した後は契約債権と別に扱う必要はないとの考え方から，当事者自治を認めるという考えもある。通則法は，この考え方を採用して，当事者による準拠法の事後的な変更を認める規定を置いている（21条）。

以上に加えて，不法行為法は法廷地の公序と深く結びついていると考え，法廷地法の適用を主張する立場も古くからある。通則法22条は不法行為の成立と効力について日本法の累積適用を定めている。不法行為地において適法とされた行為が，法廷地法によって不法行為とされることは妥当ではないため，不法行為地法上，不法行為が認められることを前提として，公序則の特則として，日本法の枠をはめるという発想である。

以上のとおり，通則法17条から22条は，様々な考え方を取り入れたものとなっている。以下，順次みていこう。

(c) 結果発生地主義

通則法17条は，不法行為の準拠法の原則規定であり，「不法行為によって生ずる債権の成立及び効力は，加害行為の結果が発生した地の法による」と定めるとともに，但書において，「その地における結果の発生が通常予見することのできないものであったときは，加害行為が行われた地の法による」との例外を設けている。加害行為地と結果発生地とは同じ地になることが多いが，両者が別々の国になる隔地的不法行為に対応できるように，後者の地を準拠法とすることを原則としつつ，加害者の予見可能性を要件としたものである。

「加害行為の結果が発生した地」とは，加害行為によって直接に侵害された権利が侵害発生時に所在した地である（百選34事件）。交通事故による傷害のように物理的な権利侵害があるタイプの不法行為であれば，結果発生地は明らかである。そのような場合でも，治療費の支払いのため事故発生地国以外の国にある口座の預金を取り崩したとすると，その経済的な損害は別の国で生ずることになるが，そのような派生的・二次的損害の発生地は，ここでいう結果発生地ではない。商品形態を模倣して販売する不正競争行為の結果発生地は，販売先国の市場における営業上の利益の侵害であるので，その販売先国である（百選35事件）。

車でヨーロッパを旅行中，A国のレストランで食べた料理に菌が付着しており，B国で食中毒を発症し，C国で入院したといったケースのように，A国・B国・C国と移動しながら損害が発生していく場合もあり得ようが，それが1つの不法行為であると評価される限り，それらの国のうち，最初に不法行為が成立する国の法が不法行為準拠法とされ，その法に基づいて全体の損害が評価されることになる。

不作為による不法行為における結果発生地は，不作為により損害が発生するおそれがある地である。

生産物責任と名誉・信用毀損については別に規定があるので（18条・19条），17条の適用対象となる隔地的不法行為としては，国境を越えて生ずる汚染行為であって，加害者が特定できる場合やインターネット上での著作権侵害などである。このうち，後者のような拡散型不法行為の場合には，A国でのアップロード行為によってB国のサーバーに情報が書き込まれ，表示されるウェブサイトには，A国・B国のみならず，C国・D国などあらゆる地からアクセス可能であって，被害が拡散することになる。このような場合には，各国にそれぞれ別の著作権が存在する以上，それぞれ別の不法行為を構成し，それぞれの国の著作権法により著作権侵害となるか否か等が判断されると解される。

(d) 加害者の通常予見可能性の条件

17条が結果発生地法によることを原則としているのは，被害者にとっては損害が発生したことが重要なことであり，その原因となる加害行為が国内であったか外国であったかはあずかり知らないことだからである。とはいえ，結果発生地法に固執することは，実質法上，過失責任が不法行為法の原則とされてきたこと（それを前提に注意義務を尽くし，かつ，保険によるリスク・ヘッジがされていること）と相容れない不安定さを社会にもたらすおそれがある。そこで，17条但書は，「その地における結果の発生が通常予見することのできない」ときには，加害行為地法によることとしている。

加害行為地法とは，18条但書では加害者の主たる事業所の所在地法（事業所がなければ常居所地法）とされていることとの対比から考えると，法人による加害行為の場合，法人の行為の統括地である主たる事務所（本店）所在地ではなく，社員が実際に加害行為を行った地をいうと解される。不作為による加害の場合には，作為すべきであった地を指すことになろう。

「予見」の対象は，その地における当該具体的な結果の発生ではなく，その地におけるそれと同種の結果の発生である。つまり，当該特定の被害の発生を予見する必要はなく，そのような被害がその地で発生することが予見の対象である。そして，「通常予見すること」ができるか否かが基準であるので，当該加害者の注意義務を基準とするのではなく，それと同種の行為を行う者に期待される通常レベルの注意義務が基準となる。たとえば，インターネット上の自己のウェブサイトに他人の著作物を掲示すれば，世界中からアクセスすることができ，世界中で著作権侵害の結果が発生することは，ウェブサイトへの掲示行為ができるような者であれば通常予見できると評価される。なお，原因事実発生地法によるという規定であった法例11条のもとでの判例であるが，最高裁は，米国特許権を侵害する製品を日本で製造して米国に輸出したことによる損害賠償請求について，日本での行為により米国特許権侵害を積極的に誘導した結果，米国で権利侵害という結果が生じたのであるから，米国法によるべきであり，輸出者の米国子会社による米国での販売などを予定している以上，米国法の適用は輸出者の予測可能性を害することはないと判示している（ただし，通則法22条1項の前身の法例11条2項により請求は認められないと判示したが，この点についての批判につき，第4章Ⅲ6参照）（カードリーダ事件・百選41事件）。

以上の準拠法の決定は，20条・21条の規定による修正を受ける可能性があり，また，その適用には22条の規定による留保がある。

2 生産物責任

(a) 基本的な考え方

ドイツ製の自動車の欠陥により日本で事故が発生するとか，中国から輸入された野菜の残留農薬により健康被害が発生するといった国境を越えた生産物責任の準拠法について，被害者にとっての関連性の深さと加害者にとっての予測可能性のバランスをとることができる地として市場地法によるとの立法論が提唱されていた（**市場地法主義**）。また，1973年のハーグ製造物責任条約は，①被害者の常居所地，②加害者の常居所地，③物品の取得地，④事故発生地を連結点とし，第1順位として，①＝②又は①＝③のときは①の法，第2順位として，④＝①，④＝②又は④＝③のときは④の法，第3順位として，それ以外のときは被害者に②の法と④の法の選択を認めるという定め方をしている（同条約4条から6条）。これは，連結点を組み合わせて準拠法を決定していく段階的連結と最終段階での被害者による準拠法選択を組み合わせたものである。

以上のことを勘案した上で，通則法18条は，17条の特則として，生産物責任について原則として生産物の引渡地法による旨定めている。

(b) 単位法律関係

18条の単位法律関係は，「生産物……で引渡しがされたものの瑕疵により他人の生命，身体又は財産を侵害する不法行為によって生ずる生産業者……又は生産物にその生産業者と認めることができる表示をした者……に対する債権の成立及び効力」である。「生産物」は「生産され又は加工された物」と条文上定義されているので，工業製品のみならず，農産物も水産加工品も含まれる。飼育・養殖された動物は含まれるであろうが，採取された野生の動植物は「生産」されていないので含まれないが，「加工」されれば含まれる。また，有体物だけではなく，ソフトウェアのような無体物も含まれる。このように，18条の「生産物」は日本の製造物責任法上の「製造物」の定義とは異なるので，日本法が準拠法になる場合，必ずしも製造物責任法が適用されるわけではなく，民法709条以下が適用されることもある。

「生産業者」については，「生産物を業として生産し，加工し，輸入し，輸出し，流通させ，又は販売した者」と条文上定義されているので，生産加工業者のみならず，流通業者も含まれる。

たとえば，A宅でのホームパーティーに招かれていた友人Bが，Aが購入して使用していた電子レンジの瑕疵による火災に巻き込まれて火傷を負った場合，Bを**バイ・スタンダー**（by-stander）という。バイ・スタンダーからの生産業者等に対する損害賠償請求等は18条の単位法律関係に含まれるであろうか。この点，18条は，原則的な連結点として，「被害者が生産物の引渡しを受けた地」という規定振りであり，文言上，生産物の引渡しを受けた者のみが被害者であることを前提としていること，また，実質的に考えても，生産物を甲国で購入したAが，乙国にそれを自分で持ち込んで使用中に，その生産物の瑕疵による事故が発生してバイ・スタンダーの

Bが損害を被った場合，突然巻き込まれたBのその生産物のメーカーに対する損害賠償請求について甲国法が準拠法として相応しいという合理性はないと考えられる。したがって，18条は生産物の引渡しを受けた者（生計をともにする家族は含まれると解される）から生産業者等に対する生産物責任の追及についての準拠法決定に適用され，バイ・スタンダーから生産業者等に対する損害賠償請求等についての準拠法は17条によって定められるべきである。もっとも，このように準拠法を分けることが適当ではないような事情があれば，20条により同じ準拠法を適用する可能性はあろう。

(c) 連結政策

18条は，生産物責任の準拠法は「被害者が生産物の引渡しを受けた地の法」としつつ，例外的に，「ただし，その地における生産物の引渡しが通常予見することのできないものであったときは，生産業者等の主たる事業所の所在地の法」により，生産業者等が事業所を有しない場合にあっては，その常居所地法による旨定めている。

まず，生産物引渡地を連結点としているのは，被害者からも生産業者からも等距離にあり，両者に関係する地としてバランスがとれていることに基づいており，前述の**市場地法主義**を採用したものであるということができる。このことから，その地での引渡しが生産業者にとって通常予測できないものであったときには市場ではないので，その地の法によることは適当でないことになる。18条但書はこのような場合には生産業者等の主たる事業所の所在地法によるとしている。「主たる事業所」とは，主要な生産拠点や最大の収益を上げている事業所ではなく，法人の場合にはその本店所在地を意味する。そして，事業所をもたない生産業者の場合には，主たる事業所の所在地法に代えて，その常居所地法を適用する旨規定されている（18条の最後のかっこ書き）。法人の一般の不法行為においては，結果発生地について通常予見可能でない場合には17条但書により社員が実際に加害行為をした地（工場の所在地など）の法が適用されるのに対して，ここでは，生産物責任という法人の重大な経営責任に関する問題については，法人の活動を統括する地が最密接関係地であるという判断に基づくものである。

たとえば，A国に主たる事業所を有する生産業者甲がB国で生産してC国に輸出したオートバイを，乙がC国で購入して使用した後に中古品業者に売却し，そのC国の中古品業者からD国の中古車業者に転売された後，D国でその業者から丙が購入しD国で使用中にその欠陥による事故が発生した場合，丙がオートバイの引渡しを受けた地はD国であるので，問題となるのは，甲がD国でその生産物が消費者に引き渡されることを通常予見することができたか否かということになる。予見の対象はその地の法が適用されることでも，事故を起こした当該オートバイがその地で引き渡されたことでもなく，その地での同種のオートバイの引渡しである。したがって，仮に甲が同種のオートバイ（型式等の多少の違いは同種と扱って差し支えない）をD国にも輸出していて，D国も市場の1つであれば，予見可能性の要件が満たされ，丙から甲に対する損害賠償請求についてはD国法が準拠法となる。また，甲がC国にだけオートバイを輸出し，D国には輸出していない場合でも，D国が陸続きの隣国であって，D国でも実際にその中古車が広く販売されている場合には，甲にとって，D国での自社のオートバイの引渡しは通常予見できたはずであり，丙から甲への損害賠償請求などにはD国法が適用されることになろう。D国の中古車市場の存在は，甲にとって，C国向けの新車販売にプラスに作用しているはずであり，この結論は，甲にとって不当な結論とはいえないように思われる。他方，仮に，甲はC国向けにはオートバイを輸出し，遠く離れた

D 国向けにはオートバイは輸出していなかった場合において，C 国でオートバイを購入した乙が D 国まで乗って行き，D 国で友人にそれを譲渡した後に欠陥による事故が発生したようなときには，甲にとって，D 国での自社製オートバイの引渡しは通常予見できないというべきであろう。この場合には甲の主たる事業所の所在地である A 国法によることになる。

以上の準拠法の決定・適用について，20 条から 22 条の適用があることは一般の不法行為の場合と同じである。

3 名誉・信用の毀損

(a) 基本的な考え方

日本在住の一個人がカリフォルニア在住の歌手の名誉を毀損する情報をインターネットのサイトに英語で書き込んだ場合，その情報は世界中でみることができ，話題を呼べば，マスメディアがこれを取り上げ，さらに大きく拡散していくことになる。加害者から発せられた情報が，直接又は刊行物・電波・インターネットなどを介して間接的に，本人又は第三者に伝達され，容易に国境を越えて広がっていくため，名誉・信用の毀損は，典型的な**拡散型不法行為**とされ，その最密接関係地法は何かについて従来から様々な見解が表明されてきた。すなわち，情報の発信地法説，被害者の本国法説，被害者の常居所地法説，さらには情報の伝達地ごとに異なる不法行為であるとみて，それぞれについてその地の法を適用する説などである。

この点，通則法 19 条は，17 条の特則として，名誉・信用を毀損する不法行為について被害者の常居所地法によることを定めている。

(b) 単位法律関係

19 条の単位法律関係は，「他人の名誉又は信用を毀損する不法行為によって生ずる債権の成立及び効力」である。厳密にはプライバシーの侵害は含まれないようにも読めるが，国際私法上の概念として各国の様々な制度を包含する意味内容であると理解すべきであり，また，実質的に考えても，異なる連結政策をとることが相当であるとは考えられないので，プライバシーの侵害も19条によると解される。他方，いわゆるパブリシティー権の侵害と呼ばれる問題は，被害者個人の感情や被害企業全体の信用に関係するだけではなく，市場の横取りという側面もあると考えられるので，通常の不法行為(17条）として扱うべきであろう。

(c) 連結政策

通則法19条は，被害者の常居所地法（被害者が法人その他の社団又は財団である場合にあっては，その主たる事業所の所在地の法）によることとしている。これは，その地に被害者の名誉・信用という価値があると一般に想定され，侵害はその地で発生していると考えられるからである。

もっとも，たとえば，ハンバーガー・チェーンを世界中で展開する会社の信用を毀損する情報が，日本のマスメディアの報道によって世界に配信されたことによる損害の賠償の場合，本社直営の店舗の売上減少による損害と，現地法人の経営する店舗の売上減少とを分け，前者については，世界中の直営店の損害をまとめて本社の所在地法によって判断し，後者については，現地法人ごとにそれぞれ現地の法を適用して判断するということは必ずしも適当ではないであろう。また，フランスの俳優の名誉を毀損する日本語の書籍が日本で発売された場合，その出版差止めの仮処分の被保全権利がその俳優の常居所地であるフランス法上の権利であるということは必ずしも適当ではないように思われる。このような場合，通則法20条により，明らかにより密接に関係する地の法として，ハンバーガー・チェーンの例では，一国における損害は，本社直営の店舗の損害であろうと現地法人経営の店舗の損害であろうと，その国の法によるという扱いをし，また，フランスの俳優の例については，日本法が準拠法となるとの扱いをすることが考えられる。

名誉・信用の毀損という不法行為の成立については，言論の自由という憲法的価値との関係についての考え方は各国様々であり，通則法 22 条 1 項により，日本法がその成立を認めない場合には不法行為の成立は認められない。

また，名誉・信用の毀損が認められた場合に救済方法として，謝罪広告や反論請求権が認められるかという問題も，19 条によって定まる準拠法による。ただ，通則法のもとでは，いずれにしても，日本法が認める以上の救済方法は 22 条 2 項により認められない。

なお，その他，名誉・信用毀損には 21 条も適用される。

4 明らかにより密接な関係がある地の法による場合

(a) 個別的な回避条項と一般的な回避条項

通則法 20 条は，例示をしつつ，一般的な形で**回避条項**を定めている。すなわち，「明らかに前三条の規定により適用すべき法の属する地よりも密接な関係がある他の地があるときは，当該他の地の法による」との定めである。例示されているのは，①「不法行為の当時において当事者が法を同じくする地に常居所を有していたこと」，②「当事者間の契約に基づく義務に違反して不法行為が行われたこと」であり，それらが例示であることは，続けて「その他の事情に照らして」と規定されているところから明らかである。これは最密接関係地法の適用の確保を重視する考え方に立脚するものである。この規定の存在によって，不法行為となるかどうか，その場合にどのような責任が発生するかが不明確になり，保険によるリスク・ヘッジがうまく機能しなくなるという弊害や，個別の訴訟の審理が長期化したり，訴訟外での和解交渉において前提とすべき準拠法に関して見解が対立し，円滑な交渉が妨げられるといった懸念がある。例示されている場合に該当すればともかく（これらはいわば閉ざされた不法行為であって，結果発生地の社会に与える影響は限定的であることから，加害者と被害者との債権債務の処理だけに着目し，その当事者に共通する地の法によることが相応しいということができよう），「その他の事情に照らして」別の準拠法が適用されるということはあくまで例外にとどめるべく，裁判実務における慎重な運用が求められる。

(b) 当事者が法を同じくする地に常居所を有していたこと

上記①の例示の典型は，カナダのオンタリオ州での自動車事故により，ともにニューヨークに住む同乗者による運転者に対する損害賠償請求事件である（Babcock v. Jackson, 12 N.Y.2d 473 (N.Y.1963)）。通則法に当てはめると，17条によれば結果発生地であるオンタリオ州法が適用されることになるものの，事故とオンタリオ州との間には必然的な関係はなく，車の中はいわばニューヨーク州の空間であったということもでき，その当事者間の不法行為にはニューヨーク州の方が明らかにより密接な関係がある地であるといえよう。また，カナダのスキー場での衝突事故の当事者が，ともに日本に住む日本人であって，同じツアーでカナダに旅行に来ていたという場合には，同様の状況にあるといえよう（千葉地判平成9年7月24日判時1639号86頁）。しかし，仮に両者が別々に個人旅行としてカナダでスキー中に衝突したような場合には，両者とも日本に常居所を有することの方がむしろ偶然的なことであり，そのようなときには日本が最密接関係地であるとはいえないであろう。

「不法行為の当時において」という限定が付けられている。不法行為の成否を判断するのはその時点であるので，規定するまでもなく，当然のことである。事後的に当事者が同一常居所地を有するようになったとしても，不法行為の準拠法決定を左右しない。不法行為の成否を含む問題を判断する準拠法を定める規定において「不法行為の当時」という不法行為の成立を前提とした要件が置かれていることに違和感があるかもしれないが，不法行為の不成立を判断するのも準拠法に照らしてすることであり，要するに，不法行為準拠法は常に存在し，事態を評価し続けていることになる。

(c) 当事者間の契約に基づく義務に違反して不法行為が行われたこと

上記②の例示の典型例は，運送契約に基づく運送中の貨物の破損事故である。このような場合，かねてから，請求権競合の問題として議論され，一体的に契約準拠法によるとの見解と，契約責任は契約準拠法により，不法行為責任は不法行為準拠法によるとの見解とが対立してきた。この通則法 20 条の規定により，不法行為準拠法を契約準拠法にあわせることが可能になった。しかし，同条は常に発動されるとは限らず，両者の準拠法が別々に適用されることを前提としていることから，後者の見解が採用されているということができる。

この②の例示は，「契約に基づく義務に違反して」された不法行為の場合であり，当事者間に存在するものは契約でなければならず，夫婦関係や親子関係といった法律関係は該当しない。また，契約に関連してされた不法行為では足りず，たとえば，日本の学生とカナダの学生がドイツでたまたま同じローカル・ツアーに参加し，その間に両者の間で傷害事件が発生したような場合，ともにドイツの旅行会社との間で団体旅行契約を締結したという事情があるが，傷害行為はこの契約に基づく義務に違反してされた不法行為ではないので，当てはまらない。

(d) その他の場合

前述のように，通則法20条は上記の①・②の場合を例示列挙しているだけであるので，いずれにも該当しない場合であっても，17条から19条の規定により適用すべき法の属する地よりも明らかに密接な関係がある他の地があるときには，その法を準拠法とすることがあり得る。たとえば，日本に住むイタリア人の夫婦けんかについて，日本よりもイタリアがより密接に関係すると判断され，イタリア法によることがあり得る。

いずれにしても，20条は安易に発動すべきではなく，17条から19条により与えられる法的安定性と20条による具体的妥当性（個別の事情による最密接関係地法の適用）とのバランスを崩すことがないよう，「明らかに」という要件の具備を厳しく適用し，裁判をしてみないと準拠法が決まらないという事態（社会コストが増大する）にならないように注意すべきである。

5 当事者による準拠法の変更

かつては不法行為の準拠法は客観的な連結点を介して決定されるのが当然であると考えられていたが，今日では，不法行為債権は財産上の請求権であるので，契約債権と同様に当事者自治を認める旨の規定がEUの規則などにみられる。しかし，これに対しては，次のような批判がある。すなわち，①実質法上，不法行為債権についての任意の処分（和解や放棄）が認められるからといって，それは不法行為準拠法上のことであり，国際私法上の当事者自治に結びつくわけではないこと，②不法行為においては，加害者と被害者との間では利害が激しく対立し，準拠法の変更がもたらす有利不利を踏まえて変更合意がされることは稀であると考えられること，③準拠法の変更により不利になったことに気が付いた当事者が錯誤無効等を主張する場合には混乱が生ずること，④経済的能力に差がある場合には，法的サービスを受けることができる一方の当事者のみが準拠法変更の得失を踏まえて有利な結果を得ることができる準拠法が適用されるように準拠法変更の合意を他方からとりつけるおそれがあること，⑤実質的に考えても，当事者間で和解交渉ができるのであれば，17 条等により客観的に決定される準拠法を前提として，賠償金の支払い等について合意すればよいはずであり，不法行為準拠法の変更合意という中途半端な合意を認める必要性はないこと，以上のことから不法行為準拠法の事後的変更を認めること，いわんや遡及的変更を認めることは妥当ではないとの批判である。

このような中，通則法 21 条は，「不法行為の後において」当事者が準拠法を変更すること，そしてその変更は遡及効があることを認めている。

国際契約の中には，「この契約に関する一切の事項（不法行為請求も含む）はフランス法による」といった条項がみられることがあるが，これは，両当事者が商業活動に従事し，自由な交渉を経て契約が締結されたことを条件に，事前の明示の準拠法指定を認める EU の規則（ローマⅡ規則 14 条）を前提とするものである。しかし，日本では，このような事前の不法行為の準拠法指定をするかっこ書きの部分の効力は認められない。21 条が認めているのは，事後的変更のみである。

不法行為の準拠法の変更に関しては，通則法 26 条 2 項が夫婦財産制の準拠法指定について要求されているような国際私法上の方式はとくに設けられていない。黙示の変更も準拠法変更も認められる。とはいえ，準拠法変更の前後で当事者の権利義務が同じであることはあり得ず，有利不利が生ずるので，安易な準拠法変更の合意をすべきではない。また，弁護士はより当事者の利益を害するという弁護過誤を犯すことがないように注意すべきである。21条は，9条と同様，実際上，日本での裁判において，17条以下の規定により外国法が準拠法であるにもかかわらず，両当事者が日本法を準拠法とする黙示の合意をしているとして，日本法による判断をするという機能を果たすことが多いであろうが，裁判所としては，準拠法の黙示の変更になるような訴訟活動に対しては，そのように扱ってよいかどうかを確認するという慎重な態度が望まれる（その他，第4章Ⅱ1(e)参照）。

21条但書は，「第三者の権利を害することとなるときは，その変更をその第三者に対抗することができない」と定めており，変更後の準拠法が契約の当初に遡って適用されること（遡及効があること）を前提としている。たとえば，責任保険を引き受けている保険会社の権利を害するような準拠法の変更は認められない。この規定の存在は，準拠法の変更合意が遡及的な準拠法変更をデフォルト・ルールとしていることを示している。もちろん，当事者が別段の合意をして，遡及効がない準拠法変更をすることは可能であると考えられる。

6 日本法の適用

不法行為は，犯罪ほどではないとしても，社会秩序との関係が緊密であり，自国の裁判において，自国の不法行為法制と異なる外国不法行為法を適用して，自国では不法行為でないことを不法行為とし，また，自国には存在しない救済方法や自国の水準を超える救済を与えることは，法廷地の社会秩序にとって容認しがたいと考えられる。しかし，法廷地の社会秩序維持は公序則によって守ることが可能であり，不法行為についてだけ，法廷地法の累積適用をする必要はないともいえよう。英国では，伝統的に，double actionability

と呼ばれる原則により，自国の不法行為法を累積適用していたが，1995年法によりこれを原則として廃止し，現在では名誉・信用毀損についてだけ維持されている（言論の自由との関係が存置理由とされている）。

このような中，通則法の制定過程では削除論も相当に有力であったが，通則法22条は，法例11条2項・3項をそのまま引き継ぎ，不法行為の成立及び効力について日本法の累積適用を定めている。この背景には，マスコミ業界からは，外国の要人のスキャンダル報道等について，名誉毀損等が当該外国法のみによることの萎縮効果の指摘があったが，それを超えて，不法行為一般について日本法の累積適用がされる点は上記の英国の国際私法とは異なる。

通則法22条1項は，「不法行為について外国法によるべき場合において，当該外国法を適用すべき事実が日本法によれば不法とならないときは，当該外国法に基づく損害賠償その他の処分の請求は，することができない」と定めている。これは，同種の行為が日本法のもとでは不法行為を構成しないとしている場合には，不法行為地法の成立を認めないという趣旨であり，不法行為の成立要件のすべてについて累積的適用を認めるものである。

日本からの行為により米国特許権を侵害したことが米国法によれば不法行為となるとしても，日本の特許法は属地主義であり，外国からの日本特許権の積極的誘導行為を違法としていないとの理由で，通則法22条1項の前身の法例11条2項を適用して，不法行為の成立を否定した判例がある（カードリーダー事件・百選41事件）。しかし，22条1項が問題としているのは行為の悪性（違法性）自体であって，法の地域的適用範囲は視野の外におくべきである。日本における不法行為の準拠法の決定にあたって法の地域的適用範囲を問題とすること自体が的外れであり（地域的適用範囲は公法についての問題である），また，本件ではすでに準拠法としては17条以下で処理済みであって，米国法との結論が出ていることだからである。したがって，この最高裁判決は，日本の国際私法に従って米国法によるとしながら，米国法が当該事案に域外適用してくることは認められないと判断したという自己矛盾に陥っているというほかない。

通則法22条2項は，「不法行為について外国法によるべき場合において，当該外国法を適用すべき事実が当該外国法及び日本法により不法となるときであっても，被害者は，日本法により認められる損害賠償その他の処分でなければ請求することができない」と定めている。たとえば，懲罰的損害賠償制度（実際に被害者が被った損害の賠償に加え，悪性の高い不法行為の発生を防止するという一般予防のために制裁として高額の賠償を命ずる制度）を有する法が準拠法となった場合でも，日本ではこれを命ずることはできない。ただ，これについては，そもそも懲罰賠償を認める法は，通則法の対象とする私法には属さないとの見方もできよう。

学説の中には，補償的損害賠償であれば，その額については制限できないとの見解がある。しかし，解釈論として，「日本法により認められる損害賠償その他の処分」という文言を，額を除外した方法のみに限定して解釈することは無理であろう。したがって，日本法上認められる金額以上の賠償が与えられることはない。他方，準拠外国法により与えられる賠償額があまりにも低額である場合には，22条2項の適用はないものの，42条の公序則（22条を**特別留保条項**と呼ぶのに対して，**一般留保条項**と呼ばれる）が発動されることも考えられる。

7 事務管理

法律上の義務としてでなく他人の事務を管理する者があった場合，

社会公益上，一方で管理行為を継続させ，他方で本人にその管理費用を償還させる事務管理制度は各国でみられる。通則法 14 条は，事務管理によって生ずる債権の成立及び効力は，「その原因となる事実が発生した地の法による」と定めている。たとえば，領海内での契約によらない海難救助については，領海所属国の法による（百選 32 事件）。

その上で，通則法は，事務管理の準拠法についても，不法行為についての 20 条及び 21 条と同様の考慮から，15 条において，14 条に対する回避条項として，「その原因となる事実が発生した当時において当事者が法を同じくする地に常居所を有していたこと，当事者間の契約に関連して事務管理が行われ又は不当利得が生じたことその他の事情に照らして，明らかに同条〔14 条〕の規定により適用すべき法の属する地よりも密接な関係がある他の地があるときは，当該他の地の法による」と定め，また，16 条において，「当事者は，その原因となる事実が発生した後において，事務管理又は不当利得によって生ずる債権の成立及び効力について適用すべき法を変更することができる」としつつ，「ただし，第三者の権利を害することとなるときは，その変更をその第三者に対抗することができない」との留保を設けている。

8 不当利得

法律上の原因なく他人の損失において利得した者に対し，その利得を償還させる不当利得制度は各国に存在する。通則法 14 条は，事務管理と同じ単位法律関係とし，原因事実発生地法により，15 条の回避条項及び 16 条の当事者による準拠法変更条項の適用がある。

契約の無効や贈与の撤回による巻き戻しのように，不当利得は何らかの法律関係に関連して生ずることが少なくないため，15条の適用機会は比較的多いであろう。なお，法例のもとでは，たとえば，契約が無効となった場合に必要となる後始末の問題は，契約の問題に含まれ，その契約を無効とした準拠法によるとの見解もあったが，通則法のもとでは，そのような性質決定問題は，理論上はともかく，多くの場合，実際上は15条によって解消されたことになる。

Ⅳ　債権譲渡その他

(a)　序　説

契約等の法律行為によって生ずる債権であれ，事務管理・不当利得・不法行為によって生ずる債権であれ，債権譲渡，債務引受けなどによって第三者が関係してくる場合や，同一当事者間でも相殺のように別の債権との関係で問題となるような場合については，準拠法決定は基本的に同じようにされる。

(b)　債 権 譲 渡

債権譲渡においては，いくつかの異なる準拠法をもつものが関係する。まず，①譲渡対象債権がある。それが，たとえば契約に基づくものであれば7条以下により，不法行為に基づくものであれば17条以下により定まる準拠法を有する。次に，②譲渡人と譲受人との間の契約によって，その譲渡対象債権の債権者の地位を移転する約束がされる。これは譲渡対象債権とは別個の契約であって，その準拠法は7条以下により決定される。そして，③譲渡対象債権が債務者及び第三者との関係でも対世的に譲渡人から譲受人に移転するか否かという問題がある。

この③の点について，譲渡の対象が債権ではなく土地であれば，その物権的移転は，②とは区別され，通則法 13 条によりその所在地法によることになる。このことを踏まえ，債権を目的物とする質権（債権質）について，「目的物が財産権そのものであつて有体物ではないため，直接その目的物の所在を問うことが不可能であり，反面，権利質はその客体たる権利を支配し，その運命に直接影響を与えるものであるから，これに適用すべき法律は，客体たる債権自体の準拠法による」とした判例がある（百選 37 事件）。通則法 23 条が，債権譲渡の債務者その他の第三者に対する効力（対抗要件）について規定し，これを譲渡対象債権の準拠法によることとしているのは，上記の判例と同様の考慮に基づくものである。債権質が債権を目的物とする担保物権であるように，債権譲渡は債権の所有権の譲渡であるので，これは自然なことである。

以下，いくつかの個別の問題についてみていこう。①対象債権の譲渡可能性（一身専属的か否か）については，譲渡対象債権の性質の問題であるので，その準拠法による。②譲渡対象債権の債権者・債務者間で譲渡禁止特約がある場合，それが当該債権者・債務者間で有効か，当該債権の譲受人をも拘束する効力があるかなどの問題も，譲渡対象債権の性質を変更できるかという問題とみることができるので，譲渡対象債権の準拠法による。③債権譲渡の譲渡人・譲受人間における実質的成立要件及び成立時期は，通常の取引と同じく，彼らの間の契約である債権譲渡契約による。もっとも，有体物の物権の移転についてと同様に，対象債権の準拠法が譲渡当事者間においても何らかの要件具備を要求している場合には，その要件を具備しない限り，当事者間での対象債権の移転も生じないことになる。④譲渡対象債権に付けられた保証や担保物権が債権譲渡に伴って譲受人のために移転するかという問題については，譲渡対象債権は単に保証や担保物権の目的にすぎないので，もっぱら，保証契約の準拠法，担保物権の準拠法によるべきである。

さて，かつては，債権譲渡の（債務者その他の）第三者に対する効力の準拠法について，法例12条は債務者の住所地法によるとしていた。これは，債務者の住所地が債権という財産の所在地であるとの考え方にも沿うからであると説明されていた。しかし，資産の流動化が要請されるようになると，集合債権譲渡（たとえば，個人がクレジットカードで支払いをした際に店が取得する債権をクレジットカード会社に譲渡し，同会社から個人に請求するような取引）において債務者の住所をいちいち特定しなければ，どこの国の法に基づいて債権譲渡の対抗要件を具備すればよいか分からないというのでは困る。

そういった状況を踏まえ，通則法23条は，法例12条を改正して，譲渡対象債権の準拠法による旨定めている。しかし，これでは，たとえば，個人がパリのレストランの支払いをクレジットカードでした場合にレストランが取得する債権の準拠法はフランス法になり，その個人が日本で同じカードを使えば，日本法が債権準拠法となることから，クレジットカード会社が譲渡を受ける際の対抗要件はフランス法によるものと日本法によるものとが混在することになり，上記の集合債権譲渡の対抗要件の準拠法がバラバラになるという問題は解決されない。それでも，ビジネス上は債権回収ができないリスクに比べれば，債権譲渡の対抗要件が問題となるリスクは限りなく小さいとされ，通則法23条が経済的混乱を生じさせている事実はない。

23条のもとでは，将来債権譲渡（たとえば，日本営業所が日本の顧客への販売によって将来の一定期間内に生じる債権という定型性がある債権を対象とする一括譲渡）の場合には，まだ債権が発生していないので，譲渡対象債権の準拠法も未定のはずであるが，そのような取引の対象債権は一定の枠内のものが予定されていることから，その準拠法が日本法となることが予定されているのであれば，日本法が将来債権譲渡の債務者その他の第三者に対する効力の準拠法となると考えられる。

なお，通則法には債権譲渡の債務者その他の第三者に対する効力についての準拠法の規定があるだけであるが，1つの債権をめぐって，その譲受人，権利質権者，相殺権者，代位債権者などが争うこともあり，同一の準拠法に照らして判断しなければそれらの者の間の優劣は決められないので，既述の権利質のほか，相殺，債権者代位などにおける対抗要件の準拠法は，後述のように，23条と平仄を合わせて考えていかなければならない。

(c) 債権の法定移転

法律上一定の原因があれば当事者間の約定がなくても債権が移転する場合がある。たとえば，主たる債務者に代わって弁済をした保証人への債権の移転（弁済代位）や，保険契約により被害者に損害保険金を支払った保険会社への損害賠償請求権の移転（保険代位）などである。通説によれば，その移転原因である法律関係，すなわち，上記の例では，保証契約や保険契約の準拠法によるとされる。しかし，債務者にとっては債権者が第三者と締結しているそのような契約の存在も内容もあずかりしらないことであり，その契約の準拠法により移転するとされていれば債務者との関係でも移転するとの扱いはできないはずである。そのような原因による債権の移転可能性の問題はその債権自体の準拠法によるべきであり，その準拠法であるA国法が保険代位を認めていれば，保険契約が自身の準拠法であるB国法上有効であることを前提に，A国法により法定移転すると考えるのが筋である。また，債権の法定移転の債務者その他の第三者に対する効力が債権譲渡の対抗要件が問題となる者との間で競合することもあり得ることから，後者が通則法23条による以上，前者も同条を準用するほかなく，このことは上記のことと整合的である。

(d) 債務引受

債務引受は，債権譲渡とは逆に，契約による債務者の交代であり，債権者に対する影響は大きい。元の債務者と引受人と債権者の三者関係にさらにその債権者の債権者も関係してくる点は債権譲渡と同じであり，債務引受にあたって，債権者その他の第三者との関係でとるべき措置やその効力などは，引受対象債権の準拠法によるべきである。

(e) 相　殺

相殺は，実質法上，英米法系では訴訟法上の制度として法廷地法によるとされており，これを実体法上の制度とする大陸法系と対立している。

通則法には相殺の準拠法に関する規定は存在しないが，通則法23条との関係が重要であり，以下のように考えられる。自働債権（反対債権）がその準拠法上有効であることを前提とし，相殺は受働債権の準拠法のみによればよいとの説が最近では多数説である。その理由は，①相殺は反対債権の利用による弁済であると考えることができること，②実質的に考えても，相殺が問題となる状況においては，多くの場合，自働債権はその債務者の経済状況の悪化により価値が低下していることもあり，経済的価値を有している受働債権に法律関係の重心があること，③相殺の担保的機能を考えると，相殺を直接の相手方のみならず，その相手方の債権者等の第三者に対抗できるかという問題が生じ，この中には相殺の相手方から債権譲渡を受けた譲受人が含まれるところ，その債権譲渡の債務者その他の第三者に対する効力については23条が譲渡対象債権の準拠法によると定めており，同じ準拠法を適用しなければ優劣の比較ができないこと，以上である。この受働債権準拠法説によれば，受働債権の準拠法上相殺できるのであれば，たとえ自働債権の準拠法によれば相殺はできないとしても，自働債権も消滅することになる。

なお，相殺においては，相対立する２つの債権が存在し，それがともに消滅するものである以上，両債権の準拠法を累積適用して，両準拠法がともに認める場合にだけ相殺が認められるとするのがかつての通説であったが，これはいずれの債権も消滅する以上はその準拠法によるほかないという形式的理由によるものであり，支持を失っている。

(f) 債権者代位権

かつての通説によれば，債権者代位権は，代位する債権者の有している債権の効力であると同時に，代位対象債権の運命にかかわる問題であるから，両債権の準拠法を累積適用すべきであるとされていた。また，この場合の第三者の保護の必要性はあまり高くないとの理由から，代位対象債権の準拠法を考慮する必要はなく，もっぱら代位する債権者の有している債権の準拠法によればよいとの少数説もあった。これらはいずれも債権者代位の問題は代位する債権者の有している債権の効力（債権の対外的効力）であるという見方に基づくものである。

しかし，最近の多数説は，代位対象債権の準拠法によるとしている。その理由は，①債権の対外的効力という見方はあり得るとしても１つの見方にすぎず，代位対象債権を誰が行使できるのかという見方をすれば，代位対象債権の準拠法こそが重要であること，②債権者代位が問題となる状況では，通常，代位対象債権の債権者の経済状況は悪化しているので，その債権を誰が取得するのかが問題の重心であること，③代位債権者が複数登場することもあり得るし，また，代位対象債権を譲り受けたと主張する者，自己の有する債権と相殺したと主張する者なども登場することがあり，それらの者の優劣を決するには，当該債権の譲受人等との関係での対抗要件の準拠法を当該債権の準拠法と定める通則法23条に準じて，すべて当該債権（債権者代位との関係では代位対象債権）の準拠法によるほかないこと，以上である。

(g) 詐害行為取消権

詐害行為取消権（債権者取消権）についても，かつての通説は，それが取消しを求める債権者の有する債権の効力であり，かつ，取り消される法律行為（契約など）の運命の問題であるから，両債権の準拠法の累積適用が主張されていた。しかし，詐害行為をしたとされる当事者が準拠法を決めることができる法律行為の準拠法によることは適当ではない。詐害行為の当事者が，詐害行為取消権制度がないか，あるいはその行使の要件が厳格な法律を準拠法と指定しておけば，後で取り消されることはないということになってしまうからである。

では，いずれの法律によるべきであろうか。詐害行為の対象となった財産の帰属がここでの問題の中心であり，したがって，財産の所在地（詐害的に所在地を変更することも考えられるので，詐害行為がなければ所在したはずの地）の法律によるべきである。

なお，詐害行為取消権が問題となる状況では債務者が倒産してしまうことも少なくない。そのため国際倒産法上の否認権の準拠法との関係が問題となり，それが同一であることは法的安定性をもたらす。しかし，倒産は公益に深くかかわるものであり，否認権は倒産開始地法によるとの見解が一般的である。そうすると，詐害行為取消権の準拠法と一致するとは限らない。倒産という事態は状況を一変させる大事であり，これを境に国家による介入として絶対的強行法規に基づく法律状態の変更がもたらされることはやむを得ないと考えられる（第5章Ⅴ[2](a)）。

Ⅴ 物　権

(a) 物権の準拠法についての考え方

かつて法規分類説（第1章Ⅲ(a)）において，物に関する法は属地的に適用されると考えられていたことは，動産・不動産に関する物権はその所在地法によることと結果においては同じであり，自然な発想に支えられているということができよう。通則法13条もこのことを定めている。

(b) 単位法律関係

物権の問題としては，動産・不動産，主物・従物の関係，物権の種類・内容・効力などがある。より具体的には，所有権の内容，即時取得が認められるか，共有物分割禁止特約の有効性，留置権を物権として認めるか，認めるとしてその効力は何かなどである。また，妨害排除請求権など物権の本質的効力と考えられるので，不法行為の問題ではなく，物権の問題（物権的請求権と呼ばれる）と考えられる。他方，物権の利用が妨げられたことによる損害賠償のような問題は不法行為の問題である。

通則法13条は動産・不動産に関する物権のみならず，「その他の登記をすべき権利」も単位法律関係に含めている。これは，不動産の買戻権（民法581条），不動産賃借権（同法605条）のように，債権であって登記することにより物権的効力の認められるものである。これらは，本来債権であるから債権準拠法の適用を受けるが，それが物権的効力を認められるための手続や物権としての効力については目的物の所在地法によるとの趣旨である。しかし，国際私法上は単に物権といえば済むことであり，日本民法の規定に引きずられている悪例である。なお，「動産又は不動産に関する」という語は「その他の登記をすべき権利」という語にもかかっているので，特許や商標などは含まれない（第4章Ⅵ(b))。

相続との関係で，相続人の一部が，遺産分割前に他の相続人の同意を得ることなく不動産の所有権を第三者に譲渡したことが有効か否かという問題について，相続人相互の間での無断譲渡の可否の問題は相続の問題であるが，第三者に譲渡したことの有効性の問題は物権の問題であるとした判例がある（百選1事件)。

(c) 連結政策

物権関係の連結点としての目的物の所在地とは，目的物の物理的所在地であるから，通常はその決定に困難な問題は生じない。特別の考慮を要するのは次の場合である。

(1) 船舶・航空機など　船舶・航空機・列車・自動車のような運搬手段は常時移動するものである。たとえば船舶は，寄港地は単に一時的な所在地であって，固定的な関係はなく，また，公海上では所在地に法がない。このような事情から，船舶などについては，その**登録地法**が適用される（百選24事件)。通常，船舶などは登録地の国籍が認められ，その国旗を掲げることができるので，登録地法は**旗国法**ともいう。もっとも，現在の海運界においては，パナマやリベリア船籍のような**便宜置籍船**が多数あり，旗国法主義に対しては疑問が提起されるようになってきている（百選25事件)。

ドイツで登録されていた自動車がイタリアで盗まれ，外観上，登録抹消をした中古車として中東から日本に輸入され，これを善意で購入した者に対してドイツの保険会社が保険代位により所有権を取得したと主張してその引渡しを求めた事件において，最高裁は，運行の用に供されている自動車の物権関係は利用の本拠地法によるとしても，運行の用に供し得ない状態で取引の対象とされている本件の自動車については現実の所在地法によるとし，日本法により即時取得を認める旨判示した（百選23事件）。

⑵ **移動中の物**　船舶などの運搬手段によって運送中の貨物の物権問題について，物権法上の法律効果を判断すべき法律をそれが積まれている船舶などが現実に通過中の国の法とすることの妥当性は疑わしい。そこで，このような場合には，運送品の到着予定地法である**仕向地法**によるとされている。仕向地が目的物の予定された将来の所在地であって，その物権変動と最も密接な関係のある地であるからだと説明されている。また，このような移動中の物（貨物）について，船荷証券，貨物引換証などが発行されている場合，それらの証券の基礎となっている契約の準拠法は通則法7条以下により定まることになるが（証券の裏面約款に準拠法条項が規定されていることが多い），そのような証券の譲渡によって貨物の所有権も譲渡されたものと扱うか否かは，貨物の物権準拠法によるべきであり，貨物が移動中であれば，仕向地法によるとされる。

もっとも，実際に問題となるのは船舶が寄港した際に貨物が差し押さえられたような場合であり，もはや行くことがなくなった仕向地によるべき理由はなく，現実の所在地法によるべきである。

⑶ **法律のない場所**　南極，公海の下の深海底，宇宙空間など法律のない場所に所在する物がある。観測資材，海底ケーブル，石油・ガスパイプライン，人工衛星などである。このような場所にある物の物権関係については，所有者の本国法によるとの見解もみられるが，そもそも所有権をどこの法で判断するかがここでの問題であって，これではなんら解決にならない。現状では，目的所在地に法が存在しない以上，これらの物について物権は存在しないといわざるを得ず，国際公法により解決が与えられれば格別，そうでなけ

れば事実上の支配力に頼るほかない。

(d) 担保物権

かつての通説によると，担保物権については，先取特権など法律上当然に与えられる法定担保物権と抵当権のように当事者の約定を前提とする約定担保物権とに分け，基本的には目的物所在地法によるのであるが，法定担保物権についてはこれが被担保債権の保護のためのものであってその効力ともみることができるとし，被担保債権の準拠法と目的物所在地法とがともに成立を認めるときにのみ成立する（累積適用）とされていた（効力は目的物所在地法による）。そして，約定担保物権については，当事者の約定を原因として設定され，被担保債権はその目的にすぎないので，もっぱら目的物所在地法のみによるとされていた。以上の考えに従った裁判例もある（百選 25 事件）。

しかし，法定担保物権が被担保債権の効力でもあるという見方は，債権と物権とを峻別している通則法のもとの単位法律関係のあり方に反することであり，法定担保物権は目的物の物権問題として特定の類型の債権者に物権的保護を与えるものであると考え，目的物所在地法によるべきである。大審院は，債権がその準拠法によって成立していることを前提に，目的物所在地法により留置権が認められることを要すると判示しており，被担保債権の準拠法により担保物権が成立することは要求していないので，この立場に立つものである（大判昭和 11 年 9 月 15 日新聞 4033 号 16 頁）。このように考えると，そもそも法定担保物権と約定担保物権とを区別する必要もなくなり，また，物権と担保物権とを分けて論じる必要もないということになり，通則法 13 条の規定ぶりと整合的である。

なお，権利質は有体物ではなく，所在地を問うことができない財産権を客体とするものであり，反面，客体である財産権を支配してその運命に直接影響を与えることから株式，債権などの財産権自体の準拠法によるべきであるとするのが判例である（百選37事件）。

(e) 法律行為による物権変動

通則法13条2項は，1項の規定にかかわらず，物権の得喪は，「その原因となる事実が完成した当時におけるその目的物の所在地法による」と規定している。すなわち，13条1項は，その時々の所在地法によるという変更主義を定めているが，売買，贈与などの法律行為による物権の得喪については，「原因となる事実」である意思表示や引渡しなどの行為がされた当時の目的物の所在地法に固定されるということである（所在地が変更される場合の扱いは後述(g)参照）。何が「原因となる事実」かは準拠法を適用してみなければ分からないので，その時々の目的物所在地法上，物権変動が生じているか否かが継続的にチェックされることになる。

なお，「動産又は不動産に関する物権及びその他の登記をすべき権利を設定し又は処分する法律行為の方式」（物権的法律行為の方式）については，通則法10条5項により，行為地法によることはできず，13条2項が定める準拠法による。

(f) 法律行為によらない物権変動

遺失物拾得，無主物先占，埋蔵物発見，付合，加工など，効果意思を伴わない行為や自然的事実による物権変動も「得喪」であるので，通則法13条2項により，原因となる事実の完成した時の目的物の所在地法による。

問題となるのは，これらの行為や事実が一定期間継続することが要求されているときに，その期間の途中で目的物の所在地の変更が生じた場合である。取得時効のほか，遺失物拾得の場合の落とし主の返還請求権の消滅などについても問題となる。通則法の解釈論としては，現在の（=最後の）目的物の所在地法によるとするのが通説である。継続的に物権変動が生じたか否かをチェックするために適用されている所在地法があり，旧所在地法では物権変動は生じなかったところ，現在の所在地法が定める期間を満たしたために物権変動が生ずることになるからである。時効の更新・完成猶予についても，その事由の発生当時の所在地法による。

(g) 所在地の変更による物権の効力

通則法13条2項により，所在地法によって適法に成立した物権は，その後所在地を変更してもその成立は認められる。しかし，いずれの国も自国法の知らない物権を認めることは社会に混乱を生じさせるので，認めない（物権法定主義）。その結果，新所在地法上の同様の物権があれば，その物権として認められるものの（新所在地法上の同様の物権としての効力が与えられるので，旧所在地法上の効力に比べて強くなることもあれば，弱くなることもある），同様の物権がなければ，新所在地法上はその効力を認められない。たとえば，日本に所在する物について日本法上成立した留置権について，かかる権利を物権として認めない国に目的物が移動した場合には認められない。しかし，このことはその物権が消滅することを意味するわけではなく，目的物が旧所在地に戻った場合や，そのような物権を認める地に移された場合には，その物権が復活することになる。また新所在地に同様の物権が存在している場合には，新所在地法に従った内容が認められる。新所在地法が物権の主張について一定の要件を具備することを要求しているときには，これを充足しなければ物権としての主張は認められない。たとえば，目的物の引渡しを要しない地において引渡しをすることなく成立した質権は，その目的物が日本に移動した場合には，引渡しがなければ質権の主張はできない。

以上をたとえていえば，旧所在地法上の物権は新所在地法上の類似の物権に「翻訳」できればその新たな内容を有し，翻訳できなければ当面は「眠る」が，さらに所在地の変更があれば「起き上がる」こともある，ということである。船舶物権の準拠法である旗国法が変動した場合につき，船舶上に有効に担保物権が成立したか否かを設定当時の旗国法により判断し（第4章V(c)(1)），その担保物権の効力を現在の旗国法によって判断した裁判例がある（秋田地決昭和46年1月23日下民集22巻1=2号52頁）。

Ⅵ　知的財産権

(a)　国境を越える知的財産権問題

知的財産権は，社会にとって価値がある一定の知的な創作活動のために投下した労力に見合う経済的利益を確保することを可能として，知的活動を奨励し，社会を豊かにするための制度である。保護対象は情報であるので，容易に国境を越え，いったん流出すれば，第三者が容易かつ広範に模倣・複製するおそれがある。そのため，知的財産権の国際的な保護の必要は早くから認識され，1883年の**工業所有権保護に関するパリ条約**（パリ条約），1886年の**文学的及び美術的著作物の保護に関するベルヌ条約**（ベルヌ条約）といった各国の知的財産法の統一を目指した条約が締結され，その後も，1996年のWIPO（世界知的所有権機関）著作権条約，WIPO実演・レコード条約が作成されるなど，条約による法の統一に向けた努力が続けられている。

しかし，現状では，各国の知的財産権保護ルールは同一であるとは言いがたく，いずれの国の法律が適用されるのかにより結果が異なることが少なくないため，準拠法が問題となる。国際私法上の扱いとして，特許権や商標権のように，国家の関心度が高く，国家行為（行政処分）により創設され，登録制と結びついている産業財産権の系統の権利と，より私権の色彩が強く，原則として登録制は採用されていない著作権・著作隣接権の系統の権利とを区別する必要がある。前者の権利の成立とその本質的な効力については国際私法の対象外であると考えられ，当然に権利を創設した国の法による。このような国家利益の大きさを反映して，国際裁判管轄ルール上も，設定の登録により発生する特許権などの存否及び効力（有効性）に関する訴えは登録国の専属管轄とされている（民訴法3条の5第3項）。他方，後者の著作権などの準拠法は私法の枠組みでとらえられ，裁判管轄に関しても特別の扱いはされていない。

(b) 特許権・商標権等

特許権等は，**国家行為**としてそれを創設するのであって，当然に，その国家の法による。これは，法人格の付与は法人を設立する国の国家行為の産物であって，成立の準拠法という問題の立て方をすることが不適切であり，当然に当該設立国の法によることと同じである。特許権の成立，効力などについて，条理により，登録国法によるとした最高裁判決があるが（カードリーダー事件・百選41事件），その原審判決のとおり，準拠法決定の問題は生じる余地がないというべきである。

特許権等の本質を上記のようにとらえると，特許権についての**独立の原則**（パリ条約4条の2）や，**属地主義**（同条約5条の3）（特許法69条2項が「日本国内」と限定を付しているのはこれを前提とするものである）などは当然に導かれることになる（百選40事件）。米国特許法のように域外適用を認める法制もあり，そのような法の側から地域的適用範囲を決めようとする発想も公法的なものである。そして，特許権の本質的な効力の一部と考えられる差止請求権の有無・内容などの問題は，当該特許権を与えた国の法によることになる。これに対して特許権等の侵害による損害賠償請求については，特許権等は侵害される権利の1つと扱って，不法行為法による評価に委ねて差し支えなく，通則法17条以下の規定で定まる準拠法によるべきである。

他方，職務発明に関する日本の特許法35条の規定が外国特許又は外国で特許を受ける権利についても及ぶかという問題は，これを特許法の中に特許権者の規定との関連で位置づける限り，属地主義の原則から否定的に解されることになる。これに対し，判例は，日本の特許法の職務発明に関する35条を外国特許を受ける権利の譲渡に伴う対価に適用することは文理上困難であるとしつつも，発明者を保護するという法政策は妥当させるべきであるとして，同条の類推適用を認めている（百選42事件）。しかし，外国特許法上，そもそも従業員は発明者とされないこともあり，外国特許権について特許法35条を適用することは多くの問題を惹起しかねない。したがって，判例の立場には賛成できない。

(c) 著作権

ベルヌ条約5条2項第3文は，著作権の「保護の範囲及び著作者の権利を保全するため著作者に保障される救済の方法は，この条約の規定によるほか，専ら，保護が要求される同盟国の法令の定めるところによる」と定めている。この規定の解釈をめぐって，これは法廷地実質法によることを定めるものであるとの見解，法廷地国際私法によることを定めるものであるとの見解などがあるが，前者によれば，国際裁判管轄ルールにより法廷地となり得る国ごとで異なる扱いがされることを認めることを意味し，不法行為地法主義よりも後退していて，法の統一を目指すベルヌ条約の趣旨に反すると解される。他方，後者の見解によれば，この規定は存在しないのと同じであるということを意味し，不自然な解釈であるといわざるを得ない。むしろ，この規定は**保護国法**（**利用行為地法**）を適用すべき旨を定めた国際私法規定であると解するべきである。

保護国法によるべき単位法律関係は，「保護の範囲」と「著作者の権利を保全するため著作者に保障される救済の方法」である。前者は明らかである。後者には手続的な事項は含まれない（手続問題は法廷地法による）。差止請求のような救済方法は権利保全のためであるので，含まれることは明らかであるが，問題は損害賠償が含まれるか否かである。これについて，裁判例の多くは，差止請求などはベルヌ条約により保護国法によるが，損害賠償については通則法17条以下によるとしている（百選43事件）。

ベルヌ条約には，5条2項のほかにも，7条8項（保護期間），10条の2第1項（記事等の出所明示義務違反の制裁），14条の2第2項(a)（映画の著作者）などについて保護国法によることを定めており，実質法の統一ができなかった事項について国際私法ルールの統一を図る規定を置いていると理解することができる。

著作権の譲渡について，当事者間の譲渡の約束については契約準拠法を適用し，著作権の物権的変動については当該著作権の準拠法（保護国法）によるとした裁判例がある（百選44事件）。妥当な判断である。

第5章 国際民事手続法

(a) 序　説

裁判による国際民事紛争の解決にあたっては，手続法上，いかなる国の裁判所でその事件を処理すべきか（国際裁判管轄），当事者能力，訴訟能力などはどこの国の法律によって決定するか，外国への送達・外国での証拠調べはどうするのか，外国判決は内国でどのような効力が認められるか（外国判決の承認・執行）などの問題がある。また，裁判によらず，仲裁・調停などの方法を用いる場合の問題や国際的な広がりを持つ債務者の倒産処理をめぐる問題もある。このような分野が**国際民事手続法**（**国際民事訴訟法**）である。

条約によって安定的な紛争解決を実現しようとする動きは，仲裁や調停では比較的うまくいっているが，裁判所が関わる訴訟や倒産処理については，EU 等を除き，成功しているとはいえず，原則として各国の国内法によって規律されている。

(b) 手続法と実体法

手続問題については，「**手続は法廷地法による**」という原則があるとされる。日本も締約国となっている「国際航空運送についてのある規則の統一に関する条約」（モントリオール条約）33 条 4 項がこのことを定めている。これは，手続という単位法律関係について法廷地法という準拠法が適用されるサヴィニー型国際私法上のルールのようにみえるが，法廷地は訴訟が提起されるまでは特定できず，1つの事件について裁判管轄は複数の国に認められることもあるので，法廷地は連結点としての機能を果たすことはできない。したがって，これは，手続法は公法であり，自国での手続には常に適用されるという**属地主義**を意味していると理解すべきである。いずれにせよ，わが国の裁判所は手続問題については常に日本の手続法が適用される。

手続法は，実体法上の権利義務・法律関係（本案）についての公権的判断のためのものであって，本案には自国の実体法が適用されることを前提として作られているのが通常である。そのため，外国法が実体問題についての準拠法になる場合には，実体法と手続法の間に齟齬から生じる適応問題が発生することは避けられない。たとえば，遺言検認について，遺言の準拠法である外国法が予定している手続が日本の手続法上存在しないといった場合である。そのような場合には，手続法はできる限り実体問題の準拠法が定めているところを実現すべく努力すべきである（第2章Ⅱ3(b)(2)）。

以下では，まず，裁判による国際民事紛争の解決において問題となる事項を順にみていく。その上で，国際仲裁・国際調停・国際倒産を扱うこととする。

Ⅰ　国際民事訴訟

1　裁判権

(a)　民事事件についての裁判権と国際裁判管轄との関係

A国の裁判所がB国を被告とする裁判を行うことができるか，C

国の国家元首・外交官を被告とする場合や国際機関を被告とする場合はどうかが裁判権の限界の問題である。裁判権は主権の一作用である司法権の行使であり，国際法上，一定の制約がある。これは，刑事裁判の場合には明らかであるが，民事裁判でも敗訴すれば金銭の支払いやその他のことを命じられ，強制執行という物理的な主権行使の基礎（債務名義）となるからである。国際法上，民事裁判権免除に関するルールが存在し，このルールに反する民事裁判権の行使は国際法違反となる。これを，**裁判権免除**（**主権免除**）の問題という。

では，被告に裁判権免除が認められず，国際法違反とならない限り，国家は民事裁判を行うかというとそうではない。民事裁判では，手続法的正義という別の価値も重要であり，その観点から裁判をする範囲を自己抑制する必要があるからである。これが**国際裁判管轄**の問題である。したがって，実際に裁判が行われるのは，裁判権が認められ，かつ，国際裁判管轄も認められる場合である。

以下では，民事裁判権，国際裁判管轄の順に検討する。なお，実定法上の用語法には混乱がみられるが，講学上は，国際法に従うのが**裁判権**，手続法的正義に基づく自己抑制として自ら定めるのが**国際裁判管轄**と両者を区別し，議論に混乱が生じないようにすることが大切である。

(b) 歴史的変遷

歴史的には，ヨーロッパの絶対主義王朝時代に，国王は他の国王の裁判所に服することはないと考えられ，国家は常に他の国家の裁判から免除されるという**絶対免除主義**が当然とされた。それが国民国家体制となった19世紀以降も主権平等の観念のもとに引き継がれた。しかし，1917年に誕生したソ連は社会主義国として，あらゆる活動を国家が行う体制であり，また，第二次大戦後独立した新興国も国家自身が取引当事者となって契約を締結することが多く，国家と取引などをする私人・私企業の権利保護の必要性が認識されるようになった。そして今日では，国家の行為を**主権的行為**（**公法的行為**）と**業務管理的行為**（**私法的行為**）とに分け，後者の行為から生ずる訴訟については裁判から免除しないとする**制限免除主義**が一般的となっている。もっとも，外国国家の財産に対する強制執行は，強制力の行使（抵抗すれば公務執行妨害罪で逮捕することもある）であり，相手が外国の場合には武力衝突に発展しかねないため，きわめて限定的にしか認められないことに注意が必要である。

国家を被告とする場合の裁判権免除については，長い間，慣習国際法により規律されてきたが，1972 年には制限免除主義を採用した欧州国家免除条約が締結された（1976 年発効。締約国は英国，ドイツ，スイスなど 8 カ国）。また，アメリカの外国主権免除法（1976 年），英国の国家免除法（1978 年）などの国内法でも同様の原則が明文化された。そのような中，国連は国際法の法典化作業の一貫として 1978 年から条約作成作業を開始したものの，制限免除主義の採用に消極的な社会主義国及び途上国グループと自国の採用した制限免除主義よりも後退したルールの採用に消極的なアメリカ・英国の双方からの抵抗があり，作業は難航した。しかし，その後，社会主義国の体制変動などの事情の変化もあり，2004 年にようやく**国及びその財産の裁判権からの免除に関する国際連合条約**が採択された。

日本には厳格な絶対免除主義を採用した大決昭和 3 年 12 月 28 日（民集 7 巻 1128 頁）があり，その後，判例変更の機会がないままであったが，傍論として国際慣習法の内容が変化したことを認め，制限免除主義に言及した最判平成 14 年 4 月 12 日（横田基地訴訟・民集 56 巻 4 号 729 頁）を経て，パキスタンに対する貸金返還請求事件において判例変更をし，「外国国家は，その私法的ないし業務管理的な行為については，我が国による民事裁判権の行使が当該外国国家の主権を侵害するおそれがあるなど特段の事情がない限り，我が国の民事裁判権から免除されない」と判示して（百選75事件），パキスタンに金銭の支払いを命じた（パキスタンは任意に履行したとのことである）。

そのような中，日本は，上記の国連条約の内容を踏まえて，**外国等に対する我が国の民事裁判権に関する法律**（**民事裁判権法**）を制定し，その後，2010年5月に同条約に加入した（ただし，条約は未発効）。

(c) 民事裁判権法上のいくつかの論点

民事裁判権法は，国だけではなく，国の行政区画や国家元首などを含む外国等が被告となる場合が適用対象である（2条）。まず，裁判権免除を与えるとの原則が定められ（4条），それに対して様々な例外が定められるという構造になっている。判決手続から免除されない場合（5条から16条）と執行手続から免除されない場合（17条から19条）とが分けて規定され，訴状の送達などの若干の補則も定められている（20条から22条）。以下では，同法上の主な論点についてみていこう。

(1) 同意　外国等が書面による契約などにより明示的に日本の裁判権に服することに同意している場合には，裁判権から免除されない（5条1項）。また，外国等が訴えを提起した場合なども同様であり，そのような場合には相手方からの反訴についても裁判権免除は放棄したものと扱われる（6条・7条）。

私人の側としては，相手方の国家から日本の裁判権への同意条項を契約に盛り込むことができれば，予測可能性は確保されることになる。裁判権免除を明示的に放棄する条項である必要ではなく，東京地裁を専属管轄とする条項があれば，日本の裁判権に服する明示の同意と解することができよう。これに対して，日本法によることを定める準拠法条項があるだけでは，日本の裁判権に服する同意とはならない（5条2項）。

⑵　**商業的取引**　制限免除主義のもとで問題となるのは，途上国による外国企業からの発電所設備購入代金の不払いに起因する当該企業からの売買代金支払請求訴訟のように，国家経済の発展という公的目的のためにする商業的取引から生ずる訴訟において国家が被告となる場合の扱いである。行為の目的に着目する**行為目的説**によれば主権的行為として裁判権免除が与えられ，行為の性質に着目する**行為性質説**によれば業務管理的行為として裁判権免除は与えられないことになる。前者の立場を主張する国もあり，2004年の国連条約では，妥協の産物として，当事者間で目的を考慮する旨の合意がある場合及び法廷地国の慣行により行為目的説が採用されている場合には，目的も考慮すべきものとされている（同条約2条2項）。

この点，日本では，「性質上，私人でも行うことが可能な商業取引であるから，その目的のいかんにかかわら」ないとされ，行為性質説が採用されている（百選75事件）。そして，民事裁判権法8条1項は，「**商業的取引**」として「民事又は商事に係る物品の売買，役務の調達，金銭の貸借その他の事項についての契約又は取引（労働契約を除く。）」と性質による定義をしている。

なお，商業的取引であっても，A国とA国の国民・会社などとの間の取引についてA国が日本の裁判所で被告とされたときには，A国の国内事件であるので，A国には裁判権免除が与えられる（8条1項）。また，A国とB国との取引や取引当事者が明示的に別段の合意をしているときも例外とされている（同条2項）。

⑶　**労働契約**　労働事件は，裁判権免除が問題となる事例の中で最も数が多いものである。外国等は，個人との間の労働契約であって，日本国内において労務の全部又は一部が提供され，又は提供

されるべきものに関する裁判手続については，裁判権から免除されない（9条1項）。日本での労務提供がある場合などに限定されているのは，そうでない場合にまで日本であえて裁判をする必要はないと考えられるからである。

もっとも，原告が，外交官などの外交上の免除を享有する者である場合や，国の安全，外交上の秘密その他の国の重大な利益に関する事項に係る任務を遂行するために雇用されている者である場合は被告の外国等には裁判権免除が与えられる（9条2項1号・2号）。

また，採用又は再雇用の契約の成否に関する訴えである場合にも，裁判権免除が与えられる（同項3号）。たとえば地位確認の訴えであれば，これが認容されると，日本の裁判所の判断で外国公務員の地位が与えられることになってしまい，当該外国等の主権的判断に牴触することがその理由である。他方，解雇その他の労働契約の終了の効力に関する訴えである場合にも，当該外国等の元首，政府の長又は外務大臣によって当該訴え又は申立てに係る裁判手続が当該外国等の安全保障上の利益を害するおそれがあるとされるときには（元首等からの懸念の表明の方法はとくに定められていない），裁判権免除が与えられる（同項4号）。もっとも，両号はかっこ書きで，原告の損害賠償請求については裁判権免除を与えない旨定めている。2004年の国連条約の対応する規定（11条）にはこの例外は明記されていないが，この点について，公式コメンタリー（1991年段階のもの）によれば，「個人の採用又は再雇用の契約の成否」及び「解雇その他の労働契約の終了の効力」が訴訟物（subject matter）となる場合には裁判権免除を与えるという趣旨であって，労働者が金銭賠償を求めるときは含まれない旨説明されている。民事裁判権法9条2項3号・4号にかっこ書きが置かれたのはこのコメンタリーの記載に基づいてである。しかし，たとえそのような請求であっても，被告は敗訴を免れるためには不採用理由，解雇理由などを主張せざるを得ない立場に追い込まれ，その者の任務の特殊性から，それらの措置をとったことの理由を日本の裁判所で公にすることが安全保障上の利益を害することもあり得ると考えられる。そのため，損害賠償請求については裁判権免除を一切与えないという扱いをすることには疑問がある。

そのほか，手続開始時において，原告が被告の国民であって，日本国に通常居住するものでない場合，当事者間に書面による別段の合意があり，労働者の保護の見地から，訴えを却下することが公の秩序に反しない場合にも，例外とされている（同項5号・6号）。

アメリカ・ジョージア州港湾局の極東代表部（東京所在）の現地職員として同州の港湾施設の利用促進業務などを行っていた原告が同代表部閉鎖に伴い解雇されたため，同州を被告として解雇無効・地位確認・賃金の支払いを求めて提起した訴えについて，最高裁は，業務内容は同州の主権的な権能の行使とはいえず，また，同代表部には日本の厚生年金保険などが適用されていたことから，本件雇用は公権力的な公務員法制の対象ではなく，私法的な契約関係にあたるとして，裁判権免除を認めないと判示している（最判平成21年10月16日民集63巻8号1799頁）。

(4) 人の死傷又は有体物の滅失など　たとえば，外国等の公用車による交通事故が日本で発生した場合，傷害を負った原告は当該外国等に対する損害賠償請求訴訟を日本の裁判所に提起することができるであろうか。10条によれば，①外国等が責任を負うべきものと主張される行為により死傷又は有体物の滅失毀損が生じたこと，②行為の全部又は一部が日本国内で行われたこと，③行為をした者が行為の時に日本国内に所在していたこと，④金銭賠償の請求であること，以上の要件を満たせば，外国等は裁判権から免除されないとされている。日本との関連性が②・③で要求されているのは，国際裁判管轄の問題としてではなく，そのような関連性がない場合には，裁判権免除を与えないで日本での裁判をあえて行うことは妥当ではないと考えられるからである。

外国軍隊・軍人の不法行為による被害者が当該外国に対して提起した訴訟については，「条約又は確立された国際法規に基づき外国等が享有する特権又は免除に影響を及ぼすものではない」と定める3条の規定により，裁判権免除が与えられると解される。横田基地の米軍機離発着差止め等の訴えについて裁判権免除を与えた横田基地訴訟に関する前掲最高裁平成14年判決のような事件が民事裁判権法のもとで生じた場合には，裁判権免除が与えられるという結論は同じであるとしても，精神的損害を理由とする差止請求であれば10条の要件のうち上記①・④を欠くことになるという点を挙げるべきであろう。しかし，この事件の場合，そのことよりもむしろ，軍隊の活動については裁判権免除を与えるのが確立した国際法規であり，これは3条により，民事裁判権法のもとでも適用されるとの理由づけがされることになろう。

なお，大使館の塀の倒壊といった営造物の瑕疵による死傷事故の場合には，10条が前提としている「行為」が存在しないが，10条の趣旨に反するわけではないので，その準用は可能であると解される。

(5) 不動産に係る権利利益・知的財産権の存否など　外国等は，日本国内にある不動産に係る裁判手続であって，当該外国の権利・義務などについて，裁判権から免除されない（11条）。

外国等が有すると主張している日本の知的財産権の存否，効力，帰属又は内容や，外国等が日本国内においてしたものと主張される知的財産権の侵害に関する訴えについても裁判権免除は与えられない（13条）。

⑹ 外国等の有する財産に対する執行　既述のように，判決手続とは異なり，執行手続は執行管轄権の行使である。したがって，外国等の有する財産に対する執行において当該外国等が抵抗すれば物理的な権力の衝突になってしまうため，慎重にならざるを得ない。そのため，免除原則の例外は判決手続に比べて限定的である。

外国等の有する財産に対する保全処分・民事執行が可能であるのは次の場合である。第1に，書面による契約などにより執行について明示的に同意している場合である（17条1項）。外国等が保全処分・民事執行のために指定し又は担保として提供した特定の財産がある場合には，この同意があるものとされる（同条2項）。なお，判決手続への同意（5条1項）は執行への同意と解することはできないとされている（17条3項）。第2に，「非商業的目的以外」にのみ使用され，又は使用されることが予定されている外国等の有する財産を対象とする場合である（18条1項）。非商業的目的以外にのみ使用されていると規定されているのは，商業的目的にのみ使用されていると規定するよりは広い範囲をカバーするためであり，必ずしも商業的目的であるとはいえなくても，非商業的目的ではない場合は含まれることになる。

ただし，これらの要件を満たす場合であっても，外交使節団などの任務の遂行にあたって使用される財産，軍事に係る財産，文化遺産・公文書・科学的，文化的又は歴史的意義を有する展示物などは，外国等の同意がない限り，執行の対象とはならない（18条2項）。また，18条1項は外国中央銀行などの財産に対する執行については適用されない旨規定されているので（19条2項），当該外国の同意がない限り，執行の対象とはならない。以上の規定は，外国の国有文化財のような財産の日本への持ち込み，外国の外貨準備金の日本での運用などに支障が生じないようにすることが，日本にとっても当該外国にとっても国益にかなうという理由に基づくものである。

(d) 理論上の位置づけ

理論上，絶対免除主義から制限免除主義への移行により，裁判権免除は**事物的管轄**（subject matter jurisdiction）のルールに変容したとみることができる。当事者が国家等であることを基準とするルールの例外として，国家等の一部を除外するのではなく，訴訟物の性格によって切り分けるという例外を設けたことから，**国家行為理論**（**外国国家行為承認理論**）による方が統一的な説明ができるからである。この理論は，私人対私人の訴訟において，訴訟物の判断の前提問題として主権的行為の効力などの判断を要する場合，外国が自国の領域内でした主権的行為の当否を判断することはできないというものである。アメリカにはこれを認めた最高裁判例が存在するが，日本の裁判例でも，日本に到着したタンカーに積載された石油の所有権が私人間で争われ，その前提として，外国による当該外国における油田の国有化措置が有効であるか否かが問題となった場合において，日本の裁判所としては外国による国有化措置という主権的行為の当否の判断をすることができないとしたものがある（百選16事件）。この理論も視野に入れて考えると，裁判権免除が認められるのは，訴訟物全体が主権的行為であるからであると説明することができよう。

2 国際裁判管轄

(a) 国際裁判管轄の基本原則

国際的な性質をもった紛争が発生した場合には，東京地方裁判所か大阪地方裁判所かというような一国内の管轄分配の問題の前に，そもそもその事件について日本の裁判所が裁判をすることができるかという問題が生じる。その前提として，国際法上，日本が裁判権を行使することが認められなければならないが，裁判権が認められる場合であっても，さらに，手続法上の正義の観点からの自己抑制として，国際裁判管轄を認める範囲は限定されている。

国際裁判管轄とは，一般化すると，どこの国の裁判所がその事件について裁判を行うべきかという問題であり，外国裁判所の判決を日本で承認・執行するには，後述のように，当該外国裁判所が国際裁判管轄を有していることが要件とされている（第5章Ⅰ[4](b)）。日本の裁判所がこれから裁判を行う場合の管轄を**直接管轄**といい，外国判決の承認・執行要件を具備するか否かを審査する場合など外国裁判所に管轄があるか否かを問題とするときの管轄を**間接管轄**という。

国際裁判管轄の決定に関しては，自国民保護などの国益を中心に考える**国家主義**もみられるが（フランス民法14条・15条はフランス人が当事者である裁判については常に国際裁判管轄を認める旨定めている），**当事者間の衡平**，**裁判の適正・迅速**という訴訟法上の正義から決定すべきであるという**普遍主義**が妥当とされ（民訴法3条の9，人事訴訟法3条の5，家事事件手続法3条の14），日本の判例も，国際裁判管轄に関する明文の規定がなかった旧法下において，この立場を採用することを明らかにしていた（百選76事件・83事件。ただし，「当事者間の公平」という語が使用されていた）。もっとも，国内の裁判管轄ルールを支える基本原則でもある手続法上の正義のみで国際裁判管轄が律せられるわけではない。国際裁判管轄ルールについては，国家主権の観点も見落とすことはできない。日本の会社に関する一定の事項，日本の登記・登録，日本の特許などの存否・効力に関する訴えについて日本の裁判所の専属管轄としているのは（民訴法3条の5），日本の主権の行使にかかわる問題であるとの考え方が背後にあるからであり，この点は国内管轄ルールでは問題とならないが，国際裁判管轄ルールを支える基本原則の１つとして重要である。

以下では，財産事件，人事・家事事件，非訟事件の国際裁判管轄を順次とりあげる。財産事件との対比における人事・家事事件などの国際裁判管轄の特徴は後述する。日本が批准している一部の条約にはこの分野の規定を含むものもあるが，国際裁判管轄は基本的には日本の国内法で規律されている。なお，ハーグ国際私法会議は国際裁判管轄と外国判決の承認執行に関するグローバルな条約作りに取り組んでいるが，日本はそのような条約は批准していない。

(b) 財産事件の国際裁判管轄

財産関係事件についての国際裁判管轄（直接管轄）のルールは民訴法３条の２以下に定められている。

EU では，一部の国を除き，EU 域内に住所がある被告に対する訴えに適用される国際裁判管轄ルールの統一が実現しているが，日本やアメリカを含むグローバルな統一法条約は存在していない。そこで，そのような条約の作成を目指して，ハーグ国際私法会議では，「裁判所の選択合意に関する条約」（2005 年・締約国数 34）及び「民事及び商事に関する外国判決の承認及び執行に関する条約」（2019 年・締約国数 29）を作成し，さらに国際裁判管轄一般に関する条約の作成を目指して作業が進められている。

日本は，被告との関係に基づく普通裁判籍と請求権との関係に基づく特別裁判籍とに分けて明確さを重視する大陸法系に属するものの，明文の規定がなかった旧法下の上記の判例にみられるように，適正手続が重視されている。また，その判例でも「特段の事情」があれば例外的な扱いが認められ，現在でも民訴法３条の９は「特別の事情」がある場合には柔軟な処理を認めている。このように日本の国際裁判管轄ルールは，適正手続（due process）を基準として柔軟な判断を許容するアメリカの考え方に類似する側面もある。日本は比較法的には特殊な位置にあるということができる。

以下，民訴法に規定された主な管轄原因についてみていこう。なお，民訴法では日本の裁判所の国際裁判管轄を定めているが，外国判決の承認・執行における間接管轄の判断に際してはこれらの規定を準用し，「日本」を当該外国と読み替えて適用することになる。このことは，3条の5は日本の裁判所が専属管轄を有する場合だけを定めているにもかかわらず，145条3項，146条3項但書などが，専属管轄に関する規定により日本の裁判所が管轄を有しないときについて定めていることからも窺われる。

(1) 被告の住所地管轄（3条の2）　**「原告は被告の法廷に従う**（actor sequitur forum rei)」という被告保護の原則は，国際民事訴訟法上も妥当する。自然人である被告の住所が日本国内にあれば，日本の裁判所は国際裁判管轄を有する（3条の2第1項)。これは，請求の内容を問わず認められる**普通裁判籍**である。世界中どこにも住所がない場合又は住所が知れない場合には，居所が日本国内にあればよい。世界中どこにも居所がない場合又は居所が知れない場合であれば，訴えの提起前に日本国内に住所を有していたときは，日本に国際裁判管轄が認められるが，日本国内に最後に住所を有していた後に外国に住所を有していたときは（すなわち，判明している最後の住所地国が日本ではないとき)，日本には国際裁判管轄が認められない。そのような場合には日本との関連性は希薄化しており，被告に対する手続保障の観点からは当該外国で裁判を行うべきだからである。

法人その他の社団又は財団に対する訴えについては，その主たる事務所又は営業所が日本国内にある場合のほか，事務所若しくは営業所がない場合又はその所在地が知れない場合であって，代表者その他の主たる業務担当者の住所が日本国内にあるときは，日本に国際裁判管轄が認められる（3条の2第3項）。事務所は非営利団体の，営業所は営利団体の拠点である。

旧法下の百選76事件（**マレーシア航空事件**）は，出張でマレーシアに滞在中に，同国内で国内線航空券を購入して搭乗した者が，墜落事故により死亡し，日本在住の遺族が損害賠償を求めて提訴したものである。最高裁は日本に被告航空会社の支店があることを理由に管轄を認めた。しかし，3条の2第3項のもとでは，日本支店は被告の主たる営業所ではないので，普通裁判籍は否定されることになる（この事故は被告の日本支店の業務にも，日本で行う業務にも関連するわけでもないので，3条の3第4号・5号の管轄も認められない）。

⑵　**契約債務履行地管轄（3条の3第1号）**　国内事件の特別裁判籍を定める民訴法5条1号と異なり，3条の3第1号は，①契約事件に限定し，②訴えの類型を「契約上の債務の履行の請求を目的とする訴え」又は「契約上の債務に関する請求を目的とする訴え」に限定し，③債務履行地についても，「契約において定められた当該債務の履行地が日本国内にあるとき」又は「契約において選択された地の法によれば当該債務の履行地が日本国内にあるとき」に限定している。

これらの限定は，当事者の予測可能性を確保する趣旨であり，被告としては，これらの要件が満たされる場合には，債務の履行地でその債務に関する請求を目的とする訴えを提起されることを甘受すべきであるとの立法判断に基づくものである。なお，比較法的にみて，②・③の要件は珍しいものである。

①の要件により，契約関係のない当事者間の不法行為事件等にはこの規定は適用されない。当事者間に契約があり，「契約上の債務に関して行われた事務管理若しくは生じた不当利得に係る請求，契約上の債務の不履行による損害賠償の請求」には適用される。たと

えば，契約に基づく債務の弁済について過払いがあった場合の不当利得返還請求や，外国の歌手が日本での公演を約束する契約に反して来日しなかったような場合，日本の興行主が契約を解除し，得べかりし利益を含む損害の賠償請求などは本条の対象となる。前者の場合，過払いに関連する債務の履行地が③に従って日本であるときには日本の裁判所の管轄が認められる。後者の場合には，歌手の公演場所は日本であるので，日本の裁判所の管轄が認められる。なお，上記のマレーシア航空事件も運送契約に違反しているが，国内線での航空機事故であり，安全に目的地まで運送するという当該債務の履行地はマレーシア国内であるので，同号のもとでは日本に管轄は認められない。

契約は少なくともいったん成立したといえることが必要であり，契約交渉の不当破棄を理由とする損害賠償請求の訴えは，この規定の適用範囲外である。

原告が有効な契約の存在を前提として債務履行地管轄を主張し，被告がその契約の不成立を主張する場合には，裁判所は，契約が成立していることについて一応の判断が必要となる。この点，不法行為地管轄における不法行為の成立について客観的要件具備必要説を採用した後述(7)の最高裁判例（百選 79 事件）に従って，契約の成否を判断した下級審裁判例もあるが（東京地判平成 21 年 11 月 17 日判タ 1321 号 267 頁），契約の成否を客観的事実関係からのみ判断することはできないため，妥当ではない。なお，契約の存否・有効性を判断する準拠法は，日本の裁判所としては通則法に基づいて決定することになる。

②の要件により，契約関係の存在や不存在の確認の訴えはこの規定の適用範囲外であるようにみえる。しかし，それが特定の債務に関する訴えと評価される限り，適用範囲内というべきである。たと

えば，外国法人であるフランチャイザーとの契約に基づき日本でフランチャイジー（店名，ノウハウなどを使わせてもらう側）としてビジネスを展開していた日本法人がフランチャイズ契約解消の通知を受け，当該日本法人が外国法人に対して契約関係の存在確認の訴えを提起したという場合，その訴えは，日本市場でブランドなどを使用してビジネスをすることを認めるという当該外国法人の債務に関する請求を目的とする訴えであるということができると解される。実質的に考えても，当該外国法人の立場からみて，日本での当該フランチャイジーの地位をめぐる訴訟が提起されることは十分に予見可能であり（契約上，営業範囲に関する定めはあるはずであるので，上記③の要件も満たされているであろう），日本の裁判所の管轄を認めてよいように思われる。

契約に基づく請求に係る訴えと広く定めず，「契約上の債務に関する請求を目的とする訴え」に対象を限定していることから，「当該債務」の履行地に限定して管轄を認める③と相まって，契約から複数の債務が発生する場合，それぞれの債務ごとに管轄の有無が判断されることになる。たとえば，物品売買契約の売主が，物品の引渡地（代金支払地は別の地）で代金請求訴訟を提起する場合には債務履行地管轄は認められない。

③の要件により，契約で債務の履行地が定められておらず（百選77事件），かつ，準拠法選択もされていない場合には，債務履行地管轄は発生しないことになる。この要件は，当事者の義務履行地についての予見可能性を担保しようとするものである。国際裁判管轄の判断基準であるので，貨物の引渡場所が横浜港といった定め方ではなく，日本と定めているだけの場合でもかまわない。

準拠法指定は明示のものに限られるわけではないが，予測可能性を担保するという趣旨からは，当事者による現実の黙示的指定があるとされる場合でなければならない。これは民訴法の解釈問題であって（間接管轄の判断も同じである），通則法が適用されるわけではないが，通則法7条の解釈と結果において同じである。また，契約全体の準拠法の指定がなくても，履行地を含む一部についてのみ準拠法の指定がある場合でもよい。

なお，③との関係で付言すると，ウィーン売買条約31条は物品引渡場所を，57条は代金支払場所をそれぞれ定めているが，これらも法定の債務履行地であるので，当事者が準拠法選択をしている場合に限り（同条約1条1項(a)・(b)のいずれによって同条約が適用される場合でもよい）（第4章Ⅱ①(h)），契約債務履行地管轄が認められることになる。

旧法下の最高裁判例（百選83事件）は，契約上，預託金返還債務履行地の定めも準拠法の明示・黙示の定めもない事例であり，現行法に照らせば，3条の9を適用するまでもなく，3条の3第1号の管轄は否定されることになろう。

(3) 手形・小切手による金銭支払請求事件の管轄（3条の3第2号）

現在は国際的な決済手段として手形・小切手が用いられることはほぼないが，3条の3第2号は，国内管轄についての5条2号にならって，手形・小切手の支払地が日本国内にあるときには，それらによる金銭支払請求の訴えについて日本に国際裁判管轄がある旨定めている。契約債務履行地管轄を認めるのと同様の発想である。

(4) 財産所在地管轄（3条の3第3号・6号）　国内事件の特別裁判籍を定める民訴法5条4号は，①請求の目的の所在，②担保の目的の所在，③差し押さえることができる被告の財産の所在，以上のいずれをも管轄原因としている。これに対し，国際裁判管轄についての3条の3第3号によれば，①は管轄原因として認める一方（たとえば，動産引渡請求訴訟について当該動産の所在），②は認めていない。

たとえば，人的保証の場合に保証人が日本にいるからといって，また，債券を担保目的としている場合にその所在地が日本であるからといって，そのことだけを理由に外国にいる債務者本人に対する訴えについて日本に国際裁判管轄を認めることは，被告に過剰な負担となると考えられるからである。もっとも，船舶債権その他船舶を担保とする債権については，海上ビジネスにおける執行対象財産は船舶だけであることが少なくないため，担保の目的である船舶が日本国内にあるときは日本に国際裁判管轄がある旨定められている(3条の3第6号)。

上記③は，請求の目的になっていない被告の財産の所在を理由に財産権法上のあらゆる訴えについて管轄を認めるものであり，国際的には**過剰管轄**（exorbitant jurisdiction）の典型例として批判されているところである。そのため，立法の過程では強い異論が出された。とくに，間接管轄として準用される局面を考えれば，現実に日本企業が外国でこの種の管轄に基づく訴訟にさらされ，その外国判決の日本での執行を少なくとも管轄の点では拒否できなくなるという問題が指摘された。結局，③には，「その財産の価額が著しく低いときを除く」との限定が付された。この「低い」という要件は絶対額として日本での訴訟コストを支払った上で得られる実質的なプラスの額が残るか，又はその額に足りなくても，請求額との関係で相対的に低くない割合の額であれば満たされるといってよいであろう。

このような限定がされているとはいえ，③が管轄原因とされていることから，たとえば，日本法による保護を受けている知的財産権を少なからず有する外国企業を被告とする財産権上の訴えについては，本号により原則として日本に国際裁判管轄が認められることになり，実務に与える影響は大きいであろう。もっとも，事案次第では3条の9による訴えの却下はあり得る。たとえば，金銭債務の所在地国は債務者の住所地国であると解されるものの，債務不存在確認訴訟においてはそれは原告の住所地国ということになり，被告にとって酷であるとの理由で訴えを却下した旧法下の裁判例があり（東京地判昭和62年7月28日判時1275号77頁），現行法のもとでも同様の結論となろう。

(5) 事務所・営業所所在地管轄・継続的事業活動地管轄（3条の3第4号・5号）　国内事件の特別裁判籍を定める民訴法5条5号は，「事務所又は営業所を有する者に対する訴えでその事務所又は営業所における業務に関するもの」について，「当該事務所又は営業所の所在地」の管轄を定めている。3条の3第4号は国際裁判管轄としてこれと同様の管轄原因を定めるものである。

これに対して，3条の3第5号に対応する国内管轄ルールはない。これは，日本に被告の拠点が何らない場合であっても，日本で継続的な事業活動を行っている場合にはその事業活動に関連する訴えについては国際裁判管轄を認めるものである。国際裁判管轄についてこのような管轄原因を認めているのは，今日では，業態によっては日本に物理的な拠点を置くことなく国際ビジネスが可能となっていることから，事務所・営業所の存在に固執することは実態に沿わなくなっていることに加え，会社法における外国会社規制との関係で必要だと考えられたからである。すなわち，かつての商法では，外国会社が日本において継続的に取引を行う場合には営業所の設置義務が課されていたところ，平成14年（2002年）の商法改正により，外国会社の営業所設置義務は廃止され，それを引き継いだ会社法817条1項は，「日本において取引を継続してしようとするときは，日本における代表者を定めなければなら」ず，しかも，その代表者のうち「1人以上は，日本に住所を有する者でなければならない」と定めている。この会社法817条1項との関係で問題となるのは，外国会社が，この規定に違反して，事務所・営業所・代表者のいずれも日本に置かずに日本において継続的取引をし，その取引をめぐって取引相手が当該外国会社に対して提訴する場合に，3条の3第4号によれば日本に国際裁判管轄はないということになる点である。これでは，会社法817条1項を遵守しない方が日本での訴訟リスクを低減することができることになってしまう。そこで，民訴法3条の3第5号は，「日本において事業を行う者（日本において取引を継続してする外国会社……を含む。）に対する訴え」について，「当該訴えがその者の日本における業務に関するものであるとき」に管轄を認めているのである。

アメリカには，事務所・営業所の存在の有無にかかわらず，州内でシステマティックな事業活動を行っている被告に対して裁判管轄を認めるというルールがある（**doing business に基づく対人管轄権ルール**）。アメリカでは，被告がそのような活動を州内で行うことにより，その地と十分な関係を有していれば，敗訴すればその財産を奪うことになる民事裁判を行っても，憲法の適正手続条項に適合すると考えられており，当該 doing business に関係しない訴えについても管轄が認められることになる。この点，このような管轄ルールをもたず，事務所・営業所の存在を要件とし，その拠点と関係がある訴えについてのみ管轄を認める大陸法系諸国からは過剰管轄であると批判されている。このような比較法的状況に照らすと，3条の3第5号は**日本版 doing business 管轄**ともいうべきルールである。日本に支店ではなく子会社を置く外国親会社が日本において継続的な事業活動をするケースも少なくないことから，裁判実務上，同号の適用の機会は少なくないものと予想される。

5号があれば4号は不要ではないかとの疑問が生ずるかも知れない。確かに，日本に営業所を置き，そのビジネスを日本国内に限定している外国会社の場合には両号は重複することになる。しかし，たとえば日本に外国会社のアジア統括本部があり，その韓国における業務に関する訴えについて日本の国際裁判管轄の有無が問題になったとすると，5号の「日本における業務」関連性の要件は満たされず，4号があることによってはじめて管轄が肯定される。このように，4号独自の適用範囲がある以上，同号は不要とはいえないことになる。

なお，上記のように，会社法817条1項が，日本で取引を継続する外国会社の日本における代表者のうち1名は日本に住所を有する者であることを要求していることとの整合性を図るためには，3条の3第4号に，日本における代表者の業務に関連する訴訟の管轄も加える立法も考えられるところであるが，そのようにはされていない。その結果，日本に事務所・営業所を置いている場合と異なり，日本における日本在住の代表者を置いている場合には，その代表者の韓国における業務については日本に国際裁判管轄はないということになる。この点は，立法論として見直しを考えてよいであろう。

(6) 会社関係訴訟の管轄（3条の3第7号）　3条の3第7号は，日本法人の関係者の当該法人における現在又は過去の資格に基づいて，当該法人などが当該関係者に対して提起する一定の訴えについて，その被告の住所などを問わず，日本法人であることのみを理由に国際裁判管轄を認めている。日本に主たる事務所・営業所がある法人格なき団体の関係者に対する訴えについても同様の扱いを定めている。その類型は，会社その他の社団からの社員・元社員に対する訴え及び社員からの社員・元社員に対する訴え（同号イ），社団・財団からの役員・元役員に対する訴え（ロ），会社からの発起人・元発起人・検査役・元検査役に対する訴え（ハ），会社その他の社団の債権者から社員・元社員に対する訴え（ニ）である。日本法人に係るこれらの訴訟において本案に適用される法はすべて日本法である（第4章Ⅰ2参照）。会社についていえば，イは会社法423条，ハは53条，ニは580条に基づく訴訟がその例である。

このような訴訟について被告の住所が外国にあるときにも日本に国際裁判管轄が認められるのは，証拠収集の便宜や複数の同種の訴訟が提起された場合の統一的・効率的審理の確保にその理由があり，他方，被告としても，日本法人の社員・役員・発起人・検査役などの地位を通じてその法人と一定の関係を有しているか又は有していた以上，日本での訴訟を甘受してしかるべきであると考えられるからである。

なお，これらの管轄は専属管轄ではないので，会社などが外国での提訴を選択することは差し支えない。会社関係訴訟のうち，専属管轄とされるものについては⒀参照。

⑺　不法行為地管轄（3条の3第8号）　3条の3第8号は，国内管轄に関する5条9号と基本的に同じルールである。「不法行為」には，生産物責任も名誉・信用毀損も含むあらゆる不法行為が含まれる。通則法17条に対する18条・19条のようなものは存在しないからである。

「不法行為があった地」が管轄原因とされるのは，そこに事件に関する証拠が所在していることが多いことからである。不法行為地には加害行為地も結果発生地もいずれも含まれる。たとえば生産物責任の場合，日本が生産地であっても，外国が生産地であって日本が損害発生地であっても，いずれの場合にも被害者が生産者に対して提起する生産物責任訴訟の管轄は民訴法3条の3第8号により肯定される。最高裁は，被告が香港からの警告状を原告の日本の取引先に送付したことにより業務が妨害されたとされる事案において，被告が警告状を日本に到達させたととらえて加害行為地を日本としているが（百選79事件），加害行為地は警告状を発信した香港であり，日本はその結果発生地と見るべきである。

民訴法5条9号にはない要件として，3条の3第8号は，「外国で行われた加害行為の結果が日本国内で発生した場合において，日本国内におけるその結果の発生が通常予見することのできないものであったとき」には管轄原因とはならない旨定めている。これは，加害者（被告）の予見可能性を担保するための限定である。A国でB国の気候に合わせて設計・製造され，B国向けに出荷された製品が流通業者の手違いにより日本で荷揚げされ，製造者の知らないまま日本市場で販売された後，日本の気候が原因となって耐久性に問題が生じ，事故が発生して消費者に損害を与えた場合，その製造業者は日本国内での結果発生を通常予見できないとされ，日本の管轄は否定されることになろう（責任が否定されるか否かは別問題である）。他方，インターネットを通じて情報が世界中に拡散することは通常予見することができるので，外国でアップロードした情報が日本で他人の名誉を毀損する結果をもたらした場合には，その行為者に通常予見可能性がなかったということはできないであろう。

現行法の制定前には，不法行為地には，事故後に被害者が国境を越えて移動し，他の国で入院加療している場合のような二次的・派生的損害発生地は含まれず，一次的な損害発生地である事故地に限るとの議論があった。現行法のもとでもこのような解釈は可能であろう。もっとも，かつての議論は加害者の予見可能性を担保するためのものであったため，現行法のもとでは，予見可能性の要件の適用でコントロールすることも可能であろう。

不法行為が発生するおそれがあることを理由とする事前差止訴訟の場合にも3条の3第8号の適用対象となる。外国判決の執行の場面での間接管轄についての判断として，最高裁は，不法行為地には

「違法行為が行われるおそれのある地や，権利利益を侵害されるおそれのある地をも含む」と判示している（百選 92 事件）。

不法行為がなかったことを主張する債務不存在確認請求訴訟についても，日本での不法行為がなかったという趣旨の訴えであれば，3 条の 3 第 8 号による管轄が認められる。しかし，この場合にはとくに，3 条の 9 により訴えが却下される可能性が相当にあると思われる。

ところで，不法行為地管轄のように，本案の審理対象となる法律概念が管轄ルールに用いられている場合には，管轄の判断としてどこまで踏み込んで判断をするのかが問題となる。「不法行為」という法律概念はその一例であり，被告が不法行為の成立を否定する旨の主張をすることも少なくないことから，管轄の判断の段階で「不法行為」といえるか否か，それをどの程度の審理をして判断するかがしばしば問題となる。国内管轄については，原告による主張に明らかに何ら根拠がないと判断できる場合は別として，不法行為があったことについて原告が一応筋の通った主張をしていれば，その主張する事実が存在するものと仮定して判断すれば足りるという**管轄原因事実仮定説**が一般的に支持されている。国際裁判管轄についてもこれと同じでよいとの説もあるが，国境を越えて応訴する被告の負担に配慮して，一定の審査をすべきであるとの説が多数である。その中で，不法行為があったことについての一応の証拠調べが必要であり，本案審理を必要ならしめる程度の心証を得ればよいとの**一応の証拠調べ説**（**一応の証明説**）も有力であり，下級審裁判例の中にはこれを採用したものもある。これに対して，最高裁は，不法行為と主張されている行為が日本で行われたこと又はそれに基づく損害が日本で発生したという事実が証明されることが必要であり，かつそれで足り，故意・過失の存在や違法性阻却事由の不存在といった点は本案で審理すればよいとの**客観的要件具備必要説**（**客観的要件証明説**）を採用している（百選 79 事件）。

一応の証拠調べ説と客観的要件具備必要説との違いは，一応の証拠調べ説は，事案全体をみて不法行為事件であることについての一応の心証を形成することが必要であるとするのに対して，客観的要件具備必要説は，不法行為の成立要件のうち，故意・過失の存在や違法性阻却事由の不存在などを除き，加害行為及び結果発生並びに両者の間の客観的因果関係に絞って完全な証明がされることを求める点にある。客観的要件具備必要説によれば，たとえば，外国製品の瑕疵により日本で損害が生じたとの生産物責任に基づく外国メーカーに対する損害賠償請求訴訟については，少なくとも客観的要件は満たされているため常に国際裁判管轄が肯定され，事実上，管轄原因事実仮定説と同様の扱いとなりかねない。しかし，その種の訴訟の中にはまったくの言いがかり的なものもあり得るため，被告の応訴の負担を考慮し，一応の証拠調べをして不法行為に該当しないとの心証が得られれば管轄を否定すべきである。確かに，一応の証拠調べ説には，どの程度の心証を形成できればよいのかについて曖昧な点があるが，不法行為か否かが争われていても，実務上，その点について本案審理が必要であるとの判断をするか，不要であると判断をするかの区別は可能であると思われる。

なお，本案の審理対象となる法律概念が管轄ルールに用いられている他の場合についても一応の証拠調べ説であれば対応可能である。これに対して，客観的要件具備必要説を，たとえば契約債務履行地管轄における契約の存在についてそのまま当てはめることはできないことは(2)で述べたとおりである。

不正競争防止法 19 条の 2 は，不法行為に関する訴えのうち，「日本国内において事業を行う営業秘密保有者の営業秘密であって，日本国内において管理されているもの」（日本国外において事業の用に供されるものである場合を除く）を日本国外において取得した者等に対する損害賠償請求訴訟等については，日本の裁判所に国際裁判管轄が認められる旨を明文で定めている（この場合，同法19条の3により日本法が適用される）。これは，国際的な産業スパイ事件に対して日本として厳しい姿勢で臨むことを定めた同法21条8項（罰則）と軌を一にするものである。

⑻　船舶衝突・海難救助事件の管轄（3条の3第9号・10号）　船舶衝突が日本の領海内で発生した場合には，その事故による損害賠償請求訴訟が日本の裁判所に提起されれば，不法行為地管轄（3条の3第8号）が認められる。では，公海上の衝突の場合はどうであろうか。海上ビジネスのリスクは大きいため，便宜置籍船を1隻だけ保有するペーパーカンパニーも少なくなく，パナマやリベリアといった被告の住所地での提訴は原告にとって不便であることが多く，また，判決の執行という実効性の点でもそれらの国での提訴には問題がある。そこで，3条の3第9号は，他国の領海内での衝突の場合も含めて，「損害を受けた船舶が最初に到達した地が日本国内にあるとき」には日本に管轄がある旨定めている。証拠がその地にあることが多いことがこのルールを支える実質的理由である。なお，このほか，被告の船舶又は同じ所有者の他の船舶（姉妹船）があれば，それは被告の財産であるので，日本で差し押さえれば，同条3号により管轄が認められる。

海難救助は契約に基づくものとそうでないもの（事務管理）とがある。たとえば，契約に基づく海難救助において約定された救助料支払地が日本国内にあり，3条の3第1号を満たせば，救助料支払請求訴訟の国際裁判管轄が認められる。これとは別に，3条の3第10号は，契約の有無を問わず，海難救助に関する訴えについて，海難救助があった地又は救助された船舶が最初に到達した地が日本国内にあるときに日本の国際裁判管轄を認めるものである。これらは証拠所在地であることが多いことが根拠となっている。

⑼ 不動産関係事件の管轄（3条の3第11号） 日本に所在する不動産に関する訴えは，外国にいる者を被告とする場合にも日本に国際裁判管轄がある（3条の3第11号）。この規定の対象となるのは，不動産の所有権確認請求，所有権に基づく妨害排除請求の訴えなどである。

EUの規則では，不動産に関する物権関係訴訟及び一定の賃貸借訴訟については不動産所在地国の専属管轄とされている。その理由は領土の一部である不動産について外国裁判所による公権的判断を排除することにあると解される。日本での立法の過程でも同種の議論があったものの，所詮は私人間訴訟であるにすぎないとの意見が多数を占め，専属管轄とはされていない。したがって，日本所在の不動産の所有権確認訴訟を被告のいる外国で提起することも，あるいは外国裁判所に専属管轄を与える合意をすることも差し支えなく，その外国判決を下した裁判所には民訴法118条1号の間接管轄はあるものと扱われる。確かにそのような外国判決は日本の領土を左右するものではないとはいえ，日本の不動産が誰に帰属するか等の物権問題は主権にとって重要な問題であるので，立法論としては，少なくとも日本所在の不動産の物権関係訴訟は3条の5の専属管轄規定に加えるべきであると考えられる。

なお，同じく不動産に関する訴えであっても，日本の不動産に係る登記移転請求のように登記・登録に関する訴訟に該当すれば，3条の5第2項により，日本の裁判所の専属管轄となる。

⑽ 相続関係事件の管轄（3条の3第12号・13号） 相続権・遺留分・遺贈などに関する訴えや，相続債権その他相続財産の負担に関

する訴えは，相続開始時の被相続人の住所などが日本にある場合には，日本に国際裁判管轄がある（3条の3第12号・13号）。相続財産の帰属を早期に明確にするため，これらの訴訟は，その相続についての中心地というべき被相続人の住所地国でまとめて行うことが便利だからである。しかし，外国にいる相続人や相続債権者にとっては，日本での裁判は負担になることもあるため，たとえば遺言執行者からの相続債権者に対する債務不存在確認請求訴訟のようなものについては，3条の9により訴えが却下されてしかるべき場合もあり得るであろう。

⑾　消費者契約事件の管轄（3条の4第1項・3項及び3条の7第5項）

民訴法上，国内管轄ルールとしては消費者契約事件についての特則はないが，国際裁判管轄については，EUの規則を参考にして規定が置かれている。3条の4第1項・3項及び3条の7第5項がそれである。**消費者**とは個人をいい，事業として又は事業のために契約の当事者となる場合は除外される。また，**事業者**とは，法人その他の社団又は財団及び事業として又は事業のために契約の当事者となる場合における個人をいう。

消費者保護のための特則は，①消費者から事業者に対する消費者契約に関する訴えについては，他の管轄原因がある場合に加えて，訴え提起時又は消費者契約締結時における消費者の住所が日本にあれば国際裁判管轄を肯定すること（3条の4第1項），②逆に，事業者から消費者に対する訴えについては消費者の住所が日本にない限り，認めないこととすること（同条3項），③合意管轄については，(i)紛争発生後の合意である場合（3条の7第5項柱書の反対解釈），(ii)消費者契約締結時の消費者の住所地国での提訴を可能とする**非専属的管轄合意**（法律上認められる他の国の管轄を排除しないもの）である場合（同項1号），又は，(iii)消費者が合意された国の裁判所に提訴したか，若しくは，事業者が提起した訴えについて消費者が管轄合意を援用した場合（同項2号），以上のいずれかの場合にのみ有効とすること，以上のとおりである。

①によれば，訴え提起時の消費者の住所が日本にあればよいとされているため，外国在住中に締結した消費者契約に関して，日本に移住した後に当該外国所在の事業者に対して提起した訴えであっても，原則として日本に国際裁判管轄があることになる。また，通則法11条6項と異なり，日本の消費者が外国に自発的に出かけて消費者契約を締結した場合（外国旅行中の食事や買い物），契約の締結は隔地的に行われたが，履行はすべてその外国でされた場合（インターネットを通じて予約した外国ホテルでの宿泊），あるいは，契約締結当時，外国の事業者が消費者の住所が日本にあることやその者が消費者であることを知らず，かつ，知らなかったことに相当の理由があるような場合などについての例外は設けられていない。そのため，このような場合であっても，日本の消費者から外国事業者に対する訴えについて原則として日本に国際裁判管轄があることになる。

もっとも，これらの中には，日本の国際裁判管轄を肯定することは被告となる事業者にとって酷にすぎ，そのコストを市場全体が負担することを正当化できないこともあろう。たとえば，旧法下の百選76事件（(1)参照）が，マレーシア出張中ではあるものの，仮に休日を利用した個人旅行として同国内で航空券を購入したという事案であるとすれば，現在のルールに照らすと，3条の4第1項の消費者契約に該当する可能性があり，日本に管轄が認められることになりそうである。しかし，このような場合には，後述の3条の9により特別の事情があると考えられるので，訴えを却下すべきであろう。仮に被告が国際線も有する航空会社ではなく，マレーシアの小規模な国内航空会社である場合，あるいはさらに，仮に被告が交通事故を起こした同国のバス会社であれば，より明らかにそうである。このように，3条の9の適用が予想される場合が通則法11条6項に定める場合と異ならないとすれば，立法論としては，例外の明確化のために，同様の例外を定めるべきであろう。

②により，消費者契約事件において事業者が消費者を被告として提訴する場合には，契約債務履行地管轄や財産所在地管轄などの3条の3に規定された各ルールは適用されず，③が適用される場合のほかは，消費者の住所が日本にあるときだけ国際裁判管轄が認められることになる。

③は，事業者の用意した約款により消費者契約が締結されることが多いという実情に鑑み，その約款上の裁判管轄合意により消費者が不利益を被ることがないようにするものである。

③(i)は，3条の7第5項が「将来において生ずる消費者契約に関する紛争」を対象とする管轄合意が有効であるための要件をとくに定めるものであって，その反対解釈から，紛争発生後の合意であれば，通常のルールによると解されることから導かれる。事後的合意であれば，消費者がその効果を認識した上で合意していることを前提としていると考えられるからである。

③(ii)は，消費者契約締結時の消費者の住所地国でも提訴可能とする管轄合意を有効とするものである。ただし，それは非専属的管轄合意でなければならず，契約締結時の消費者の住所地国のみを指定する専属的管轄合意の場合には，③(iii)に該当するときを除き，非専属的管轄合意とみなされる（3条の7第5項1号かっこ書き）。

消費者契約の締結後，国外に転居した消費者にとっては，もはや住んでいない締結時の住所地国を指定する管轄合意が有効とされ，その国で提訴されることは不利益であるのは確かであるが，これが認められないとすれば，事業者は契約締結時には予測できなかった消費者の転居先の国のみでの提訴を強いられることになるから（とくに当初は国内取引であった場合には事業者にとって酷である），両者の利害のバランスを図ったのが③(ii)である。

③(iii)は，消費者が管轄合意を自己の利益のために積極的に利用した場合には，もはやその管轄合意の効力を争えないこととするものであり，禁反言の原則に基づいている。消費者が管轄合意を援用するとは，事業者が消費者の住所地国で提起した訴訟に対して，消費者が管轄合意によれば事業者の主たる営業所所在地国の専属管轄となっている旨の主張をして，訴えの却下を求めることである。消費者が外国で提訴されて，このような行動をした以上，後に事業者がその管轄合意に従って，その主たる営業所所在地国（日本）で提訴した場合には，もはやその管轄合意の有効性を争うことはできない。

以上のとおり，③により消費者契約事件についての管轄合意が有効とされるもののうち，事業者側が約款に組み込むことができるのは(ii)だけである。もっとも，対消費者ビジネス・モデルでは，代金の回収を先行させるなどにより，事業者が消費者に対して提訴するという事態に至らないようにするのが通常であり，また，消費者の現在の住所地国ではなく，消費者契約締結時の消費者の住所地国で事業者が消費者を被告として提訴できるようにしたとしても，消費者の財産は当該国にないのが通常であると考えられ，(ii)が事業者にとって有効なツールとなるとはいえないであろう。他方，対消費者ビジネスにおいて，3条の7第5項に照らせば有効ではない専属管轄合意条項（たとえば事業者に対する訴えは事業者の主たる営業所所在地国にのみ提起できると定める条項）を置いた約款を用い，3条の4第1項によれば消費者は自己の住所地国で提訴することができるにもかかわらず，当該条項を有効であると消費者が誤解し，提訴自体を断念することを期待するという戦術を事業者がとることはどう評価すべきであろうか。これは，広い意味でのコンプライアンスの観点から問題があり，不適切な企業活動であるというべきである。

なお，消費者契約に関する仲裁合意に関する特則については仲裁法附則3条（第5章Ⅱ[3](e)）参照。

⑿ 個別労働関係民事紛争事件の管轄（3条の4第2項・3項及び3条の7第6項） 労働関係事件についても，EUの規則にならって，消費者契約事件についてと同様に特則が置かれている。もっとも，労働組合が関係する事件などでは事業主に対して労働者側は必ずしも弱者とはいえないため，国際裁判管轄についての労働者保護は，労働契約の存否その他の労働関係に関する事項について個々の労働者と事業主との間に生じた民事に関する紛争（個別労働関係民事紛争）に関する訴えのみを対象としている。

労働者保護のための特則は，①労働者から事業主に対する個別労働関係民事紛争に関する訴えについては，他の管轄原因がある場合に加えて，労働契約における労務提供地が日本にあれば国際裁判管轄を肯定すること（3条の4第2項），②逆に，事業主から労働者に対する訴えについては，労働者の住所が日本にない限り，認めないこととすること（同条3項），③合意管轄については，(i)紛争発生後の合意である場合（3条の7第6項柱書の反対解釈），(ii)労働契約終了時にされた合意により，その時点の労務提供地での提訴を可能とする非専属的管轄合意である場合（同項1号），又は，(iii)労働者が合意された国の裁判所に提訴したか，若しくは，事業者が提起した訴えについて管轄合意を援用した場合（同項2号），以上のいずれかの場合にのみ有効とすること，以上のとおりである。

①の労務提供地とは，労働契約に基づき事業主の指揮命令により労働者が勤務する地である。通則法12条2項の「労務を提供すべき地」は準拠法決定のための概念であるので，契約締結時に1つの

地が特定されなければならないが（第4章Ⅱ④(b)参照），民訴法3条の4第2項の労務提供地は労働者が提訴するのに便利な地であることから採用されている概念であるので，実際に働いている地（退職後の提訴の場合には最後に働いていた地）であり，労務提供地は時間とともに変化して差し支えなく，また，複数あってもよい。

労務提供地が定まっていない場合は雇入事業所所在地に管轄が認められる（民訴法3条の4第2項かっこ書き）。とはいえ，国際線のパイロットや客室乗務員であっても，ベースがある国（自宅がある国）において，予備要員としての待機など多少の勤務があるのが普通であり，その地を労務提供地とすべきである。雇入事業所所在地は雇用契約当初の地であり，必ずしも紛争発生時に労働者にとって提訴に便利な地とは言えないため，できるだけ労務提供地が定まってないという認定をすべきではないと考えられる。

②の趣旨は消費者契約事件の場合と同じである。

③の趣旨も消費者契約事件の場合とほぼ同じである。シカゴの外国航空会社本社で採用された際に締結した雇用契約書中にイリノイ州等の裁判所を専属管轄とする条項があり，その後，日本勤務中に解雇された従業員が日本で提起した地位確認などを求める訴えについて，管轄合意の効力を認めて訴えを却下した裁判例があるが（東京高判平成12年11月28日判時1743号137頁），現行法のもとではその合意は無効とされることになる。

②によれば，事業主からの労働者に対する訴えについては，訴え提起時の労働者の住所地国にのみ管轄が認められるところ，③(ii)は，労働契約終了時に，その終了時点における労務提供地でも提訴可能とする管轄合意を有効としている。ただし，それは非専属的管轄合意でなければならず，労働契約終了時の労務提供地国のみを指定する専属的管轄合意の場合には，③(iii)に該当するときを除き，非専属

的管轄合意とみなされる（3条の7第6項1号かっこ書き）。

③(ii)は，たとえば，日本企業の日本所在の研究所を労務提供地として働いていた外国人研究者が退職後に母国に帰り，その後，秘密保持義務違反に該当する行為をした場合に，当該日本企業は日本で訴えを提起できるようにすべきであるとの経済界の主張に応えたものである。もっとも，労働者が最後の労務提供地国を出国した後にその国での提訴に応ずることは負担が大きいことから，管轄合意の時期を労働契約終了時とし，その時点の労務提供地国を指定するものに限って，有効としている。このように，この管轄合意の締結時期を定めている点が，消費者契約事件におけるこれに対応する管轄合意に関するルール（3条の7第5項1号）との違いである。

実務上，国際的な消費者契約事件に比して，国際的な個別労働関係事件は相当数あり，上記の特則が適用される機会は少なくないものと予想される。③(ii)のもとで，企業としては，労働契約終了時に秘密保持義務契約を締結することを退職金支払いの条件とし，その契約中に労務提供地を非専属的に指定する管轄合意条項を置くという対応をとることが考えられる。他方，広い意味でのコンプライアンスの観点から，個別労働契約において，3条の7第6項に照らせば有効ではない専属管轄合意条項（たとえば事業主に対する訴えは事業主の主たる営業所所在地国にのみ提起できると定める条項）を置き，3条の4第2項によれば労働者は自己の住所地国で提訴することができるにもかかわらず，当該条項を有効であると誤解し，提訴自体を断念することを期待することは不適切な行為であるというべきである。

なお，個別労働関係紛争に関する仲裁合意に関する特則については仲裁法附則4条（第5章Ⅱ3(e)）参照。

⒀　**専属管轄（3条の5）**　当事者間の衡平，裁判の適正・迅速を

確保するという観点から裁判管轄を定めるという国内の裁判管轄ルールを支える基本原則は，国際裁判管轄ルールにも妥当するものの，国際裁判管轄ルールではそれだけではなく，国家主権の観点も見落とすことはできない。3条の5は，主権国家として他の国の裁判所による判断を許さないこととすべきものは何かという観点から定められていると考えられる。もちろん，事案の処理の便宜などの観点からその地での訴訟に限定することが望ましいからであるという説明も不可能ではないが，外国裁判所の管轄を排除してまで実現する法政策の理由づけとしては弱いように思われる。

現行法上，専属管轄とされているのは，①会社などに関する一定の訴え（3条の5第1項），②登記・登録に関する訴え（2項），③特許権などの存否・効力に関する訴え（3項），以上の3つである。なお，立法論として日本に所在する不動産の物権に係る訴えが日本の専属管轄となっていないことに疑問がある点は前述のとおりである（(9)参照）。

一般には，ある訴訟における法律問題の審理判断が他の法律関係の成否に係るときはそれについて中間確認の訴えができるものの，民訴法145条3項は，その確認の訴えについて外国裁判所に専属管轄が認められ，日本の裁判所が管轄権を有しないときには，中間確認の訴えは認められない旨定めている。また，146条3項は，反訴に関して，反訴の目的である請求について専属管轄に関する規定により日本の裁判所が管轄権を有しないときは反訴を提起することができない旨定めている。これらは，日本の裁判所の専属管轄を定めている3条の5が，外国裁判所に専属管轄がある事項についても間接的に定めていることを前提とするものである。

■　会社などに関する一定の訴え　　3条の5第1項は，日本法を設立準拠法とする会社その他の社団・財団の根幹にかかわる訴訟を日本の専属管轄とするものである。すなわち，(i)会社法第7編第2章に規定する訴え（同章第4節及び第6節に規定するものを除く），(ii)一般社団法人及び一般財団法人に関する法律第6章第2節に規定する訴え，(iii)その他これらの法令以外の日本の法令により設立された社団又は財団に関する訴えでこれらに準ずるものである。これを会社についてより具体的にみると，会社の設立無効，会社の合併・分割無効，新株発行等不存在確認，株主総会決議不存在・無効・取消し，解散などの会社の組織に関する訴訟（会社法828条から833条），売渡株式等の取得の無効の訴え（846条の2），株主代表訴訟（847条），役員解任訴訟（854条），持分会社の社員除名訴訟など（859条から860条），社債発行会社の弁済等取消訴訟（865条）である。

民訴法3条の5第1項のかっこ書きにより，会社法第7編第2章に規定された訴訟のうち，第4節及び第6節に規定するものは専属管轄の対象とされていない。このうち，第4節の特別清算命令を受けた株式会社による役員などの免責取消しの訴え（857条・544条）及びそのような株式会社の役員等責任査定決定に対する異議の訴え（858条・545条）は，特別清算という倒産類似の手続内の訴訟であり，民訴法に規定を置くことが不適当であると考えられたためである。会社法上，これらの訴訟は特別清算裁判所（880条）の専属管轄とされており，国際裁判管轄としても日本の裁判所の専属管轄になると解される。他方，第6節の清算持分会社による財産処分取消しの訴え（863条）が除外されているのは，詐害行為取消訴訟の性質を有するにすぎないことから，専属管轄とするほどのものではないと判断された結果である。

なお，(iii)に該当する例として，内閣総理大臣の免許を受けて保険業を営む相互会社の社員総会・総代会決議の不存在・無効・取消しの訴え（保険業法41条2項・49条2項），その役員などの責任追及などの訴え（同法53条の37）などを挙げることができる。

■ 登記・登録に関する訴え　日本の登記・登録に関する訴えは，日本の裁判所に専属する（3条の5第2項）。義務者に対して登記などの手続をすべきことの意思表示を求める訴えや，登記などの義務の積極的又は消極的確認を求める訴えなどがその例である。これは，登記・登録制度が日本国として管理運営するものであることから，外国裁判所の判断により左右されることをよしとしないとの考え方に基づくものである。

なお，登記も登録も国又はその委託を受けた者が管理するものであるが，日本では法務省が管轄するものを登記，他の省庁が管轄するものを登録と称している。

■ 特許権などの存否・効力に関する訴え　日本に登録された知的財産権であって，設定の登録により発生するものの存否又は効力に関する訴えの管轄権は，日本の裁判所に専属する（3条の5第3項）。日本法上，知的財産権とは知的財産基本法2条2項に規定されたものであり，そのうち，この専属管轄ルールの対象となるのは，特許権，実用新案権，育成者権，意匠権，商標権，回路配置利用権などである。著作権にも登録制度はあるものの，著作権は無方式で発生し，登録は発生要件ではないので，含まれない。著作隣接権も同様に含まれない。

以下，3条の5第3項の適用対象のうち，特許権について検討する。本項は特許権の存否又は効力に関する訴えを対象としている。特許法によれば，特許権は特許庁の行政処分として付与され，それを対世的に無効にするには特許無効審判を請求しなければならず（123条），その請求についての審決に対する不服は東京高裁への取消訴訟によることとされている（178条）。そのため，特許権の「存否」に関する訴えとして，特許権無効確認や特許権不存在確認などの訴えは日本法上予定されていない。にもかかわらず，「存否」に関する訴えをこの規定の対象としている趣旨は，間接管轄として機能させることに主眼があると解される。すなわち，特許権は国家行為の産物である以上，その存否を外国裁判所が公権的に判断することを認めないという趣旨であって，日本の特許権の存否に関する外国判決は，民訴法 118 条 1 号の間接管轄を欠くという理由で日本での効力を一律に否定することを定めたものであるということができる。

他方，「効力」については別の問題がある。カードリーダー事件最高裁判決（百選 41 事件）では，特許権者が有する権利の内容を意味するものとして「効力」という語を用いており，これは専用実施権のほか，同事件で問題となった特許権侵害行為の差止請求権や特許権侵害製品の廃棄請求権を指すものである。これに対して，3 条の 5 第 3 項でいう「効力」とは，外国裁判所に判断を委ねることが国家行為としての特許権付与を侵害するとみられるものでなければならず，有効性を意味するものと解すべきである。

カードリーダー事件のように外国特許権などの侵害を理由とする差止め・廃棄請求や損害賠償請求訴訟について，日本の裁判所は被告住所地などの管轄原因により国際裁判管轄が認められる場合には裁判をしている（同事件は同じ発明についてアメリカでは元従業員が，日本ではその元勤務先の日本法人がそれぞれ特許権者となっているという状況において，日本からアメリカへの製品の輸出が問題となったものである）。3 条の 5 第 3 項はそのような判例を否定する趣旨ではない。では，そのような訴訟において，被告が当該外国特許無効の主張をした場合，日本の裁判所としてはどうすべきであろうか。仮に，このような主張があれば直ちに訴訟手続が中止され，当該外国における特許の有効・無効の判断が確定するまで待つという扱いをするとすれば，訴訟戦術としてそのような主張が濫用されることは容易に想像される。そこで，多数説によれば，外国特許権侵害訴訟における前提問題として日本の裁判所が当該特許権の有効・無効の判断をすることは，当事者間限りの判断にすぎず，差し支えないとされている。しかし，石油の所有権移転の前提問題である外国国有化措置の効力について判断を差し控えた判決があるように（百選 16 事件），国家行為を尊重すべきことは判決に対世効があるか否かとは別の問題であるというべきである。日本の裁判所としては，理由中の判断としても外国特許権は無効であるとは判示せず，特許法 104 条の 3 にならって，その限度での判断（当該特許が外国当局により無効とされるべきものと認められるときは，特許権者は相手方に対してその権利を行使することができないとの判断）にとどめるべきであり，それで十分であると解される。

⒁ 併合請求における管轄（3 条の 6） 一の訴えで数個の請求をする場合において，日本の裁判所が一の請求について管轄権を有し，他の請求について管轄権を有しないときは，当該一の請求と他の請求との間に密接な関連があるときに限り，日本の裁判所に当該他の訴えもあわせて提起することができる（3 条の 6 本文)。このような併合請求には，一の被告に対する一の訴えで複数の請求をする**客観的併合**と，複数の被告に対する訴えで一の請求をする**主観的併合**とがある。後者については併合請求であるがゆえに管轄が認められるためには，加重要件として，38 条前段に定める場合，すなわち，訴訟の目的である権利又は義務が数人について共通であるとき，又は同一の事実上及び法律上の原因に基づくときでなければならないとされている（3 条の 6 但書)。これは，基本的に国内の裁判管轄としての併合による管轄の規定（7 条）にならったものであるが，国際裁判管轄ルールとしては，旧法下の判例に従い（百選 79 事件），

客観的併合についても主観的併合についても，当該一の請求と他の請求との間に密接な関連があるときに限るという限定が付けられている。

客観的併合による管轄については，原告にとっては紛争を一の訴訟手続で解決できる利益があり，被告にとっても一の請求に対しては応訴せざるを得ない以上，他の請求について応訴することはそれほどの負担ではないと説明され，その合理性が説かれており，同じことが国際裁判管轄としても妥当するとされている。もっとも，体系的には，普通裁判籍に対する特別裁判籍は請求権と法廷地との関連性を基準としてルール化されているはずであり，客観的併合による管轄を認めることは，対人管轄の発想であって，日本の民訴法の管轄ルールの体系を乱すものである。民訴法7条の沿革を辿ると大正15年（1926年）の民訴法改正により導入されたものであり，これがきっかけとなって，日本の裁判管轄の考え方は被告と法廷地との関連性を重視するアメリカ的なものに変容したのではないかと思われる（第5章Ⅰ②(b)）。

他方，主観的併合は，本来であれば日本では訴えられないはずの者に，他の被告とあわせて被告とされることにより日本での応訴を強いることになるため，酷な場合が少なくない。そのため，前述のように，38条前段に定める場合であることが要件とされている。フィリピン沖でのフィリピン船籍の船舶の事故により引渡し不能となった貨物について保険金を支払った韓国法人である保険会社が，保険代位により，当該船舶の運送人である日本法人を被告とするとともに，登録船主・実質船主・船舶管理人である香港法人3社も被告として提訴した事件において，日本法人に対する訴えについて管轄が認められることから，主観的併合により香港法人3社に対する訴えについても管轄が認められるかが争われ，東京高裁は，これら

3社の応訴の負担が大きいこと，統一的解決の必要性が高くないこと，証拠も日本に所在していないことなどを指摘し，訴えを却下した（東京高判平成8年12月25日高民集49巻3号109頁）。これは旧法下の裁判例であるが，現行法のもとでも，たとえ3条の5の要件を満たすとしても，3条の9により同様の結論が導かれるべきであろう。というのは，共同不法行為者とされる複数の被告の中の一部に対する裁判だけが日本でされ，他の被告に対する裁判が外国でされる結果，それらの判決の間に矛盾が生じるとしても，不当利得の返還などによりある程度の調整は可能であり，また，日本法上はこのような場合には必要的共同訴訟とされていないことからも分かるように，加害者間に完全に整合的な解決を与えることはそもそも必ず達成すべき価値とは位置づけられていないからである。

⒂ **反訴についての管轄（146条3項）**　民訴法146条3項によれば，日本の裁判所に係属する本訴の被告が反訴を提起しようとする場合において，その反訴の目的である請求について日本に国際裁判管轄がないときであっても，本訴の目的である請求又は防御の方法と密接に関連する請求を目的とするという条件を満たす限りにおいて，その反訴は認められるとされる。国内事件では，本訴と反訴とが関連していることだけを要件としているのに比べ（同条1項），国際裁判管轄については「密接に」という点で要件が加重されている。その趣旨は併合請求による管轄の場合と同じである。なお，専属管轄に関する規定により，日本の裁判所が反訴の目的である請求について管轄権を有しないときは，反訴が認められない（同条3項但書）。これは，3条の5が間接管轄として準用されることを前提としている。

⒃ **合意管轄（3条の7）**　国際取引が行われる法環境は国内に比べて不確定要素に満ちているため，万一の紛争発生に備えて，合理

的なコストで円滑かつ迅速な解決が得られるように，紛争解決方法を契約であらかじめ定めておく価値は大きい。よく用いられるのは，管轄合意と仲裁合意（第5章Ⅱ）である。主要国の多くで一定の要件のもとに管轄合意は有効と認められるので，国際取引の当事者は，これを定めておくことにより，国により異なる国際裁判管轄ルールに左右されることなく，法廷地を特定することができる。そして，その結果，適用される国際私法も，それによって定まる準拠法も特定されるため，裁判外での和解交渉も円滑に行われる可能性が高まる。

管轄合意には，法律上，日本の裁判所には他の管轄原因がない場合に，日本の裁判所を指定する管轄合意（prorogation）と，日本の裁判所に管轄がある場合に，それを排除して外国の裁判所を指定する管轄合意（derogation）とがある。また，他の国の裁判所の管轄を排除して，指定した国の裁判所だけに管轄があることを合意する**専属的管轄合意**と，法律上管轄が認められる国の裁判所の管轄はそのままにし，それに付加して，指定した国の裁判所に管轄があることを合意する**非専属的管轄合意**とがある。このように，管轄合意には，指定した裁判所に管轄を付与する効力だけではなく，合意の仕方により，管轄を排除する効力も認められる。そして，日本の裁判所の管轄を排除する合意が有効とされる限り，その合意に反して日本の裁判所に提訴された場合には，その合意は妨訴抗弁として認められ，訴えは却下される。また，仮に外国裁判所が日本からみれば有効な管轄合意に反して判決を下しても，それは間接管轄を欠くものとして扱われることになる。

単純な専属的管轄合意条項の例は次のとおりである。

第＊＊条：裁判管轄

本契約から生ずる又はそれに関連するすべての紛争は，東京地方裁判所における法的手続によってのみ解決する。東京地方裁判所はその紛争について専属管轄を有する。

Article ＊＊：Jurisdiction

Any dispute arising out of or in connection with this agreement shall be solely resolved through a legal proceeding before the District Court of Tokyo, which shall have the exclusive jurisdiction over the dispute.

法律上認められる管轄を排除することと，法律上管轄があると否とにかかわらず合意により管轄を付与することとの組み合わせにより，様々な管轄合意がある。たとえば，日本の金融機関が貸主となっている国際的なローン契約では，貸主から提訴する場合には，法律上管轄が認められる国（たとえば借主の主たる事務所所在地国）に加えて，ニューヨーク，ロンドン及び東京のいずれにも管轄を認めることだけを定める条項が置かれることがある。これは，通常，紛争発生時に訴えなければならなくなるのは貸主であることを前提として，金融の中心地であって借主の資産がある可能性が高く，合理的な裁判が期待されるニューヨーク等の管轄を認めておくという趣旨であり，その観点からはいずれかの国の管轄を排除する必要はないとの実務上の判断に基づくものである。

3条の7は，①合意により，一定の法律関係に基づく訴えに関して，いずれの国の裁判所に訴えを提起できるかを定めることができることを明らかにし（1項及び2項前半），②その合意の方式を定め（2項後半及び3項），③外国裁判所のみで訴えを提起することができる旨の合意について，その裁判所が法律上又は事実上裁判権を行うことができないときは，その合意を援用できない旨定めている（4項）。

これらは，日本の裁判所を指定するものであれ，外国の裁判所を指定するものであれ，日本の裁判所で管轄合意が問題となる場合には常に適用される訴訟法上の要件である。なお，5項・6項の消費者契約紛争・個別労働関係民事紛争に係る管轄合意の特則については既述のとおりである（⑾・⑿の各③）。

■ 一定の法律関係に基づく訴えに関すること　A社・B社間の将来のいかなる紛争についても東京地裁を管轄裁判所として定めるという合意は，「一定の法律関係」に基づく訴えに関するものではないとされ，①の要件を満たさないことになる。これに対して，両者間の売買に関する基本契約の中に管轄合意条項を置いている場合には，その基本契約のもとで締結される個々の売買契約に関する訴えは，「一定の法律関係」の要件を満たすことになる。それらの個々の売買契約がその内容の一部として基本契約を取り込んでいると考えられるからである。

上記の例文で「本契約から生ずる又はそれに関連するすべての紛争」と広く記述されているのは，その契約に関連する不法行為請求なども含む趣旨を明確にするためである。第4章Ⅲ5で述べたとおり，準拠法条項において不法行為を含める旨定めても，通則法21条によりその部分の効力は認められないのに対して，管轄合意であれば，一定の法律関係に基づくものである限り，不法行為法上の請求を含めることは差し支えなく，そのようにしておくことにより一部の訴訟が他の国で行われることがないようにすることができる。

■ いずれの国の裁判所に訴えを提起することができるかを定めること　民訴法3条の7第1項は，特定の国の特定の裁判所を指定する合意を前提としているように読めるが，たとえば，日本に管轄を認める旨の合意も有効である。その場合，いずれの地方裁判所にも管轄があることになるが，提訴された裁判所が不便な場合には，17条により移送される。裁判所を特定しないで，外国を指定する合意も同様に有効である。

これに対して，裁判所まで特定しているものの，審級や事物管轄との関係で，その裁判所での裁判はできないという場合もあり得る。審級や事物管轄は法廷地法によるべき事項であり，管轄の合意は認められないからである。たとえば，特許などに関する紛争について札幌地裁を指定する専属管轄合意や（6条1項1号により東京地裁が事物的な専属管轄を有する），日本国最高裁判所を指定する専属管轄合意をしている場合である（裁判所の統廃合などの法改正によっても，そのようなことは起こり得る）。このような場合に決め手となるのは当事者の意思であり，仮に指定した裁判所では裁判ができないとしても，日本での裁判による紛争解決を意図しているのであって，法律上定める裁判所での裁判でよいとの意思であったと認定することができれば，そのような趣旨の合意として有効と扱うべきである。逆に，その特定した裁判所でなければ管轄合意自体をするつもりはなかったと認定されれば，その合意の効力は否定されることになる。

■ 形式要件　②は，管轄合意の形式的有効性に関する訴訟法上の要件である。管轄合意の実質的有効性の問題に外国法が適用されることがあるとしても，その準拠法のいかんにかかわらず，②の形式要件は適用される（通則法10条の適用はない）。

管轄合意は「書面」でしなければならず（2項），合意の内容を記録した「電磁的記録」，すなわち「電子的方式，磁気的方式その他人の知覚によっては認識することができない方式で作られる記録であって，電子計算機による情報処理の用に供されるもの」によってされたときは，書面によってされたものとみなされる（3項）。

この要件は，当事者に慎重な合意を促すとともに，裁判所としても，訴訟の入口での手間のかかる手続を避けるという意味がある。仮に口頭による管轄合意を認めるとすれば，その成立をめぐって証拠調べを要するといった手間がかかることになってしまうおそれがあるからである。管轄合意を書面でするとは，少なくとも当事者双方が書面に合意が記載されていることの認識を有していることが必要であり，取引慣行上そのような認識があるとされる場合でもよい。たとえば，管轄合意条項の記載のある船荷証券は，運送人が作成し，荷送人に交付されるものであるが，荷受人は荷送人から当該船荷証券を受領することによって運送契約上の地位を承継しており，関係者は船荷証券の存在を知って取引をしているので，荷受人からの運送人に対する当該運送契約に基づく訴えについてもその管轄合意の書面性は満たされていることになる（百選 81 事件は荷受人に保険金を支払った保険会社が荷受人の運送人に対する損害賠償請求権を保険代位して請求した事案である）。電磁的記録が残る方法による管轄合意は，そのような記録が残ることについての認識が当事者双方にあるので，方式要件を満たすことになる。以上に対して，電話での口頭による管轄合意を一方当事者がメモしただけでは，書面による合意とはいえない。

■　**外国裁判所の専属管轄合意の場合，その裁判所が法律上も事実上も裁判権を行使できること**　③も日本の訴訟法上の要件である。これは，旧法下の判例において，外国裁判所を専属管轄とする合意を有効と認めるには，指定された外国の裁判所が，その外国法上，当該事件につき管轄権を有することが必要であると判示されていたこと（百選 81 事件）に基づいている。3 条の 7 第 4 項はこれを踏襲しつつ，他の判例（百選 87 事件）も踏まえて，日本の裁判所の管轄を排除して外国裁判所にのみ管轄を認める合意は，その外国裁判所が法律上又は事実上裁判権を行うことができないときは，これを援用することができないと定めている。法律上裁判権を行うことができないとは，その国が当該管轄合意を有効と認めず，その他の法律上の管轄原因もないとすることのほか（管轄合意を有効と認めなくても，他の管轄原因があるとされればよい），訴えの利益その他の訴訟要件を欠くとの理由で裁判が行われないことをいう。また，事実上裁判権を行うことができないとは，戦乱，革命その他の社会的動乱などにより裁判所が機能していないことをいう。いずれの場合にも，その管轄合意を有効と認めて日本の裁判所に提起された訴えを却下してしまうことは裁判拒否に等しく，原告の権利保護の利益を否定してしまうため，被告によるその管轄合意の援用を認めないこととしているのである。なお，外国の複数の裁判所を指定している場合にも③は適用され，そのすべての外国裁判所での裁判が期待できない場合には（指定された国々のうち，一つでも裁判ができる国があればよい），日本の裁判所においてその管轄合意を援用することは認めないことになる。

■ その他の要件　管轄合意について3条の7が定めている有効要件は，以上の3点だけである。しかし，それだけで管轄合意が有効と扱われるわけではなく，次のような要件の具備も要求されると解される。

(i) 専属管轄ルールに反しないこと　これは，3条の10が定めていることである。また，直接管轄規定は間接管轄としても機能することから，3条の5を外国裁判所に当てはめた場合に，外国裁判所が専属管轄を有する場合にも，3条の7は適用されない。

(ii) 管轄合意能力があること　管轄合意は訴訟法上の合意であるので，訴訟能力を有する必要がある。これについては民訴法28条に定めがあり，「その他の法令」として通則法などが適用され，それにより定まる準拠法によると解される。そうすると，自然人の場合には本人の本国法により（通則法4条1項）（民訴法33条により，本国法によれば訴訟能力が認められなくても，日本法によれば訴訟能力が認められる場合には訴訟能力者とみなされる），法人及びその代表者の権限については明文の規定はないが，設立準拠法によることになる。

(iii) 意思の合致があること　訴訟法上の有効な合意が必要である。たとえば詐欺・錯誤があるか否かをどのように判断するかという問題について，民訴法に規定があればそれによることになるが，規定は存在しない。そこで，これについては，通則法7条から9条を準用し，契約の成立の準拠法により判断されることになろう（仲裁合意についてであるが，百選106事件では国際私法によって定まる準拠法を適用している）。通則法7条により，当事者による準拠法指定があればそれによる。一般に管轄合意は契約の一条項であることが多く，当事者がとくに管轄合意条項だけを区別していない限り，契約本体の準拠法によることになる。当事者による準拠法の指定がない場合には，通則法8条1項の最密接関係地法によることになる。その決定にあたっては，指定された裁判所所属国も重要な要素となることになるが，原則として，契約全体について最密接関係地法を判断すべきであると考えられる（8条のもとでの分割指定については，第4章II[1](f)参照）。なお，裁判管轄は訴え提起時を基準として判断されるので（民訴法3条の12），訴え提起後に通則法9条により当事者が準拠法変更をしても，管轄合意の成立に適用される準拠法は変更されない。

(iv) 法律との牴触がなく，かつ公序法に反しないこと　他の点では有効な管轄合意であっても，その効力を認めることが法律に牴触する場合の例としては，国際海上物品運送法11条違反となる場合が挙げられることがある。同条は，列挙されている諸規定に反する特約で，荷送人，荷受人又は船荷証券所持人に不利益なものは無効とすると定められている（運送品の保険契約によって生ずる権利を運送人に譲渡する契約その他これに類似する契約も同様とされる）。この特約禁止規定との関係で，外国裁判所に専属管轄を付与する条項が結果的に責任を軽減することになる場合にはその条項は無効であると解すべきであろう。

他方，「公序に反しないこと」という要件は，旧法下の最高裁判例の傍論において，管轄合意が「はなはだしく不合理で公序法に違反するとき等」には，それを認めないと判示されていたことを踏まえたものである（百選81事件）。当時と異なり，3条の7という明文の規定がある現在，このような不文の手続法上の一般原則の適用が認められるか否かが問題となる。確かに，当時はこの一般原則により処理されることがあり得た消費者契約・個別労働契約における管轄合意については同条5項・6項が置かれたこと，また，予見可能性が重視されるべき国際取引における管轄合意の有効性が不明確な一般原則により左右されることはできる限り避けるべきであることから，このような一般原則の適用には慎重である必要がある。しかし，管轄合意を有効と認めて日本の管轄を認めたり，日本の他の管轄原因を排除して指定された国の裁判所に管轄を認めることがきわめて不合理又は不当な結果となる場合には，手続法上の一般法理としての公序則の発動が許容されると解される。

たとえば，A国のフランチャイザーとの契約により日本において事業を営むフランチャイジーが，契約の不当解除を理由に契約上の地位の確認を求める訴えを提起したところ，被告が当該契約にA国の裁判所を専属管轄とする合意があるとの妨訴抗弁を提出したという場合において，A国と日本との間には民訴法118条4号の相互の保証がなく，A国判決は日本では効力が認められないとすると，日本での訴えを却下してA国裁判所での裁判に委ねることは，そこで原告が勝訴しても日本で求めている地位確認という公権的判断は得られないことを意味する。このような不合理な結果はこの公序法に反するという一般原則の発動により是正すべきである。

より一般的に，外国裁判所にのみ管轄を認める合意は，その外国裁判所の判決が日本で承認・執行できる場合に限って有効と認めるべきであるとの議論は旧法下の判例により否定され（百選81事件），3条の7もこの要件を規定していないが，場合によっては，「公序に反しないこと」という要件により，生じ得る不合理な結果を回避すべきである（なお，保全訴訟における本案起訴命令との関係での問題について，第5章Ⅰ[6](c)参照）。

また，日本の下請企業と外国の発注者との間の契約において，日本で訴訟になれば下請代金支払遅延等防止法の適用がある場合において，その適用を避けるために外国裁判所に専属管轄を付与する条項が置かれているときは，その下請企業が日本で提起した訴えに対し（その管轄原因は別途必要であり，たとえば，発注者が日本に支店を置いて継続的取引活動を行っているような場合には管轄が認められるであろう），発注者がその管轄合意を援用することは公序法により妨げられてしかるべきであると考えられる。

なお，消費者契約及び労働契約における管轄合意の有効性については上記⑾及び⑿，専属的管轄合意と特別の事情による訴えの却下との関係については⒅をそれぞれ参照。

⒄　**応訴管轄（3条の8）**　被告が日本の裁判所に管轄がない旨の抗弁を提出しないで本案について弁論をし，又は弁論準備手続において申述をしたときは，日本の国際裁判管轄が認められる（3条の8）。間接管轄としても同様である（民訴法118条1号の間接管轄があるとされる応訴と，同条2号の「応訴」との違いについては，第5章Ⅰ[4](b)⑶参照）。

⒅　**特別の事情による訴えの却下（3条の9）**　3条の9は，「裁判所は，訴えについて日本の裁判所が管轄権を有することとなる場合（日本の裁判所にのみ訴えを提起することができる旨の合意に基づ

き訴えが提起された場合を除く。）においても，事案の性質，応訴による被告の負担の程度，証拠の所在地その他の事情を考慮して，日本の裁判所が審理及び裁判をすることが当事者間の衡平を害し，又は適正かつ迅速な審理の実現を妨げることとなる特別の事情があると認めるときは，その訴えの全部又は一部を却下することができる」と定めている。

この規定振りからも分かるように，単に旧法下の判例上の「特段の事情」を条文化したものではなく，国内裁判所間の遅滞を避けるため等の移送に関する17条をも踏まえたものである。3条の9は国際裁判管轄の規律を不明確にする危険はあるものの，異なる国の裁判所の間では訴訟を移送することはできないため，「訴訟の著しい遅滞を避け，又は当事者間の衡平を図る」という17条が定める目的と同様の目的を果たすため，「当事者間の衡平を害し，又は適正かつ迅速な審理の実現を妨げることとなる特別の事情があると認めるとき」に訴えの却下をすることとしている。

「特別の事情」があるか否かの判断のためには，「事案の性質，応訴による被告の負担の程度，証拠の所在地その他の事情を考慮」することとされている。日本法人が子会社を通じてネバダ州法人に資本参加していたところ，その日本法人の会長の犯罪行為等を公表する記事を当該ネバダ州法人のウェブサイトに掲載したことにより名誉を毀損されたと主張して日本で提訴した事件において，不法行為地管轄（3条の3第8号）を認めた上で，①事実関係や法的争点が共通・関連する複数の訴訟が米国で係属していること，②主な証拠は米国に所在すること，③当事者は米国での訴訟を想定しており，実際，日本法人側も米国で応訴・反訴をしているので，米国での訴訟は日本法人側に過大な負担にはならない反面，日本での訴訟はネバダ州法人側には過大な負担となること，以上から3条の9により訴えを却下した判例がある（百選84事件）。また，旧法下の裁判例を参考にすると，たとえば，ドイツで20年以上ビジネスをしている日本人（被告）が日本法人（原告）からの委託によりドイツで車を買い付けて日本に送っていたが，トラブルとなり，原告が買付代金として被告に預託していた金銭の支払いを請求したような事案では（百選83事件），仮に被告の日本の銀行口座への預託金返還を約定していたとしても（3条の3第1号により日本に管轄が認められることとなる），被告の防御のための証拠方法はドイツに集中しており，原告としてはドイツからの輸入業をしていることから，原告の日本での訴えは，3条の9のもとでも却下される可能性が高い。また，本案審理に必要な多くの重要な証拠・証拠方法が所在する台湾との間に外交関係がなく，司法共助による証拠調べができないことも（東京地判昭和61年6月20日判時1196号87頁），「特別の事情」に該当すると解される。

ところで，3条の9はかっこ書きにおいて，日本の裁判所に専属管轄を与える合意がある場合には同条は適用しないことを明記している。これは，そのような場合にまで「特別の事情」の有無をめぐって争われるということになると，予測可能性を著しく損なうとの判断，すなわち，国際取引における管轄合意の有用性を害さないようにしようという立法政策に基づくものである。もっとも，これに対して，3条の2の普通裁判籍や3条の8の応訴管轄が日本に認められる場合には，3条の9は一応適用されることとされており，立法論上は，バランスが悪いといわざるを得ない。

3条の9が適用されると，訴えの全部又は一部は却下される。立法論としては，中間的な措置としての訴訟手続の中止（一時的な停止）という処理を可能とすべきであり，そうすればこの規定の使い勝手はよりよくなると思われる。

なお，比較法上，3条の9と類似するものとして，アメリカなどで広く活用されている**フォーラム・ノン・コンヴィニエンス**（forum non conveniens）（以下，FNC）**の法理**がある。これは，裁判官が有する広い裁量権の行使の一環として，裁判管轄が認められる場合であっても，それを行使しないという処理をするものである。大陸法系の国では，一般に，管轄の有無は明確であるべきだと考えられているのに対し，大陸法系に属する日本がアメリカのFNCに類似している制度を有していることは特異なことである。

もっとも，FNCと3条の9とはいくつかの点で異なる。すなわち，①FNCでは，外国裁判所での提訴が可能であることを絶対条件としていること，②FNCでは，その発動の基準として公的利益と私的利益とが総合考慮され，私的利益に被告の負担などが含まれる点では日本と類似しているが，公的利益として，原告が法廷地での納税者か，準拠法が外国法かといったことも含まれること，③日本では管轄はあるかないかであり，3条の9はないとする規定であるのに対して，アメリカでは，管轄があっても行使しないという扱いが認められていること，④3条の9が適用されると訴えは却下されることになるのに対して，FNCでは，条件付きで却下をしたり，訴訟手続の一時中止（stay）をすることが認められており，その条件としては，たとえば，外国訴訟においてアメリカと同様の証拠開示に応ずることや，外国訴訟では消滅時効の主張をしないことなど臨機応変に定められること，以上である。このような違いはあるものの，3条の9が管轄ルールに個別の事情に基づく例外を持ち込んでいることは比較法的にみて注目に価する。

⒆ **緊急管轄**　個別の管轄規定のいずれによっても管轄を肯定することができないが，訴えを却下してしまうと裁判の拒否になってしまうような場合には，**緊急管轄**として国際裁判管轄を認めるべ

きであるとの議論がある。現行法上はこれを認める条文は置かれないが，憲法32条の趣旨に鑑みれば，そのような処理は可能であろうと思われる。財産事件についての判例はないが，離婚事件の国際裁判管轄について明文の規定がなかった旧法下の最高裁は緊急管轄を認めており（百選87事件），(c)(1)で述べるように，現在の人訴法3条の2第7号は明文でこれを認めている。

既述のように，民訴法3条の7第4項は，外国裁判所のみを指定し，日本の管轄を排除する管轄合意は，「その裁判所が法律上又は事実上裁判権を行うことができないときは」その効力を認めない旨定めている。これは特定の場合に適用が限定された規定であるが，ここに示された考慮は一般的に妥当するものであるというべきである。日本の裁判所が国際裁判管轄を否定して訴えを却下するためには，いずれかの国で裁判を行うことができる状況であることが必要であり，このことが満たされない場合には，日本の裁判所は緊急管轄を認めるとの処理をすべきである。そして，さらに，仮に外国裁判所での提訴が可能であっても，その裁判所で下される判決が日本で承認・執行されないようなものになる場合にも，同様に日本での裁判を認めるという処理をすることも考えられる。国により司法制度・法制度の整備の程度は様々であり，外国でその国の独裁者などから人権侵害を受けた者が日本の裁判所に提訴してきた場合，国際法上の裁判権を欠く場合はともかく，そうでないのに国際裁判管轄を欠くとの理由で訴えを却下してしまうと正義が与えられないということになってしまう（当該外国での提訴は非現実的である）。裁判の拒否は正義の拒否であり，日本としてそのような状態に陥る者を救うことは国際的な責務ともいうべきである。まだ日本での緊急管轄に関する議論は未成熟であるが，諸外国での国際的な人権訴訟の例も参考に，積極的な対応が望まれる。

なお，施行から6カ月間の時限立法であったため，現在では効力を失っているが，**アメリカ合衆国の千九百十六年の反不当廉売法に基づき受けた利益の返還義務等に関する特別措置法**（平成16年法律162号）は，この関連で興味深いものである。これは，世界貿易機関（WTO）の紛争解決手続において違法とされたアメリカのダンピングに関する1916年法が廃止されないままであったところ，同法上の反ダンピング行為をしたとされる日本企業に3倍賠償を命ずる判決を得たアメリカ企業が現れるという状況において，そのような判決の日本での効力を否定した上で，アメリカの判決で得た利益の返還義務を定め，これを実効的にするため原告の住所地に管轄を認めて日本での提訴を可能とするものである。この法律上の請求権の行使はアメリカでは認められないことは明らかであり，この管轄規定は緊急管轄的な発想のもとに制定されたということができる。なお，この法律に基づく訴訟は少なくとも1件提起されたが，和解により終結している。

⒇　条約上の国際裁判管轄規定　日本が締約国となっている条約のうち，若干のものには国際裁判管轄の規定があり，その条約が適用される場合には，その規定によることになる。以下はその例であり，その適用がある限り，国内法は排除され，もっぱら条約の規定による。

国際航空運送についてのある規則の統一に関する条約（モントリオール条約）33条1項から3項によれば，国際航空運送により被った損害の賠償請求訴訟については，①運送人の住所地のある締約国，②運送人の主たる営業所若しくはその契約を締結した営業所の所在地のある締約国，又は③到達地である締約国，以上の国の裁判所に管轄が認められる。また，そのような訴訟のうち，旅客の死亡又は傷害から生じた損害の賠償請求訴訟は，これらの裁判所に加え，④事故の発生の時に旅客が主要かつ恒常的な居住地を有していた締約国の裁判所にも管轄が認められる（ただし，関係する運送人が，自己の航空機により又は商業上の合意に基づき他の運送人が所有する航空機により当該締約国の領域との間で旅客の航空運送を行っており，及び当該関係する運送人が，自己又は商業上の合意のもとにある他の運送人が賃借し又は所有する施設を利用して，当該締約国の領域内で旅客の航空運送業務を遂行している場合に限る）。

油による汚染損害についての民事責任に関する国際条約9条1項は，事故が1若しくは2以上の締約国の領域において汚染損害をもたらし，又は当該領域における汚染損害を防止し若しくは最小限にするため防止措置がとられた場合には，賠償の請求の訴えは，当該締約国の裁判所にのみ提起することができる，と定めている。

(c) 人事・家事事件の国際裁判管轄

人事訴訟事件に関する国際裁判管轄のルールは人訴法3条の2以下に，家事事件に関する同様のルールは家事事件手続法3条の2以下にそれぞれ定められている。これらは，「人事訴訟法等の一部を改正する法律」（平成30年法律20号）により追加された条文である。

財産事件の国際裁判管轄ルールについては，当事者間の衡平，裁判の適正・迅速という手続法上の正義が重要とされ，人事・家事事件の中でも，離婚請求事件のように被告や相手方がある限り，同様の要素が重要とされている（人訴法3条の2第7号・3条の5，家事事件手続法3条の14）。しかし，養子縁組の許可・決定の審判事件のように被告・相手方がない家事事件の場合はもちろん，そうでない場合であっても一般的に，人事・家事事件においては当事者の人生・幸福が問題となっており，実体法上の正義を与えることの価値がより重要である。実体法上，財産事件よりも人事・家事事件において通則法42条の公序則が発動されることが多いことも，国家法秩序として後者の事件類型においては強く明確な公の関心があり，実体法上の正義に敏感であることの証左であるということができよう。したがって，人事・家事事件の国際裁判管轄ルールにおいては，手続法的正義の実現は後退してしかるべきであり，またその具体的事案への当てはめにおいても，裁判所は，実体法上の正義を与えるべく，管轄を肯定して本案審理を行う方向に傾斜した判断をすべきである。

以下では，人事訴訟事件について，争われることが多い離婚等請求事件を取り上げた上で他の事件類型をまとめて扱い，次に，家事事件についても，事例の多い養子縁組の許可・成立の審判事件を取り上げた上で他の事件類型をまとめて扱うこととする。そして，最後に，家事調停事件を扱う。

(1) **離婚等請求事件の管轄**　いったん成立した婚姻の解消については宗教の違い等を背景に離婚禁止の法制，離婚前に一定期間の法定別居を求める訴えが要求される法制，裁判離婚のみが認められる法制，日本のように協議離婚を認める法制等があり，また，離婚の際の財産の分け方，子の監護権の扱い等も国により様々である。以下ではまず，人事訴訟事件の一類型とされる裁判離婚請求とそれに伴う他の事件の国際裁判管轄を扱う。

■ **離婚請求事件の管轄**　離婚請求事件について日本の裁判所に国際裁判管轄が認められるのは，①被告の住所（住所がない場合又は住所が知れない場合には居所）が日本国内にある場合（人訴法３条の２第１号），②原被告とも日本国籍を有している場合（5号），③夫婦の最後の共通の住所が日本国内にあった場合であって，原告の現在の住所が日本国内にあるとき（6号），④原告が日本国内に住所を有する場合であって，被告が行方不明であるとき，被告の住所がある国においてされた原被告間の婚姻についての訴えに係る確定判決が日本で効力を有しないとき，その他の日本の裁判所が審理及び裁判をすることが当事者間の衡平を図り，又は適正かつ迅速な審理の実現を確保することとなる特別の事情があると認められるとき（7号），以上の場合である。

①は財産事件に関する民訴法3条の2第1項と同じであり，明文の規定がなかった旧法下の判例でも離婚事件の管轄についてこれが原則であるとされていた（百選86事件・87事件）。

②は，たとえ被告である日本人（外国国籍をも有する重国籍者でもよい）が外国に居住していても，さらには原告である日本人（同前）も外国に居住していても，両者が日本人であることを根拠に日本の裁判所の管轄を認めるものである。これは手続法的正義に基づくものではなく，両者の身分関係を日本国として戸籍制度により管理し，重大な関心を有しているという関係に基づき，実体法的正義を与えようとするものである。一方当事者のみが日本人である場合にも日本国はその者の身分関係に関心を有しているものの，日本人ではない他方当事者への手続法上の配慮により，一方が日本人であるだけでは管轄を認めていない。

③は，双方の当事者にとって，日本が最後の共通住所地である場合に日本の裁判所の管轄を認めるものである。配偶者の一方Aが外国に転居しまうと，他方の配偶者Bがなお日本に居住していても当該外国での提訴を強いられるとすれば，日本で訴えられないようにするために外国に転居する策略をAに認めてしまうことになるので不当であり，他方，外国に転居したAにとって，かつて住所があった日本で提訴されることは，Bが場合によっては見ず知らずの外国で提訴する負担に比べれば相対的に酷とはいえないという考えに基づくものである。同様のルールは，国内管轄として，昭和51年（1976年）の人事訴訟手続法改正により導入されていたことか

らも窺われるように（その後の改正により現在のルールは異なる），管轄に関する手続法的正義にかなうということができよう。

④は，原告が日本に住所を有することを条件として，いわゆる**緊急管轄**を認めるものである。被告が行方不明であるときという例示は，最高裁昭和39年3月25日判決（百選86事件）に由来するものである。この事件では，被告（外国人）の住所が日本にないからといって，「原告が遺棄された場合，被告が行方不明である場合その他これに準ずる場合」に，日本に住所がある原告（外国人）の求める離婚の訴えについて日本の裁判所の国際裁判管轄を否定することは，その「身分関係に十分な保護を与えないこととなり……国際私法生活における正義公平の理念にもとる結果を招来することとなる」とし，最後の共通住所地が韓国であって，原告が単身来日して住所を取得したという事案であっても，被告が行方不明であるとの事実認定に基づき，国際裁判管轄が肯定された。④には，「原告が遺棄された場合」は例示に挙げられていないが，事案によっては，④の後半部分の「特別の事情」に該当することはあり得る。

被告の住所がある国においてされた原被告間の婚姻についての訴えに係る確定判決が日本で効力を有しないときという④の2つめの例示は，最高裁平成8年6月24日判決（百選87事件）に由来するものである。この事件は，ドイツでドイツ人妻と婚姻してともにドイツに居住していた日本人夫が旅行名目でドイツを出国して日本に住所を移し，その後，ドイツで妻が離婚請求訴訟を提起し，同国では請求が認容され，婚姻関係は終了しているという状況において，夫が日本で離婚請求訴訟を提起したものである。最高裁は，「被告が我が国に住所を有しない場合であっても，原告の住所その他の要素から離婚請求と我が国との関連性が認められ，我が国の管轄を肯定すべき場合があることは，否定し得ないところであ」り，「管轄の有無の判断に当たっては，応訴を余儀なくされることによる被告の不利益に配慮すべきことはもちろんであるが，他方，原告が被告の住所地国に離婚請求訴訟を提起することにつき法律上又は事実上の障害があるかどうか及びその程度をも考慮し，離婚を求める原告の権利の保護に欠けることのないよう留意しなければならない」との一般論を示した。そして，その当てはめとして，この事件では，ドイツではすでに離婚判決が確定しているのに対して，日本では，ドイツでの当該離婚請求の訴えについて公示送達がされたことから，当該ドイツ離婚判決の効力が承認されない（民訴法118条2号）という状況にあり，夫としてはドイツで離婚請求訴訟を提起しても，すでに同国では婚姻が終了している以上，不適法却下となると考えられ，夫にとっては日本で離婚請求訴訟を提起する以外に方法はないことから，本件訴えについて日本の裁判所の国際裁判管轄を肯定するのが条理にかなうと判示した。この判決は緊急管轄を認めたものであるとの理解があったところであり，④の2つめの例示は判決をほぼそのまま踏まえたものである。

④によれば，以上の2つの例示にそのとおり該当しなくても，「日本の裁判所が審理及び裁判をすることが当事者間の衡平を図り，又は適正かつ迅速な審理の実現を確保することとなる特別の事情がある」場合には管轄が認められる。これは，「日本の裁判所が審理及び裁判をすることが当事者間の衡平を害し，又は適正かつ迅速な審理の実現を妨げることとなる特別の事情がある」場合に訴えを却下すると定める後述の人訴法3条の5と表裏の関係にある。すなわち，離婚事件についての管轄原因を個別に定める①から③のルール及び④の例示された2つの場合に当てはまらないときでも，「特別の事情」があれば管轄が認められ，逆に，それらのルールや例示の場合に当てはまるときでも，「特別の事情」があれば3条の5によ

り訴えは却下されることになる。3条の5の特別の事情による訴えの却下は財産事件についての民訴法3条の9と同様であるが，緊急管轄についての明文の規定である④（人訴法3条の2第7号）は民訴法にはない。この違いは，財産事件では当事者の予見可能性の確保に手続法上も一定の配慮を払うべきであるのに対して，既述のように，離婚という問題（他の人事訴訟事件についても同じ）は人の幸福追求権に直結する事柄であって，その権利を侵害することがないように，実体法的正義を実現することが大切であり，その価値は手続法上の明確性の要請を凌駕するからである。たとえば，ある国の独裁者と無理矢理婚姻させられた妻が日本に亡命してきて，その独裁者に対する離婚請求訴訟を提起した場合，その独裁国家では適正な裁判が期待できないのであれば，その国の判決が日本で効力を有するか否か等の事情にかかわらず，④により日本の裁判所の管轄を認めて本案の審理をすべきである。もっとも④は原告の住所が日本にあることを要件としており，住所を取得するに至らない短期の滞在の場合には④により管轄を認めることはできない。このような場合の原告の住所の認定は緩やかにし，上記のような状況にある妻に裁判の機会を与えることは日本の国際的責務であるというべきである。

■ **離婚に伴う慰謝料・財産分与請求の管轄**　人訴法3条の3は，離婚請求とともに離婚を原因とする「損害の賠償」に関する請求であって，離婚請求訴訟の当事者間のものについては，離婚請求事件について管轄を有する裁判所が国際裁判管轄を有する旨定めている。離婚による慰謝料請求の訴えは地方裁判所に提起されることがあり，その限りでは民訴法3条の2及び3条の3第8号などにより管轄が判断されるが，人訴法8条1項により，当該地方裁判所は，相当と認めるときは申立てにより，当該訴訟を離婚事件が係属する家庭裁判所に移送することができ，その場合には，当該家庭裁判所は人訴法3条の3により当然に管轄が認められることになる。

慰謝料とは別に，離婚に伴う「財産の分与」が請求されることがある。これについて，人訴法3条の4第2項は，家事事件手続法3条の12各号のいずれかに該当するときは，離婚事件について管轄を有する裁判所に管轄を認める旨定めている。離婚後の財産の分与に関する処分の審判事件の管轄を定めている家事事件手続法3条の12は，既述の人訴法3条の2第1号・5号・6号・7号に定められているルール（①から④）と内容上同じルールを定めている。

ここでいう「財産の分与」は人訴法32条1項に定めるものとされ，民法768条の「財産の分与」が想定されているものと思われるが，国際的な離婚の場合には日本法が準拠法となるとは限らず，この「財産の分与」には，夫婦財産関係の清算請求や離婚後の扶養料請求も含まれ，外国法が準拠法となるものも含まれる（第3章Ⅱ2(a)(5)）。

■ **離婚に伴う子の監護権者・親権者の指定請求の管轄**　夫婦間に未成年の子がある場合，離婚に際してその子の監護権者・親権者の指定が争われることがある。人訴法3条の4第1項は，離婚請求事件について管轄を有する裁判所は，子の監護権者・親権者の指定についての裁判に係る事件について国際裁判管轄を有する旨定めている。もちろん，この場合にも，子が不在であって，その子のための適正な裁判ができないといった特別の事情があれば，人訴法3条の5によりその請求についての訴えのみ却下するということもあり得よう。

■ **変更後の請求・反訴の管轄**　配偶者の一方が離婚請求の訴えを提起した後，婚姻無効確認請求に変更をしたり，これを追加して請求したりすることがある。人訴法18条1項は財産事件に比べて請求の変更を緩やかに認めているが，この変更までに時間が経過した場合，被告が外国に転居してしまうことがある。同条2項は，そのような場合，変更後の人事訴訟に係る請求が変更前の人事訴訟に係る請求と同一の身分関係についての形成又は存否の確認を目的とするという条件を満たす限り，管轄を認めている。

また，反訴についても同様の問題が生ずるところ，18条3項は，①反訴が本訴に係る請求と同一の身分関係についての形成又は確認である場合，②当該本訴に係る請求の原因である事実によって生じた損害の賠償に関する請求である場合，以上のいずれかの場合に反訴についての管轄を認めている。

■ 特別の事情による訴え却下　人訴法3条の5は，財産事件についての民訴法3条の9とほぼ同様の定めであるが，①後者にある日本の裁判所を指定する専属管轄合意がある場合の例外が前者にはない点，②後者にはない「当該訴えに係る身分関係の当事者間の成年に達しない子の利益」を前者では考慮すべき事情として例示している点，この2点において異なる。人事訴訟事件でも家事調停が行われる場合については管轄合意が認められているが（家事事件手続法3条の13第1項3号），財産事件の場合には取引の安全が重視され，当事者の予測可能性の保護という価値が重要であるのに比べ，人事事件においてはその価値は低いと考えられる。このことから，人訴法3条の5のもとでは，管轄合意があったからといって，当然には3条の5の適用を除外してはいない。他方，②の点は，未成年の子の利益が離婚を含む婚姻関係事件においてはとくに重視されるべきことを示すものである。

既述のように人事訴訟事件においては実体法上の正義の実現が重要であるとの立場からは，離婚等請求事件の管轄の判断においては，手続上「当事者間の衡平」を多少害するとしても，目の前の当事者に実体的正義を与えるべく，「適正かつ迅速な審理の実現」を確保するため，日本の裁判所において審理及び裁判を行う姿勢が求められる。財産事件においては，マレーシア航空事件判決（百選76事件）の直後から「特段の事情」によって訴えの却下をする裁判例が多くなり，その後，これを認めた最高裁判例（百選83事件）を経て，民訴法3条の9が導入され，これに基づく訴え却下も実際にされてきた。これに対して，離婚請求事件をはじめとする人事・家事事件ではそのような扱いが裁判例において見られないことは，上記のような実体的正義を重視する傾向が裁判実務上もあることを示しているということができよう。

もっとも，平成30年法律20号により導入された国際裁判管轄ルールは，上記の人訴法3条の2第5号や7号のように，それまでよりも広く管轄を肯定していることから，今後は，3条の5を適用すべき事例があり得ることは否定できない。たとえば，両当事者とも日本国籍は有しているものの，日本に居住したことがなく又は長期間外国に居住しているにもかかわらず，一方の当事者が単身で短期滞在の予定で来日して離婚訴訟を提起したような場合には，3条の2第5号により管轄が認められるとしても，3条の5により，当事者間の衡平を著しく害することを理由に訴えを却下すべきであろう。

(2) その他の人事訴訟事件の国際裁判管轄　人訴法3条の2以下の国際裁判管轄ルールの適用対象となるのは，同法2条に定義されている「人事訴訟」である。同条の各号に掲げられているのは，婚姻関係・実親子関係・養子縁組関係の3つのカテゴリーの訴えであり，(1)で扱った離婚の訴えを除くと，(i)婚姻無効・取消しの訴え，(ii)協議離婚の無効・取消しの訴え，(iii)婚姻関係存否確認の訴え，(iv)嫡出否認の訴え，(v)認知の訴え，(vi)認知無効・取消しの訴え，(vii)父を定める訴え，(viii)実親子関係存否確認の訴え，(ix)養子縁組の無効・取消しの訴え，(x)離縁の訴え，(xi)協議離縁無効・取消しの訴え，(xii)養親子関係存否確認の訴え，以上である。これらの訴えは日本法上のものが想定されているようであるが，2条柱書は「次に掲げる訴えその他の身分関係の形成又は存否の確認を目的とする訴え」と定めているので，このような訴えである限り，外国法が準拠法となるものも，さらには，日本法上は存在しないタイプの訴えも含まれる。

これらのうち，(vii)の父を定める訴えを除き，婚姻・実親子・養親子の当事者の一方が他方を訴える場合については，離婚の訴えの管轄について述べたところがほぼそのまま当てはまる。ただ，これらの場合には，当事者の一方が死亡していることがあるため，人訴法3条の2第3号の適用がある点のみ異なる。その場合，同号によれば，被告となる当事者が死亡の時に日本国内に住所を有していた場合に日本の裁判所の管轄が認められる。

他方，これらの訴えの中には問題となる身分関係の当事者以外の者が当該身分関係の無効・取消しの訴えを提起することができるものもある（提訴を誰に認めるかは当該身分関係の成立の準拠法による）。たとえば，両親の協議離婚の無効確認の訴えを子が提起する場合や，認知や養子縁組の無効確認の訴えを養親の他の子や配偶者が提起する場合などである。このような訴えについては，人訴法3条の2第2号により，当該身分関係の当事者の一方又は双方の住所（住所がない場合又は住所が知れない場合には居所）が日本国内にあるときのほか，同条5号により，当該身分関係の双方が日本国籍を有していれば（一方又は双方が死亡時に日本国籍を有していたときを含む），日本の裁判所の管轄が認められる。

上記(vii)の父を定める訴えは，子について，母の前婚の夫との間と後婚の夫との間の双方との関係で嫡出推定が重複する場合，その解決のために認められるものである。日本民法773条は，同法732条違反の重婚をした女が出産した場合と明記しているが，通則法28条が定める嫡出親子関係成立について複数の準拠法が適用されるため，父を定める訴えが必要となる場合がある。父を定める訴えの原告・被告は人訴法 43 条 2 項に定められており，これを前提とすると，43 条 2 項 1 号の場合の国際裁判管轄については，3 条の 2 のいずれの号にも該当しないが，2 号の類推適用を認め，推定を受けている 2 人の父のうち一方が日本に住所があれば管轄を認めてよく，また 7 号も類推適用することができるであろう。また，43 条 2 項 2 号・3 号の場合の国際裁判管轄についても同様に該当する号はないが，3 条の 2 第 1 号・3 号・5 号・7 号の類推適用により管轄を定めることになろう。

そのほか，外国法上の身分関係については，日本法とは異なる扱いがされることや日本法にはそれに相当するものがないこともあるので，上記のような類推適用は様々な場合にあり得るところであり，基本的な考え方としては，既述のように，実体法的正義の実現に欠けるところがないように管轄判断をしていくことである。

なお，以上の人事事件の管轄のすべてについて，前述の人訴法 3 条の 5 の特別の事情による訴えの却下があり得るほか，訴えに応じて，3 条の 3，3 条の 4，18 条 2 項・3 項の適用がある。

(3) 養子縁組許可・成立事件の管轄　家事事件のうち実際に事例が多いのは養子縁組許可・成立事件である。養子縁組に係る事件のうち，養子縁組許可・成立事件においては，当事者間に対立があるわけではなく，裁判所は後見的役割を果たすことになるので，手続法上の当事者間の衡平への配慮は必要ない。家事事件手続法 3 条の 5 は，これらの事件について，養親となるべき者又は養子となるべき者の住所（住所がない場合又は住所が知れない場合には居所）が日本にあるときは，日本の裁判所は国際裁判管轄を有する旨定めている。この管轄ルールは，当事者の生活と日本との間に一定の関係があれば管轄を認めてよいとの考えに基づくものである。これに対して，養子縁組無効や離縁などは当事者間に対立関係があるので，(2)の(ix)・(x)・(xi)・(xii)のとおり，これらに係る訴えは，人事訴訟事件として人訴法3条の2以下の規定により国際裁判管轄が判断される。

養子縁組許可・成立事件において，養子となるべき者の住所が日本国内にあり，養親となるべき者の住所が外国にある場合，日本の裁判所は，後見的な立場から「子の利益」のための実体法上の正義を与えるという任務を果たすのに相応しく，家事事件手続法3条の5はこれを可能とするものである。このような場合に日本の裁判所の管轄を認めることにつき，旧法下の裁判例においては「子の福祉」にかなうと表現するものもあったが，不適切な表現である。将来の幸せな暮らしが確保されるか否かという実体法的な価値ではなく，養子の将来にとって相応しい判断ができる裁判所か否かという手続法的な価値に基づいて管轄が肯定されると考えるべきである。

この観点からは，逆に，養親となるべき者の住所が日本国内にあるものの，養子となるべき者の住所は外国にあり，まだ来日していないような場合には，日本の裁判所が子の利益の判断をするのに相応しいとはいえないこともあり得る。そのような場合には，3条の5によれば管轄が認められるものの，3条の14により申立てが却下されることがある（養子となるべき者の住所が日本国内にある場合に3条の14の適用が否定されるわけではないが，相対的に少ないであろう）。同条は，民訴法3条の9及び人訴法3条の5と同様の「特別の事情による申立ての却下」を定めるものであるが，養子縁組事件をはじめとする家事事件においては上記のとおり裁判所は後見的役割を果たすべきであるとされていることから，家事事件手続法3条の14において，考慮すべき事情として挙げられているのは「事案の性質，申立人以外の事件の関係人の負担の程度，証拠の所在地，未成年者である子の利益その他の事情」であって，「当事者間の衡平」は挙げられていない（これに対して，家事事件であっても，相手方がある事件については，上記の事情に加えて，「申立人と相手方との間の衡平を害することとなる特別の事情」が挙げられている）。

なお，家事事件手続法3条の5は，同法の別表第一の61の項及び63の項を引用しており，それらの項には，根拠となる法律の規定として民法794条・798条及び817条の2が明示されている。しかし，国際的な養子縁組事件においては外国法が準拠法となる場合もあり，そのような場合を排除する趣旨ではない。外国法上，普通養子縁組であっても裁判所の決定手続を要するとされていることもあり，その場合には，普通養子縁組であっても許可審判ではなく，成立審判を行うことになる。

(4) その他の家事事件の管轄　日本の家庭裁判所における家事事件の処理は，審判手続によるものと調停手続によるものがある。家事事件手続法3条の2から3条の12までは，いくつかの事件類型の家事審判事件の管轄を，3条の13は，家事調停事件の管轄をそれぞれ定め，3条の14は，両事件について特別の事情による申立ての却下を定めている。以下では，(3)で扱った3条の5（養子縁組許可・成立事件の管轄）以外の規定についてみていこう。なお，各事件類型は，(3)の末尾で触れたように，別表第一・第二を引用して定義されているが，外国法が準拠法となる類似の事件類型を排除する趣旨ではない。

■ 不在者の財産の管理に関する処分の審判事件の管轄（3条の2）
従来の住所・居所を去って外国に行ってしまった者の財産の管理につき，利害関係人等の申立てにより，管理人の選任，財産の管理に必要な処分の命令，管理の費用や管理人の報酬の支払い等をすることがある。家事事件手続法3条の2は，これらの事件について，当該財産が日本国内にあれば日本の裁判所に管轄がある旨定めている。

通則法13条により，当該財産の物権関係には日本法が適用されることになる。失踪宣告に関する通則法6条2項の定めに鑑み，不在者の財産の管理について日本の裁判所ができるのは，日本所在の財産に関する処分についてのみであると解される。

■ **失踪宣告の取消しの審判事件の管轄（3条の3）** 失踪宣告の管轄については，通則法6条に定められている（第4章I[1](b)(1)）。家事事件手続法3条の3が定めているのは，失踪宣告の取消しの審判事件の管轄についてであり，①「日本において失踪の宣告の審判があったとき」(1号)，②「失踪者の住所が日本国内にあるとき又は失踪者が日本の国籍を有するとき」(2号)，③「失踪者が生存していたと認められる最後の時点において，失踪者が日本国内に住所を有していたとき又は日本の国籍を有していたとき」(3号)，以上のいずれかに該当するときは日本の裁判所の管轄が認められる。③は通則法6条1項と同じであり，これに該当しなくても，通則法6条2項は一定の場合には日本の裁判所が失踪宣告をすることができる旨定めており，そうした場合には，①により，その失踪宣告の取消しの管轄が認められる。

■ **嫡出否認の訴えの特別代理人の選任の審判事件の管轄（3条の4）** 嫡出否認の訴えは人事訴訟であり((2)の(iv))，その管轄は人訴法で定まるところ，その管轄が肯定される場合，家事事件手続法3条の4は嫡出否認の訴えの特別代理人の選任について管轄がある旨定めている。

■ **死後離縁の許可の審判事件の管轄（3条の6）** 縁組の当事者の一方が死亡した後に生存当事者が離縁をしようとするについての許可の審判事件の管轄につき，家事事件手続法3条の6は，①「養親又は養子の住所（住所がない場合又は住所が知れない場合には，居所）が日本国内にあるとき」(1号)，②「養親又は養子がその死亡の時に日本国内に住所を有していたとき」(2号)，③「養親又は養子の一方が日本の国籍を有する場合であって，他の一方がその死亡の時に日本の国籍を有していたとき」(3号)，以上のいずれかに該当するときは認められる旨定めている。養子縁組の許可・成立事件の管轄に関する3条の5は①の場合にだけ管轄を認めており，②は死後離縁という状況について①から自然に導かれるものである。これに対して，③が日本人間の養子縁組であったことを死後離縁の許可の審判事件の管轄原因としているのは，日本国として国民の身分関係への関心に基づくものである。

■ 特別養子縁組の離縁の審判事件の管轄（3条の7） 特別養子縁組の離縁の審判事件の管轄について定める家事事件手続法3条の7は，養子・実父母・検察官のみがこの離縁を請求することができ，相手方は養親であるという日本法上の特別養子縁組（民法817条の10）を前提としており，①「養親の住所（住所がない場合又は住所が知れない場合には，居所）が日本国内にあるとき」(1号)，②「養子の実父母又は検察官からの申立てであって，養子の住所（住所がない場合又は住所が知れない場合には，居所）が日本国内にあるとき」(2号)，③「養親及び養子が日本の国籍を有するとき」(3号)，④「日本国内に住所がある養子からの申立てであって，養親及び養子が最後の共通の住所を日本国内に有していたとき」(4号)，⑤「日本国内に住所がある養子からの申立てであって，養親が行方不明であるとき，養親の住所がある国においてされた離縁に係る確定した裁判が日本国で効力を有しないときその他の日本の裁判所が審理及び裁判をすることが養親と養子との間の衡平を図り，又は適正かつ迅速な審理の実現を確保することとなる特別の事情があると認められるとき」(5号)，以上のいずれかに該当するときは日本の裁判所に管轄が認められる旨定めている。外国法が離縁の準拠法となる場合において，他の者の請求を認めているときには，その立場に応じて，上記の規定を準用することなる。

普通養子縁組の離縁の訴えは人事訴訟であり（(2)の(x)），その管轄は人訴法により定まるところ，上記の①は人訴法3条の2第1号と，③は3条の2第5号と，④は3条の2第6号と，⑤は3条の2第7号と，それぞれ整合的である。異なるのは②であるが，特別養子縁組の離縁という養子の利益の保護を重視すべき事件類型であることから，たとえ養親の住所が外国にあるためにその手続保障に問題があるとしても，管轄を肯定している。

■ **親権に関する審判事件等の管轄（3条の8）** 親権を行う親と子との利益が相反する行為についての子のための特別代理人の選任の審判事件，親権喪失等の親権に関する審判事件，子の監護に関する処分の審判事件等の管轄については，子の利益の保護を重視すべきであることから，家事事件手続法3条の8は，子の住所（住所がない場合又は住所が知れない場合には，居所）が日本国内にあるときは日本の裁判所の管轄を肯定する旨定めている。

■ **養子の離縁後に未成年後見人となるべき者の選任の審判事件等の管轄（3条の9）** 日本民法811条2項は，養子が15歳未満であるときは，養親と養子の離縁後にその法定代理人となるべき者との協議により離縁すべきことを定め，同条5項は，法定代理人となるべき者がないときは，養子の親族その他の利害関係人の請求によって，裁判所が養子の離縁後にその未成年後見人となるべき者を選任する旨定めている。この規定又はこれと類似の制度を有する外国法が本案に適用される場合，家事事件手続法3条の9は，未成年被後見人となるべき者若しくは未成年被後見人の住所若しくは居所が日本国内にあるとき，又はこれらの者が日本の国籍を有するとき，日本の裁判所の管轄を肯定する旨定めている。

■ **夫婦，親子その他の親族関係から生ずる扶養の義務に関する審判事**

件の管轄（3条の10）　法律上当然には扶養義務のない親族に扶養義務を設定する審判事件，その審判の取消しの審判事件，子の監護に要する費用の夫婦間での分担に関する処分の審判事件等の管轄について，家事事件手続法3条の10は，扶養義務者若しくは扶養義務者となるべき者であって申立人でないもの，又は扶養権利者（子の監護に要する費用の分担に関する処分の審判事件にあっては，子の監護者又は子）の住所（住所がない場合又は住所が知れない場合には，居所）が日本国内にあるときに，日本の裁判所は管轄を有する旨定めている。扶養義務者が外国に居住していても，扶養権利者・子の監護者・子の住所が日本国内にあれば管轄を認めているのは，これらの事件類型は扶養等を求める側の利益の保護を重視すべきであると考えられるからである。

■　**相続に関する審判事件の管轄権（3条の11）**　相続や遺言の準拠法により，推定相続人の廃除，限定承認の申述の受理，特別縁故者に対する相続財産の分与，遺言の確認，遺言書の検認，遺言執行者の選任・解任，遺産の分割，寄与分を定める処分等，様々な場合に裁判所の関与が求められることがあり，日本では家庭裁判所が審判することになる。

家事事件手続法3条の11第1項は，これらの審判事件のうち，相続開始後にされるものについては，①相続開始の時における被相続人の住所が日本国内にあるとき，②住所がない場合又は住所が知れない場合には相続開始の時における被相続人の居所が日本国内にあるとき，③居所がない場合又は居所が知れない場合には被相続人が相続開始の前に日本国内に住所を有していたとき（日本国内に最後に住所を有していた後に外国に住所を有していたときを除く），以上のときに日本の裁判所に管轄がある旨定めている。

他方，同条2項は，相続開始前にされることもある審判事件，すなわち，推定相続人の廃除の審判事件，その審判の取消しの審判事件，遺言の確認の審判事件，遺留分の放棄についての許可の審判事件については，1項の「相続開始の時における被相続人」を「被相続人」と，「相続開始の前」を「申立て前」と読み替えて適用する旨定めている。

さらに3項は，推定相続人の廃除の審判又はその取消しの審判の確定前の遺産の管理に関する処分の審判事件，相続財産の保存又は管理に関する処分の審判事件，限定承認を受理した場合における相続財産の管理人の選任の審判事件，財産分離の請求後の相続財産の管理に関する処分の審判事件，相続人の不存在の場合における相続財産の管理に関する処分の審判事件，以上の事件については，1項の定める場合に加え，相続財産に属する財産が日本国内にあるときにも，日本の裁判所の管轄を認める旨定めている。

一般に，家事事件においては公益上いずれの地の裁判所が関与するのが適切かという観点から管轄が定められ，当事者が管轄に服する旨の合意をしたからといって管轄が認められるものではないが，財産が問題になるにすぎないと考えられる事件類型については，当事者の合意を管轄原因とすることに理由があり，4項は，遺産分割に関する審判事件，その禁止に関する審判事件，寄与分を定める処分に関する審判事件については，当事者の合意によりいずれの国の裁判所に申立てをするかを定めることができる旨規定している。そして，5項は，この合意については，民訴法3条の7第2項から4項の規定を準用する旨定めている（第5章Ⅰ2(b)(16)参照）。民訴法3条の7第2項・3項は管轄合意に関する形式要件を定めており，ここでの合意についても書面等が必要とされることになる。また，4項を準用しているのは，遺産分割に関する審判事件について管轄合意がされていると，後述のとおり，家事事件手続法3条の14において特別の事情があっても例外的に訴え却下という措置をとることができないこととされているので，民訴法3条の7第4項を準用しておくことにより，裁判の拒否になってしまうような場合には，外国の裁判所を指定する管轄合意の有効性を否定するためである。なお，外国の裁判所に申立てをする旨の合意をしたからといって，それによって管轄が認められるかどうかは当該外国法次第であるのは当然である。

■ 財産分与に関する処分の審判事件の管轄権（3条の12） 家事事件手続法3条の12は，人訴法3条の2第1号・5号・6号・7号と同じ管轄ルールを定めており，離婚後に財産分与の申立てをするときには，その申立時を基準として管轄が判断される（家事事件手続法3条の15）。他方，離婚等の請求とともに財産分与請求がされる場合は，裁判所が離婚請求について管轄を有するときは，財産分与の裁判についても管轄を有する（人訴法3条の4第2項）。

■ 特別の事情による申立ての却下（3条の14） 以上のいずれかの規定及び次の(5)で述べる3条の13の規定により管轄が認められる場合であっても，3条の14は，「事案の性質，申立人以外の事件の関係人の負担の程度，証拠の所在地，未成年者である子の利益その他の事情を考慮して，日本の裁判所が審理及び裁判をすることが適正かつ迅速な審理の実現を妨げ，又は相手方がある事件について申立人と相手方との間の衡平を害することとなる特別の事情があると認めるときは，その申立ての全部又は一部を却下することができる」と定めている。もっとも，「遺産の分割に関する審判事件について，日本の裁判所にのみ申立てをすることができる旨の合意に基づき申立てがされた場合」は，この事件類型が財産的色彩の強いものであって，合意をした当事者の予見可能性への配慮が求められることから，この管轄合意がある場合には，3条の14の適用はないことが明文で定められている。民訴法3条の9が日本を指定する専属管轄合意がある場合を適用除外としているのと同じ趣旨である。

家事事件手続法3条の14は，人訴法3条の5と同様，民訴法3条の9にならった規定である。人訴法3条の5では訴えに係る身分関係の当事者間に未成年の子がある場合に，その子の利益が考慮すべき事情として例示されている点に違いがあるところ（(1)の「特別の事情による訴え却下」の項参照），家事事件手続法3条の14では，様々な事件類型があり得ることに対応して，既述のとおり，「申立人以外の事件の関係人の負担の程度」及び「未成年者である子の利益」が例示に挙げられている。また，申立てを争う相手方がなく，裁判所が後見的立場で関与する事件類型と，相手方がある事件類型とを分け，前者については，「適正かつ迅速な審理の実現を妨げ」る特別の事情の有無が問題とされるのに対して，後者については，そのような事情に加えて，「申立人と相手方との間の衡平を害することとなる」特別の事情の有無が問題とされる旨分けて規定されている。

(5) 家事調停事件の管轄権（3条の13）

日本では，人事に関する訴訟事件その他家庭に関する事件（家事事件手続法別表第一に掲げる事項についての事件は除外）については，非公開の場で本案について話し合いをすることによって妥当な解決を目指す調停をまず行うことが求められている（調停前置主義。家事事件手続法257条1項）。この中には，離婚事件も含まれるが，これは日本では協議離婚が認められていることを前提としており，裁判離婚しか認めない法が離婚準拠法となる場合には，前提を欠き，調停をすることはできないはずである。

家事調停ができる場合，家事事件手続法3条の13第1項によれば，日本の裁判所が国際裁判管轄を有するのは，①当該調停を求める事項についての訴訟事件又は家事審判事件について日本の裁判所が管轄権を有するとき（1号），②相手方の住所（住所がない場合又は住所が知れない場合には，居所）が日本国内にあるとき（2号），③当事者が日本の裁判所に家事調停の申立てをすることができる旨の合意をしたとき（3号），以上のいずれかに該当する場合である。ただし，同条3項により，離婚・離縁の訴え以外の身分関係の形成又は存否の確認を目的とする訴え（人訴法2条で定義されている人事事件）については，②・③の管轄原因は認められず，①のみが適用される。②・③は，後述のように，話し合いによる解決を根拠とするものであるので，当事者による処分を認めない類型の人事訴訟の管轄には適合しないからである。他方で，離婚・離縁の訴えについては②・③を含めて管轄原因となるとされているのは，既述のとおり，日本法のように協議離婚・協議離縁という当事者の処分が認められていることを前提とするものであり，離婚・離縁の準拠法上，協議によることが認められていない場合にまで，②・③の管轄原因を認めることは妥当ではなく，この前提を欠くときには①のみが適用されることになる。

一般に，上記①の場合に管轄が認められるのは，調停よりも強力な手続について日本の裁判所に管轄が認められる以上，調停について管轄を認めても不都合はないからである。②の場合には，相手方の住所等以外の管轄原因だけが訴訟事件及び家事審判事件において設定されており，この管轄要件が具備されないときであっても，申立人は自ら管轄に服する意思があり，相手方の住所等が日本国内にあれば，話し合いによる解決を目指す調停手続については管轄を認めてよいと考えられるからである。③の場合には，②の場合以上に，管轄を認めることは話し合いによる解決を目指す手続には相応しいと考えられる。

上記の③の合意について，家事事件手続法3条の13第2項は，財産事件についての管轄合意に関する民訴法3条の7のうち，2項・3項（書面等の形式要件の規定）を準用している。なお，③の合意があっても，特別の事情があれば，3条の14は申立ての却下を認めている。また，3条の13により管轄が認められる他の場合にも，3条の14により，特別の事情による申立ての却下がされることはあり得る。

[3] 訴訟手続上の諸問題

(a) 送　達

訴訟の開始には被告への訴状・呼出状の送達が必要であり，また，訴訟の過程でも様々な文書の送達がされる。

(1) 日本から外国への送達　民訴法は，外国においてすべき送達は，その国の管轄官庁又はその国に駐在する日本の大使・公使・領事に嘱託してすることを定めている（108条）。これはいずれも外交ルートを通じて行うことを定めるものであり，日本の外務省を経由することになる。ただし，日本の大使・公使・領事による送達は日本の主権行使であるととらえられており，条約，口上書その他の方法により駐在国がこれを認めていない限りすることはできない。

民訴法108条によることができず，もしくは，同条によっても送達できないと認めるべき場合，又は，同条によって外国の管轄官庁に嘱託を発した後6カ月を経過しても送達証明書が返送されてこない場合には，公示送達をすることができる（110条1項3号・4号）。公示送達は，裁判所書記官が送達すべき書類を保管し，いつでも送達を受けるべき者に交付すべき旨を裁判所の掲示場に掲示してするだけである（111条）。そのため，公示送達によって実際に被告の知るところとなるというのは法律上のフィクションにすぎないところ，さらにフィクションを重ねて，その効力発生時期は，通常の場合は掲示を始めた日から2週間後であるのに対し，外国においてすべき送達についてした公示送達にあってはこれが6週間後とされている(112条2項)。なお，裁判所書記官は，公示送達があったことを官報又は新聞紙に掲載することができるところ，外国においてすべき送達については，官報又は新聞紙への掲載に代えて，公示送達があったことを被告に通知することができる（民事訴訟規則46条2項)。この通知は，日本の主権の行使としての送達とは異なり，単なる事実の伝達である。このような通知が可能なのは，被告の住所は判明していても送達完了が確認できないために公示送達をすることがあるからであり，また，108条による送達は外交関係がない限りすることができないため，たとえば台湾にいる被告への送達については住所が判明していても常に公示送達によるからである。後者のような場合には，被告に実質的な手続保障を図るため，この公示送達があったことの通知を積極的に行うべきである（事実の通知であるので外交関係の有無とは無関係である)。

日本との間に条約がある国にいる者への送達は，その条約によることができる。たとえば，**日米領事条約**17条(1)(e)(i)によれば，領事官は，その領事管轄区域内において，派遣国の法令に従い，接受国の法令に反しないような方法で，接受国内にあるすべての者に関し，派遣国の裁判所のためにその者に裁判上の文書を送達することができる，とされている。

また，わが国は，司法共助に関する多国間条約として，1954年の**民事訴訟手続に関する条約**（**民訴条約**）（締約国数49）と，その送達に関する規定の部分を改正した1965年の**民事又は商事に関する裁判上及び裁判外の文書の外国における送達及び告知に関する条約**（**送達条約**）（締約国数82）の締約国である。両条約の締約国との関係では送達条約が適用され（日本との関係で民訴条約が適用されるのはモンテネグロ，スリナムなど8カ国のみ），また，日本と関係する訴訟案件の多いアメリカや韓国がその締約国であることから，実務上，送達条約が重要である。送達条約は，「中央当局」の指定，様式モデルに従った送達要請書，文書の要領の説明書及び送達証明書の使用を定めるとともに（2条から7条），名あて人である被告の欠席の場合の裁判の延期（15条），期間満了によって失われた不服申立権の回復（16条）などが規定されている。

⑵　外国から日本への送達　　上記の2つの多国間条約の日本での実施に関して，「民事訴訟手続に関する条約等の実施に伴う民事訴訟手続の特例等に関する法律」及び同規則が制定されているので，締約国から日本への送達については条約とともにこれらの法令が適用される。

送達条約10条は，「この条約は，名あて国が拒否を宣言しない限り，次の権能の行使を妨げるものではない」として，(a)は「外国にいる者に対して直接に裁判上の文書を郵送する権能」を，(b)・(c)は嘱託国の裁判所附属吏等や裁判手続の利害関係人が直接名あて国の裁判所附属吏等に送達等を行わせる権能を定めている。

このうち(a)に基づく自国への直接郵送送達について他の国の対応をみると，ドイツ，スイス，ノルウェー，ロシア，ブラジル，インド，中国，韓国，トルコ等は拒否する一方，フランス，ベルギー，オランダ，ポルトガル，英国，アメリカ等は認めている。

日本は(b)・(c)は送達条約批准時に拒否したが，(a)は拒否しなかった。しかし，2018年に日本は10条(a)も拒否するに至った。その背景には次のような事情があった。送達条約が日本について発効した後，原告による私的な送達を認めるアメリカから，日本に住む被告に対して直接に翻訳文の添付のない訴状・呼出状が郵送されてくる事例が何件か生じた。そして，そのような送達がされた訴訟の結果下された判決の日本での効力が問題となった。送達条約は外国判決の承認執行を約束するものではないので，民訴法118条2号が要求する実質的な被告の手続的保護が満たされているか否かが問題となるところ，裁判例の中には翻訳文の添付及び正式な送達であると通常人が認識できる体裁が必要であるとして10条(a)に定めるような方法による送達は一律に同号の要件を具備しないと判示したものもあった。他方，アメリカにおいても，10条(a)が同条約中で送達について定める他の規定で用いられている“service”ではなく，“send”という文言が用いられていることもあり，これが郵便送達について定めているのかにつき裁判例は分かれていたところ，2017年5月の連邦最高裁判決（Water Splash, Inc. v. Menon, 581 U.S. 271 (2017)）は，10条(a)は締約国が拒否宣言をしていなければアメリカから郵便送達をすることができる旨判示した。この判決を受けて，日本は，2018年12月に10条(a)の拒否宣言をしたのである。

なお，日本は，日本に駐在する外国の外交官・領事官による自国民以外の者に対する送達等（送達条約8条2項）についても拒否し，また，日本から発出した送達等について受託国からの送達等完了証明書が戻ってこなくても，6カ月以上経過した場合には裁判をすることがある旨の宣言をしている（15条2項(b)）。

ところで，送達条約1条は，裁判上の文書等を「外国に転達すべき場合につき，常に適用する」と定めているところ，外国に転達すべきかどうかを定めるのは法廷地法であるとされている。そのため，州内の子会社への代替的送達によりドイツの親会社への送達をしたものと扱うイリノイ州法上の制度によれば，外国への送達は不要であって，送達条約の適用はないとしたアメリカの連邦最高裁判決がある。日本の親会社としても，アメリカの子会社あてに親会社に対する送達がされることがあることを覚悟すべきであろう。

なお，外国等に対する訴状等の送達については，主権との関係が問題となり，かつての大審院判決によれば，およそ他の国家に対しては強制的に送達をすることはできないとされていた。しかし，現在では，民事裁判権法20条により，条約に定めがあればそれにより，それがない場合には，外交上の経路を通じてする方法か，日本の民訴法の定める方法であって，当該外国等が受け入れるものによって行うこととされている。外交上の経路を通じて送達する場合，かつては送達の受領意思があるか否かの確認をしていたが，現在はそのような事前確認はしないことになっている。

外国から日本にいる被告への送達については，条約などによるほか，一般的には，**外国裁判所ノ嘱託ニ因ル共助法**が適用される。これによれば，外交上のルートを経由し，外国語による書類には日本語の翻訳を添付し，嘱託裁判所所属国が郵便代を支払うこと及び日本の裁判所からの同一又は類似の嘱託を実施することを保証することなどが要件となっている（1条ノ2）。

(b) 当事者能力・訴訟能力・当事者適格の準拠法

(1) 当事者能力・訴訟能力の準拠法　外国人・外国法人が当事者となる場合，その者はそもそも当事者として訴え又は訴えられることができるのか（当事者能力），単独で有効に訴訟行為ができるのか（訴訟能力）が問題となる。これらの問題の準拠法をめぐっては2つの基本的立場が対立している。第1は，**法廷地法説**である。この立場によれば，日本で訴訟手続が行われる以上，当事者能力や訴訟能力の問題も訴訟手続に関する問題であるから，日本の民訴法によって決定すべきであるとされる。これに対して，第2の立場は，**本国訴訟法説**である。この立場によれば，当事者能力や訴訟能力については本国法によるという条理により，直接に本国の訴訟法によって決定すべきであるとされる。

本国訴訟法説を採用したとみられる裁判例があるが，当事者能力及び訴訟能力を認める者の範囲は法廷地手続法の枠組みに深く関係するものであるので，法廷地法説が妥当である。もっとも，民訴法28条は自らの判断基準は定めず，民法などの実質法に委ねている（権利能力・行為能力の有無による）。このことから考えると，同条の定める「その他の法令」には通則法が含まれ，その4条の定めに従い，当事者の本国法によって実体法上の権利能力（4条の単位法律関係からは除外されているが，同じ連結政策によるべきであると解される）・行為能力が認められれば，日本での当事者能力・訴訟能力が認められるということになる。他方，本国法の実質法上，行為能力が認められず，その結果，日本で訴訟能力が認められない場合であっても，民訴法33条により，日本法によれば訴訟能力を有すべきときは訴訟能力者とみなされる。これは，法廷地手続法として例外について自ら定めたものであるということができる。

⑵　**当事者適格の準拠法**　当事者適格は実体法上の法律関係に依存することがあり，その法律関係の準拠法が外国法である場合には，その法に基づいて関係を判断した上で，当事者適格に関する日本の訴訟法に照らして適格を認めるか否かを判断することになる（百選91事件）。

英国の複数の保険者がシンジケートを組成して損害保険を引き受けている場合において，保険契約者に保険金を支払った後に，筆頭保険者（最大の引き受けをしている保険者）が代表して日本の裁判所に保険代位に基づく損害賠償請求訴訟を提起した事件において，英国の手続法に関する慣習上このような訴訟担当が認められていることに言及している裁判例がある（東京地判平成3年8月27日判時1425号100頁）。しかし，保険契約の準拠法である英国法により判断されることは保険者の間の実体法的な関係であって，英国の手続法を適用すべきではない。英国の保険法上，筆頭保険者に他の保険者を代表する権限があるとされていれば，それを前提に日本の手続法上，任意的訴訟担当を認める要件に当てはめるべきである。

(c) 訴訟費用の担保

民訴法 75 条は，原告が日本国内に住所・事務所・営業所を有しない場合には，被告の申立てにより，裁判所は，原告に対して訴訟費用の担保を立てるべきことを命じなければならないと定めている。国籍による差別はないものの，被告の申立てがあれば必ずこの命令が出されるため，被告側の時間かせぎに利用されることもある。なお，既述の民訴条約によれば，締約国に住所を有する締約国国民が原告である場合には，原則として，担保提供義務は免除される（同条約 17 条）。

(d) 証 拠 調 べ

訴訟手続の過程で外国に所在する証拠・証拠方法を用いる必要が生ずる場合がある。当事者又は第三者が外国で所持している文書の提出，外国所在の証人の証言録取などである。

民訴条約，二国間取極といった司法共助協定があれば，それに従って証拠調べをすることになる。民訴条約の締約国との間では，この条約による証拠調べがなされる。これを改正する条約として，送達条約と同じく「中央当局」制度を採用した「民事及び商事に関する外国における証拠の収集に関する条約」（**証拠収集条約**）があるが，日本は締約国となっていない。

日米領事条約 17 条(1)(e)(ii)・(iii)によれば，領事官は，その領事管轄区域内において，派遣国の法令に従い，接受国の法令に反しないような方法で，接受国内にあるすべての者に関し，派遣国の裁判所などのためにその者が提供する証言を録取することができ，その者に宣誓を行わせることもできる，とされている（アメリカの大使館・領事館内で領事立ち会いのもとにアメリカの弁護士が証言録取をすることがあるが，これは領事による証拠調べであるということができよう）。

しかし，その種の条約がなければ，任意の協力をまつほかない。わが国の主権の及ばない者に対して，不提出，不出頭などを理由として過料に処すこと等はできない。他方，日本の裁判所に係属している事件の当事者に対しては，外国所在の文書の提出命令は可能であり，また，不提出の場合には，裁判所はその文書に関する相手方の主張を真実と認めることができる（民訴法224条）。なお，日本の裁判所の国際裁判管轄の有無の判断のために被告とされている外国会社に対して外国所在の文書の提出を命じた裁判例があるが，日本の訴訟手続に服するとは限らない者に対する文書提出命令は慎重にすべきである。

民訴法は，外国においてすべき証拠調べは，その国の管轄官庁又はその国に駐在する日本の大使・公使・領事に嘱託してすることを定め，外国においてした証拠調べが当該外国法上は違法であっても，日本法によれば適法であるときは，証拠としての効力を認める旨定めている（184条）。日本の大使等による証拠調べは，主権侵害とならないように，条約，口上書その他の方法によりその駐在国がこれを認めていない限りすることはできない。

司法共助によらない一方的な証拠収集としてのアメリカの**証拠開示手続**（discovery）が日本で問題を惹起している。アメリカでの裁判のために，アメリカの弁護士が来日して証言録取を行う事例が相当数に及ぶからである（弁護士がホテルの会議室で行う証言録取などは日米領事条約では認められていない）。これを主権侵害とみる見解もあるが，外国での裁判自体が国際法上問題なく，かつ，その裁判と証言録取との間に合理的関係があれば，国際法違反の問題は生じないと解される。実際的に考えても，日本の関係者はアメリカでの裁判において不利に扱われないようにするためには，証言録取に応ずるほかなく，仮にこれを主権侵害との理由で認めないとすれば，日本の関係者はアメリカに召喚されて同様のことが行われることになり，かえって日本の関係者には負担となるだけである。

(e) 認証不要条約

日本はハーグ国際私法会議の作成した1961年の**外国公文書の認証を不要とする条約**（**認証不要条約**）の締約国である（締約国数102）。外国の公文書に記された署名・印影などが真正なものか否かの判断は容易ではないため，いくつかの国では，その真正性を上位の公的機関が認証する公文書を発行し，その公文書の署名などの真正性をさらに上位の公的機関が認証する公文書を発行するという連鎖を要求し，最終的に自国の大使等が当該外国の公的機関が発行した公文書の署名などの真実性を認証するまでその連鎖が続くという面倒なことを要求していた。そこで，外国の行政庁の文書や公正証書などを真正と認めるためには，各締約国が指定した権限ある当局が発行する一定の様式の**証明書**（apostille）があればよいこととすることを約したのがこの条約である。

日本の裁判では自由心証主義がとられているため，認証の連鎖は深刻な問題となっていたわけではない。日本にとってこの条約のメリットは，日本の公文書を他の締約国の裁判所に提出する際に外務大臣の発行する**アポスティーユ**を付ければ，それ以上の認証を要求されないという点にある。

(f) その他

法廷言語について，裁判所法74条は，「裁判所では，日本語を用いる」と定めている。そのため，法廷に提出する文書には翻訳が要求され，また，口頭弁論に関与する者が日本語に通じないときは，通訳人を立ち会わせるとされている（民訴法154条1項）。この翻訳・通訳の正確性は，法律により宣誓した翻訳人・通訳人が虚偽の通訳をしたときは，3カ月以上10年以下の懲役に処することにより担保されている（刑法171条・169条）。

訴訟行為の追完に関する民訴法97条によれば，当事者がその責めに帰することができない事由により不変期間を遵守することができなかった場合には，その事由が消滅した後1週間以内に限り訴訟行為の追完をすることができるところ，外国に在る当事者については，この期間が2カ月とされている。

4 外国判決の承認・執行

(a) 承認と執行の違い

外国判決とは，主権の一部として司法管轄権（裁判権）を行使する権限がある自国以外の国・州等の裁判所のした終局的判断である。外国判決の効力を認めることは国際法上の義務ではないので，これを一切拒否することも可能である。しかし，多くの国は，国際私法秩序の安定のため，一定の要件のもとに外国判決を承認し，それに基づく強制執行もしている。このことはアメリカなどでは**礼譲**（comity）という概念で説明されている。

外国判決の既判力及び形成力という効力を認めることを**外国判決の承認**という。比較法的には承認決定という手続を要する国もあり，また，日本でも外国倒産処理手続については承認決定（exequatur）を要する仕組みを採用しているが（第5章V1(c)(4)参照），外国判決については，ドイツなどにならって，日本では，一定の要件を具備していれば，特別の手続を要することなく自動的にその効力を承認する仕組みが採用されている（**自動承認制度**）。したがって，承認要件を具備した外国判決は，当該外国において既判力・形成力が生じた瞬間に日本でもその効力が認められることになる。

これに対して，外国判決が当該外国で執行力が認められていても，その執行力を日本で認めるわけではない。**外国判決の執行**とは，一定の要件を具備した外国判決について日本で執行判決をして日本の執行力を与え，これに基づいて強制執行をすることである。民事執行法22条6号は，「確定した執行判決のある外国裁判所の判決」が日本で債務名義になると定めており，同法24条が「外国裁判所の判決についての執行判決を求める訴え」について定めるという構造となっている。

以下，要件と効果の順にみていこう。

(b) 承認・執行の要件

日本では，外国判決の承認と執行の要件は同一であり，民訴法118条のとおりである（民事執行法24条5項は民訴法118条の柱書と各号の要件を分けて規定しているだけである）。

民訴法118条は，(1)「外国」「裁判所」の「確定」「判決」であること（柱書），(2)「法令又は条約により外国裁判所の裁判権が認められること」（1号），(3)「敗訴の被告が訴訟の開始に必要な呼出し若しくは命令の送達（公示送達その他これに類する送達を除く。）を受けたこと又はこれを受けなかったが応訴したこと」（2号），(4)「判決の内容及び訴訟手続が日本における公の秩序又は善良の風俗に反しないこと」（3号），(5)「相互の保証があること」（4号），以上の要件を定めている。なお，(6)本案の再審査は禁止されている。

(1) 外国裁判所の確定判決　　これは118条柱書の要件である。

まず「外国」というためには，日本が国際法上の国家承認・政府承認をしているか否かとはかかわりなく，一定の国民と領土を実効的に支配しているものであれば足り，台湾もこの意味で「外国」と扱ってよいと解される。外国判決の承認・執行は国際私法秩序の安定のためにするものであり，台湾も一定の領域において法秩序の一部を構成しているからである。アメリカの州のように連邦国家を構成する地域であっても，国と同様に司法管轄権を行使している主体は，ここでいう「外国」に該当する。

「裁判所」とは，国家の司法機能を果たす機関であって，当事者間の争いなどに公権的な判断を下す役割を担っているものである。問題となるのは仲裁廷との区別である。判断権者の選定権が当事者にあるか否かが両者を分ける最も重要な指標であろう（裁判官は選べないが，仲裁人は原則として当事者が選ぶ）。

「確定」とは，通常の上訴ができなくなっていることを意味する。この点，離婚の前提としての法定別居期間の5年間の子の監護権を母に与える旨のイタリア裁判所の決定は確定判決にあたらないとした判例がある（最判昭和60年2月26日家月37巻6号25頁）。しかし，確定していることが要求されている趣旨は，日本での承認・執行後に，判決国でその判断が覆されると，日本でも混乱が生じてしまうからであり，このことからは，上記のイタリアの決定は確定していると扱ってよいと解される。そもそも，子の監護権者の決定は，子が成年に達するまでの間のものであり，5年間という有効期間の限定（イタリアでは5年間の法定別居が離婚の要件とされ，そのためにその期間に限定した監護権者の決定がされたという事情がある）は問題にならないというべきである。

「判決」とは狭い意味でのそれではなく，決定や命令などでもよい。判例によれば，「私法上の法律関係について当事者双方の手続的保障の下に終局的にした裁判をいう」とされている（百選94事件）。

「判決」は民事判決に限られる（外国の刑事判決については刑法5条参照）。したがって，日本からみて民事判決とはいえないアメリカの懲罰的損害賠償判決の懲罰部分はこの要件を欠くというべきである（百選 96 事件の原審判決）。しかし，最高裁は，懲罰的損害賠償判決の不承認の理由を公序違反に求めている（同事件）。

判例によれば，外国判決に記載のない利息の支払いを命ずる部分について，判決の一部としてその執行を認めている（最判平成 9 年 7 月 11 日民集 51 巻 6 号 2530 頁）。しかし，常にそのように扱うことができるとは限らない。仮に外国においては執行官が法を適用して利息計算し，判決とは別個の債務名義とされているとすれば，そのような手続が行われていない限り，いまだ外国判決というべきものが存在しないからである。裁判所が利息の支払いをすでに命じているとみることができる場合に限り，その部分が外国判決の一部を構成していると扱うことができる。そう評価できないのであれば，日本で改めて遅延利息を請求する裁判をする必要がある。

⑵ **間接管轄**　118 条 1 号は，「裁判権」という用語を使っているが，判決を言い渡した裁判所が，国際法上の裁判権を有しているだけではなく，日本から見て民事手続法上の国際裁判管轄（**間接管轄**）を有することをも要求するものである。裁判権については，国際法を体現しているとされる民事裁判権法に照らして判断し，間接管轄については，民訴法 3 条の 2 以下の規定を準用して判断すべきである。この後者の点につき，旧法下では，外国ではその判決がすでに確定して効力を有している以上，直接管轄より緩やかに認めてよいとの学説も存在していた。最高裁も含みをもたせた表現をし（百選 94 事件），その後もこれが踏襲されている（百選 92 事件・93 事件）。しかし，そもそも日本で直接管轄を否定すべき場合に間接管轄を肯定することは訴訟法上の正義や主権（専属管轄ルールの背後には国家主権があることについては第 5 章 I 2⒝⒀参照）の観念に反するものというべきであり，直接管轄と間接管轄はまったく同じルールに服すべきである（**鏡像理論**）。

⑶　訴状・呼出状の送達　118条2号は，訴訟開始時の手続保障を定めるものである。敗訴の被告が，訴状・呼出状の内容を理解することができ，かつ，時間的に防御の余裕が与えられたことが必要である。

公示送達やこれに類する方法での送達がされた場合には，それだけで2号の要件を欠く旨明記されている。しかし，状況によっては，公示送達によらざるを得ないことがあることは否定できず，また，日本での訴訟においては必要があれば公示送達を認めている以上（110条），立法論としては，日本法が認めるのと同様の状況下でなされた公示送達は拒否事由とすべきではないと思われる。

118条2号によれば，送達に瑕疵があっても，被告が応訴すれば，その瑕疵は治癒される。判例によれば，送達の方法は，必ずしも日本法に従ったものである必要はないが，訴訟係属国と日本との間に条約があり，その条約に違反する送達がされた場合には，2号要件を欠くとされている（百選94事件）。この事件では，香港での訴訟のための訴状・呼出状がその原告の香港弁護士から依頼された日本の弁護士により日本国内で被告に手交された。香港も送達条約（3⒜参照）の締約国（地域）であって，同条約1条によれば，条約は外国への送達には「常に適用する」とされているので，最高裁は，日本の弁護士による訴状等の手交は条約違反であり，その限りでは118条2号の要件を満たさない判示した。もっとも，この事件では，被告は香港の裁判所に管轄違いの抗弁を提出していたことから，応訴したとされ，送達の瑕疵は治癒されるとされた。このように，2号の定める応訴は，間接管轄の原因として1号において問題となる応訴と異なり，管轄違いの抗弁を提出するだけでも認められる（応訴管轄が生じるか否かは問わない）。というのは，そのような行動は防御方法の提出ができたことを示しており，2号が保護しようとしている被告の手続保障に問題はなかったということができるからである。ただし，条約遵守を要求するのは，具体的な被告の保護のためではなく（当該被告に対する手続保障はされていた），将来にわたって条約違反の方法での送達がされないようにするという公益のためであるので，理論的には，当該被告が応訴すればその違反が治癒されるという説明は困難である。条約遵守を要件とするのであれば，立法論としては，条約違反の瑕疵は応訴によっても治癒されないことを条文に明記すべきであろう。なお，アメリカからの直接郵便送達をめぐる問題については，第5章Ⅰ③(a)(2)参照。

(4) 公序　118条3号の公序要件は，「判決の内容」の点と「訴訟手続」の点に分かれる。

「判決の内容」には，主文だけでなく判決の理由も含まれる。報復を認めるといった主文が日本では受け容れがたいのは明らかであろう。他方，金銭の支払いを命ずる外国判決であっても，その理由が貸金返済であれば問題ないとしても，制裁的な賠償としての支払いを命ずるとされていれば問題である。日本法人に懲罰的損害賠償の支払いを命ずるカリフォルニア州裁判所の判決について，同州でそれが民事判決とされているとしても，その性質の評価は日本の視点ですべきであり，日本ではそれは刑事罰に近いものであるので，その執行は日本の公序に反するとした判例がある（百選96事件）。しかし，既述のように，懲罰賠償を命ずる判決の性質に鑑みると，これはそもそも民事判決とはいえず，118条柱書の「判決」に該当しないという判断をすべきではなかったかと思われる（第5章Ⅰ④(b)(1)参照）。

アメリカで塡補及び懲罰のための金銭賠償の支払いを命ずる判決の一部が同国で強制執行され，充当に関するルールが不明（塡補賠償部分に充当されたのか，懲罰賠償部分に充当されたのか不明）であることを前提に，残りの額について日本での執行が求められた事件について，「懲罰的損害賠償部分は我が国において効力を有しないのであり，そうである以上，上記弁済の効力を判断するに当たり懲罰的損害賠償部分に係る債権が存在するとみることはできず，上記弁済が懲罰的損害賠償部分に係る債権に充当されることはない」とし，アメリカでの執行額はすべて塡補賠償部分に充当されたと判断して，その残額のみの日本での執行を認めた最高裁判決がある（最判令和3年5月25日民集75巻6号2935頁）。一国の領域内でされた当該国の公権力行使の効力を認めないとすることは，それが国際人道法に反するといった特段の事情がない限り不適切であり，他の国はその効力について判断することを控え，その事実上の結果としてその効力を受け容れる姿勢をとることが主権の併存する国際社会の秩序維持の観点から肝要である（**外国国家行為承認理論**について第5章Ⅰ[1](d)参照）。上記判決のような態度をとると，仮に外国で懲罰賠償命令を含む判決の全体が執行された場合には，日本からみれば，懲罰部分については法的根拠を欠くと判断し，不当利得返還請求を認めるということになる。そうすると，そのような日本の公権力行使は当該外国から見ると法的根拠を欠くものと映り，取戻しを認めるという報復の連鎖に陥ることになりかねないからである。

公序違反性の判断時点について，判決後の事情まで考慮した裁判例があり（百選95事件），現在の公序を守るという観点から妥当な処理であると解される。このような扱いを既述の自動承認制度（(a)参照）のもとで説明するとすれば，外国判決の確定時点では承認要件を具備して日本で効力が認められていたが，判決内容によっては，その後の時間の経過により，ある時点から承認することができなくなることがあってよく，守るべきは現在の日本の公序なので，むしろそうすべきであるということになろう。

「訴訟手続」の点で公序違反とされるのは，たとえば詐欺によって得られた判決や，被告の防御権が保障されなかった判決などである。現在の国際社会には，裁判官による収賄などが横行し，裁判制度が腐敗しているといわれている国がある。とはいえ，制度が腐敗しているという概括的な理由でその国の判決をすべて手続的公序違反として拒否することはできず，具体的に承認・執行が問題となっている判決の手続が腐敗により歪められたといえることが必要である（もっとも，実際上は，そのような国との間には4号の相互の保証が欠けていることが多いであろう）。判例としては，敗訴者に対して判決の内容を了知させ又は了知する機会を与えて不服申立ての機会を保障することは訴訟法秩序の根幹をなすものであり，その保障がないまま確定した外国判決の執行は，手続的公序に反するとしたものがある（百選97事件）。

内外判決の牴触の問題も118条3号で処理される。内国判決と牴触する外国判決の承認について，「同一司法制度内において相互に矛盾抵触する判決の併存を認めることは法体制全体の秩序をみだすものであるから訴の提起，判決の言渡，確定の前後に関係なく，既に日本裁判所の確定判決がある場合に，それと同一当事者間で，同一事実について矛盾抵触する外国判決を承認することは，日本裁判法の秩序に反し」，公序違反となるとした裁判例がある（百選103事件）。この事件は，外国で訴えられた日本企業が日本で債務不存在確認請求訴訟を提起したものであり，この裁判例は，外国裁判所が下した敗訴判決の日本での執行を阻止するために，当該判決で支払を命じられた債務の不存在確認請求訴訟を日本で提起し，先に確定判決を得るという「訴訟戦術」が有効であることを示すものであり，注目を集めた。そして，以後，これと同様の事例が何件か発生することになった。

自動承認制度を採用していても，外国判決の存在について当事者（被告）の主張がない限り，それを看過して日本の裁判が始まることがある。また，すでに始まっている日本での訴訟はそのまま進行してしまうこともあり，それは仕方がないことである。したがって，日本において外国判決が援用された時点ですでに牴触する日本の確定判決が存在していれば，その外国判決の承認は公序違反を理由に拒否してしかるべきであろう。他方，そのような外国判決が援用された時点でまだ日本に牴触する確定判決がない場合において，日本での訴訟が先に始まっていたときは，そのことを無視した点で（看過した場合を含む）その外国判決の承認は公序違反となる。ここまでであれば，上記裁判例の判旨は是認することができる。しかし，この場合において，日本での訴訟が後で始まったのであれば，その外国判決の既判力を承認し，日本での訴えは却下すべきである。

内外判決の牴触という問題の根源は国際訴訟競合の処理にあるというべきである（この点は，第5章Ⅰ5(b)参照）。

(5) **相互の保証**　118条4号は判決国と日本との間に相互の保証があることを要求している。条約などによる相互判決承認・執行の約束がある必要はなく，問題となっている判決と同種の判決について，両国の外国判決承認・執行制度を比較して，相互性が認められればよい。この判断基準について，最高裁は，日本法の定める要件と同じか，より緩やかな要件を外国が定めている場合に限るとしていた大審院判決を変更し，外国における判決承認の要件が，日本のそれと重要な点で同一であり，実質的にほとんど差がない程度のものであれば，相互の保証があるとしている（百選98事件）。

ベルギーが外国判決の承認執行において本案再審査をすることを理由に同国の判決につき相互の保証を否定した裁判例があり，また，外国判決の承認・執行をするためには条約などが存在することを要求する中国の判決の執行を拒否した裁判例もある（百選99事件）。

相互の保証の要件は，外国が日本の判決を承認しないのであれば，日本もその外国の判決を承認しないという縮小均衡を導いてしまう。これを抜本的に改めるには判決の承認・執行に関する多数国間条約を作成し，日本のほか多くの国がこれを批准するほかない。具体的には，ハーグ国際私法会議が作成した2005年の「裁判所の選択合意に関する条約」（締約国数34）や2019年の「民事及び商事に関する外国判決の承認及び執行に関する条約」（締約国数29）を日本も批准することが望まれる。

(6) 本案再審査の禁止　民事執行法24条4項は，外国判決の本案の当否を調査することを禁止している。これは**本案の再審査（révision au fond）の禁止（実質的再審査の禁止）**と呼ばれ，外国判決の執行の際，外国裁判所のした本案に係る事実認定のための証拠の取捨選択・評価，準拠法の決定・適用などを日本の裁判所は審査しないということを意味する。外国裁判所では日本の裁判所で適用されるのとは異なる準拠法が適用され，また，陪審制の採用や証拠法則の違いから，日本とは結論においても異なる判決が下されるかもしれないが，国際私法秩序の安定のためには，外国では確定している判決が存在していることを尊重し，日本で裁判のやり直しをすべきではないという趣旨である。通常の国内事件において上訴審裁判所がするように本案についての判断をし直すのではなく，外国判決については，民訴法118条の定める要件の具備のみが審査される。

もっとも，118条3号の公序違反の有無の審査にあたっては，外国裁判所がした認定と異なる認定をしたり，認定していない事実を日本の裁判所が認定することも可能であると解される。そうでなければ，その外国判決の結論を受け入れることが日本の公序違反となってしまうことがあるからである。たとえば，金銭の支払いを命ずる外国判決文中にまったく言及はないが，実は違法行為の報酬の支払請求が認容されたものであるとの主張が日本での執行判決請求訴訟においてされれば，公序違反となるか否かを判断するため，日本で新たな証拠調べをする必要がある。外国判決が遅延利息の支払いを命じている場合，その遅延利息の発生理由についても，その利率の正当性についても日本の裁判所は調査することができないとした判例があるが（最判平成9年7月11日民集51巻6号2530頁），発生理由いかんでは懲罰的である可能性もあり，また，民事的なものとしても，その利率が異常に高い場合には日本の公序違反となることもあり得るため，妥当な判断でない。

ただ，外国裁判所による法の適用については，とくに適用されたのが日本法であって，その適用に誤りがある場合には看過しがたいと感じるかも知れない。しかしながら，本案再審査禁止の原則のもとでは，判決の結論が日本の公序に反して受け入れることができるかどうかのチェックに限定され，それで十分である。

(c) 外国判決の効力

外国判決の効力はどのような手続を経て判決となったかということと結びついているので，承認するのは，原則として判決国法上のそのままの効力（既判力・形成力）である。

ところで，外国判決が当該外国の国際私法に従いA国法を準拠法として判断されたものである場合，当事者はA国法に基づく攻撃防御を行った結果としてその判決に拘束されるのであるから，日本で承認されるのはA国法上の判断であるはずである。では，日本においては同じ問題について通則法によりB国法が適用されるとすると，日本でのB国法上の主張がその外国判決の承認によって遮断されるであろうか。この点，A国法を適用した当該外国の裁判ではB国法に基づく主張はできなかったのだから，日本での

B 国法上の主張には当該外国判決の既判力は及ばないと扱うことも考えられる。しかし，もしそうだとすると，外国判決の承認制度は準拠法の決定に左右されることになってしまい，国際私法秩序の安定という目的を達することはできないことになってしまう。結論としては，国際私法秩序の安定のため，外国判決の効力は準拠法の違いを超えて及ぶこととする必要がある。そこで，もしそうであれば，その明確な範囲について詰めた議論がさらになされなければならないであろう。民事訴訟法における訴訟物理論を見直し，準拠法の違いを超えた国際私法レベルでの訴訟物概念が必要となるように思われる。

他方，既述のように，外国判決の当該外国法上の執行力は日本では認められず，日本で日本法上の執行力が付与される。

なお，外国判決が部分に分けることができる場合には，その一部については承認・執行し，他の部分は拒否するという扱いをすることができる。実際，懲罰的損害賠償を命じた部分の執行を拒否し，塡補賠償を命じた部分を執行した判例がある（百選 96 事件）。また，たとえば，併合請求による管轄を認めた外国判決について，間接管轄や送達の点で問題がある一部の請求や一部の被告についてのみ承認・執行を拒否し，他の部分は認めるということも可能であろう。

(d) 人事・家事事件についての外国判決の承認

離婚，認知などの人事事件についてされた外国裁判所の判決の日本における効力に関しては，民訴法 118 条がそのまま適用される。

これに対して，家事事件についての外国判決の承認に関しては，家事事件手続法 79 条の 2 は，「その性質に反しない限り」という条件付きで民訴法 118 条を準用する旨定めている。これは，家事事件の中には，契約型の養子縁組について裁判所が許可するという形で関与するといった相手方のない事件類型もあり（たとえば日本民法

798条の定める未成年者養子縁組），そのような場合には，民訴法118条2号の被告（相手方）への送達は問題とならないので，同号は準用しないという趣旨を示すものである。

以上のいずれについても，118条1号の準用にあたっては，直接管轄規定である通則法4条・5条，人事訴訟法3条の2以下・家事事件手続法3条の2以下がそのまま基準となるべきである（鏡像理論）（外国失踪宣告・外国後見開始審判等の承認については，第4章Ⅰ[1](b)(2)及び(d)(2)参照）。また，118条4号の相互の保証については，人事・家事事件については要求しないという見解もかつてはあったが，現行法のもとでは，そのような例外的な扱いは認められていない。なお，相互性を判断するにあたっては，判決の類型により異なる扱いをしている国もあるので，すべての類型の事件についてチェックするのではなく，承認が問題となっている事件の類型について日本の判決が判決国においてどのように扱われているかをチェックすべきである。

[5] 国際訴訟競合

(a) 国際訴訟競合の発生理由

国内の土地管轄ルールと同様に，国際裁判管轄ルールも1つの事件について複数の国に管轄が認められることを予定している（この点は準拠法決定ルールと根本的な違いである）。そのため，実際に，複数の国に訴えが並行して提起され，訴訟手続が競合するという事態が発生する。当事者にそのような状態を作り出す動機があるからである。それは，原告が被告に圧力をかけて有利な和解に持ち込むために，複数の国で提訴する場合（**原被告同一型**）や，外国訴訟において被告となった者が，本案の準拠法や手続法の違いから，自己に有利な判決が期待される別の国の裁判所に自己が原告となって提訴する場合（**原被告逆転型**）に分けられる。日本では，アメリカで訴えられた日本企業が日本の裁判所に債務不存在確認訴訟を提起するという原被告逆転型が多い。このような訴訟戦術がとられる背後には，アメリカでの訴訟に応ずることは，高額な弁護士費用（勝訴しても自己負担となる），ディスカヴァリーなどの重い手続負担，陪審裁判の結果予測可能性の低さなど，日本企業にとって不利な点が多いからである。また，既述のように，日本で債務不存在確認の判決を得ておけば，アメリカで敗訴してもその日本での執行を阻止できるという裁判例が存在するからでもある（内外判決の抵触について第5章Ⅰ④(b)(4)参照）。

(b)　規律の仕方

二重起訴に関する民訴法142条そのものが外国裁判所に訴訟が係属する場合に適用されないことは明らかである。かつては，同条の「裁判所」は日本の裁判所を意味するとし，そのことから直ちに国際訴訟競合は何ら規律しないとした裁判例もあった。しかし，最近の裁判例では学説上の議論を反映し，何らかの規律の必要性を認めるものが多くなってきている（百選102事件）。規律の仕方としては，外国判決承認・執行制度とのバランスから，先行する外国訴訟において将来下される判決がわが国で承認できると予測される場合には，それと抵触する訴えを提起することを認めるべきではないという立場（承認予測説）と，国際裁判管轄の判断における3条の9の適用の中で，特別の事情の1つとして訴訟競合の点も考慮するとの立場（特別の事情説）に分かれる。

承認予測説は，先に係属した外国訴訟において，将来下される判決が日本において承認されると予測される場合には，その外国訴訟係属は，国内の他の裁判所での訴訟係属と同一視することができ，後から提起された日本での訴えは，訴えの利益（権利保護の利益）を欠くとするものである。訴えの利益については民訴法上そもそも規定がなく，理論上，民訴法142条はその具体的表れであると解されることから，国際訴訟競合の規律について明文の規定がないことは障害にはならないことになる。これはドイツやフランスなどの国々や若干の条約で採用されている処理方法である。

これに対して，**特別の事情説**は，国際裁判管轄の枠組みの中で，3条の9は様々な事情を考慮することを許容しており，これを活用することにより柔軟に対応することが可能となるとする。これは，裁判管轄権行使を適正手続に適合するように制限するフォーラム・ノン・コンヴィニエンスの法理の適用の中で，外国裁判所に競合する訴えが係属していることも考慮するアメリカの裁判実務に類似した方法であるということができる。

いずれが妥当であろうか。まず，体系的にみて，訴訟競合と裁判管轄とは別の訴訟要件であり，訴訟競合は日本に国際裁判管轄があってはじめて問題となるものであり，訴えの利益の問題である。また，外国判決の承認ルールは一国の司法制度が外国の司法制度に対して「窓」を開き，一定の要件を備えてその「窓」を通過してきた判決の効力を認めようとするものであり，そのようなルールをより実効的なものにするためには，確定に至れば「窓」を通ってくるべき場合には，訴訟手続の段階から一定の配慮をすべきであり，この観点からは，外国判決の承認ルールとの関係において国際訴訟競合を規律するのが論理的である。以上のことから承認予測説を妥当と解すべきである。

最高裁判例として，アメリカで複数の訴訟が係属している状況において，その当事者間での名誉毀損による損害賠償請求訴訟が日本で提起された事案において，日本での訴訟は，米国訴訟に係る紛争から派生したものであり，事実関係や法律上の争点について，本件訴訟と共通し又は関連する点が多い米国訴訟の状況に照らし，証拠方法が米国に所在すること，アメリカでの提訴は日本での原告に過大な負担を課することにはならないこと等から，民訴法3条の9により日本での訴えを却下したものがある（百選84事件)。もっとも，この事件での内外訴訟は同じではなく，アメリカの判決が日本で承認されるとしても，その既判力に牴触することになるような訴えが日本で提起されたわけではないので，国際訴訟競合の事案ではない。したがって，将来の外国判決が日本で承認されると完全に既判力に触れるような訴えが日本で提起された場合の処理はいまだに決着がついていないというべきであろう。

(c) 立法の試み

ところで，平成23年に成立した民事訴訟法及び民事保全法の一部を改正する法律に至る審議会では，国際訴訟競合を規律する規定を置くか否かが議論された。最後まで残った案は，「裁判所は，外国裁判所に係属する事件と同一の事件が係属する場合において，日本及び外国の裁判所における審理の状況，外国裁判所に係属する事件が判決によって完結してその判決が確定する見込み，その判決が民事訴訟法第118条の規定により効力を有することとなる可能性その他の事情を考慮して必要があると認めるときは，4月以内の期間を定めて訴訟手続を中止することができるものとする」というものであった。

最終的には条文は置かれなかったが，その理由は，最高裁事務総局，弁護士会などの次のような主張にあったとみられる。すなわち，①承認予測という要件は不確実であり，それを判断要素の1つと位置づけたとしても，結局は日本での本案前の審理の長期化を招くおそれがあること，②不確実な要件に基づいて手続が中止されるとすれば，日本での審理を引き延ばすという訴訟戦術に使われるおそれがあること（事実上自動的に中止されてしまうという懸念もあること），③外国裁判所の審理状況を見守るのが適切な場合には，訴訟期日の間隔を調整するなどして対応すれば足り，現在の裁判所の訴訟運営の実情に鑑みると，その濫用の懸念はあたらないこと（仮にそのような懸念を前提にして，中止決定に対する不服申立てを認めて中止決定を取り消したところで，その後の日本の裁判所での審理の迅速な進行が制度的に担保されることにはならず，そのような懸念が払拭されることにはならないこと），以上である。このような反対論の背景には，日本の周辺には，裁判の運営の実態が日本と相当に異なる国もあり，日本の裁判所に提起された訴えについて，外国裁判所での訴訟に一本化することをためらうという問題があるように窺われる。

ただし，条文化が見送られたことは，国際訴訟競合を野放しにするという立法的決断が下されたというわけではない。今後も国際訴訟競合の規律をめぐって裁判例が積み重なり，学説上の議論も進められることになろう。

6 国際保全処分

(a) 保全事件の国際裁判管轄

民事保全事件に関する日本の裁判所の国際裁判管轄は，本案について日本の裁判所に国際裁判管轄があるとき，又は仮に差し押さえるべき物若しくは係争物が日本国内にあるときに認められる（民事保全法 11 条）。本案の管轄があれば，被保全権利の審理に差し支えがなく，また，仮差押えの目的物や係争物があれば，保全の必要の判断を適切にすることができ，保全命令の執行も実効的に行うことができるからである。

債権を対象とする仮差押えについて，国内土地管轄としては，その債権は，債務者（第三債務者）の普通裁判籍にあるものとするとされており（12条4項），国際裁判管轄についても第三債務者の住所か主たる事務所・営業所が日本にあれば，日本の裁判所にはその仮差押えについての国際裁判管轄があると解される。

ところで，本案の管轄は日本の裁判所に認められるが，差押えの対象物は外国に所在し，日本の仮差押命令が当該外国で執行される見込みがない場合や，日本に差押えの対象物はあるものの，被保全権利に比べてきわめて少額である場合に，日本の国際裁判管轄を否定する可能性はあるであろうか。民事保全手続には「その性質に反しない限り」民訴法が準用されるが（民事保全法7条），管轄の判断において様々な事情を考慮して特別の事情の有無を判断することは，緊急性が高く，迅速な処理が要請される民事保全手続の性質に反するおそれが大きいので，「特別の事情」による却下という扱いはすべきではない。

(b) 被保全権利・保全の必要性

被保全権利の準拠法が外国法である場合には，どの程度の訴訟活動をすればその疎明がされたといえるかが問題となる（民事保全法13条2項）。外国法の調査は裁判所の職務であるが，保全事件で求められる迅速性とのバランス上，外国法の内容の確認に不十分な点が残るときには，債権者に担保を立てさせて保全命令を発する措置をとることもあり得る（14条）。

保全の必要性についても疎明が必要である（13条2項）。たとえば，船舶の仮差押えをしないでその出港を許せば，外国において判決の執行をしなければならなくなるといった場合，保全の必要性があるとされることが多いであろう。他方，外国での仮差押えにより，債権額を満足するに足りる解放金を確保しているような場合には，日本での新たな保全の必要性を否定すべきであろう。

(c) 本案起訴命令への対応

保全命令を発した裁判所は，債務者の申立てにより，債権者に対し，相当と認める一定の期間（2週間以上）内に，本案の訴えを提起するとともにその提起を証する書面を提出し，すでに本案の訴えを提起しているときはその係属を証する書面を提出すべきことを命じなければならず，これに応じなければ，保全命令は取り消される（37条）。この本案起訴命令の制度は，保全の措置は強制執行の前段階であるはずであって，保全命令だけを得て債権者がそのまま放置することは債務者に負担を強いるだけで不当であるということに基づいている。では，本案起訴命令に対して，債権者が外国裁判所に本案の訴えを提起したとすると，これで同命令に従ったことになるであろうか。保全命令と本執行とが繋がる必要がある以上，どこの国の裁判所に本案の訴えを提起してもよいということはできず，日本での本案判決の強制執行が可能な国の裁判所での提訴に限るべきである。そうすると，将来の本案判決が日本で執行することができるような訴訟の提起であればよいということになる将来の判決の承認可能性を仮差押命令の国際裁判管轄の要件のひとつとした裁判例（百選85事件）があるが，むしろこれは本案起訴命令の遵守を判断する基準とすべきである。

なお，仲裁合意をしている場合にも，その仲裁判断が日本で執行可能なものに至ると予測されるのであれば，本案について仲裁申立てをすることで，本案起訴命令に従っていると評価してよい。

(d) 保全命令の執行

日本の裁判所の発した仮差押命令の船舶に対する執行は，船舶登記のある日本の船舶に対しては仮差押えの登記という方法によることもできるが，船舶登記が日本にない外国船舶に対しては，もう1つの方法である船舶国籍証書の取り上げ，すなわち，執行官に対し船舶の国籍を証する文書その他の船舶の航行のために必要な文書を取り上げて保全執行裁判所に提出すべきことを命ずる方法によって行うことになる（民事保全法48条）。

なお，外国法人の日本における代表者の職務執行停止の仮処分などの執行について，民事保全法56条は，「外国法人にあっては，各事務所の所在地」を管轄する登記所にその登記の嘱託をする旨定めている。会社法817条は，日本において取引を継続する外国会社について，かつて要求されていた事務所設置義務を廃止し，日本における代表者（そのうち1名以上は日本に住所を有する者）を定めることでもよいこととしているので，日本に住所を有する各代表者の住所地を管轄する登記所への嘱託の方がよく，立法論としては整合性を確保するための改正を要すると思われる。

外国裁判所の発した仮差押命令の日本における執行は，立法論としてはあり得るものの，現行法のもとではできないと解される。民事保全法52条1項により準用される民事執行法24条3項により，執行対象となる外国裁判所の判決は「確定」したものであることが要件とされており，保全命令はこの要件を具備しないと考えられるからである。また，保全命令が一方当事者による疎明だけで発せられることがあり得ることから不安定であり，それを補うために債権者に担保を立てさせるとすれば，新規に日本で保全を求めるのと実質的には同じことであろう。

Ⅱ　国 際 仲 裁

＊　民事裁判手続のデジタル化に関する民訴法等の一部改正法（令和4年法律48号）が2028年6月までに段階的に施行される。これに伴い，

仲裁法について，条文番号のずれ等が生ずることになる。以下では，この民訴法等の一部改正法の施行前の条文を前提とする。その施行後は，仲裁法12条以下の引用条文番号は2を加える必要がある。

1 序　説

(a) 仲裁の基本構造

国際取引が行われる法環境は不確定要素に満ちている。そのため，国際取引から生じる紛争の解決方法をあらかじめ当事者間で定めておくことは合理的な行動である。よく用いられるのは，管轄合意（第5章Ⅰ2(b)(16)参照）とともに，仲裁合意である。管轄合意がいずれかの国の裁判所に紛争解決を委ねるのに対して，仲裁合意は，当事者が選定した仲裁人に紛争解決を委ねるものである。仲裁人は1名の場合もあるが，両当事者が各1名を選定し（当事者と利害関係がある者は仲裁人に就任することはできない），そうして仲裁人となった2名が協議して第三仲裁人を選定し，その3名で仲裁廷を構成するということも多い。

仲裁（arbitration）は，当事者がコントロールできる幅が広い。とはいえ，国家秩序によりバックアップがあるからこそ（その最大のものは，後述のように，仲裁判断に確定判決と同一の効力を与え，強制執行も可能とする法制となっていることである），有効な紛争解決手段となっているのであって，仲裁は国家法制度の介入と援助を受けている。

(b) 鑑定仲裁・調停

仲裁とある点では類似するものの，異なる紛争解決手段として，まず，**鑑定仲裁**がある。たとえば，船舶の沈没事故が発生した後，保険会社と保険契約者との間でその船舶の価値が問題となるような場合，第三者にその沈没直前の船舶価格を査定させ，それを両当事者が受け入れるという合意をすることがある。これは，法律上の争いを解決するわけではないので，その判断に既判力が生ずるということはなく，仲裁法上の仲裁とはいえない。しかし，うまく使えば，合理的な紛争解決が可能となる。仲裁人には法律家が選定されることが多いが，鑑定仲裁は関係する分野の専門家に判断を委ねるのが合理的であろう。

仲裁と区別すべきもう1つのものとして，**調停**（conciliation, mediation）がある。これについては，第5章Ⅲ参照。

(c) 仲裁に関する条約と法律

国際商事仲裁を取り巻く法環境において重要なのは，1958年の**外国仲裁判断の承認及び執行に関する条約**（**ニューヨーク条約**）（1961年に日本について発効）である。これは，先行する1923年の仲裁条項に関するジュネーヴ議定書及び1927年の外国仲裁判断の執行に関するジュネーヴ条約（日本はこの両条約の締約国でもある）の両者を引き継ぐものであり，その名称は外国仲裁判断の承認・執行だけを定めているようにみえるが，実際には仲裁条項の有効性についても定めている。2024年3月現在，ニューヨーク条約の締約国は172カ国を数え，主要国のほとんどを網羅していることから，国際商事仲裁についての世界共通の基盤となっている。なお，日本はニューヨーク条約1条3項前段に基づき，他の締約国を仲裁地とする仲裁判断の承認・執行に適用を限る旨の相互性の留保を行っているが，仲裁法47条・48条が仲裁地を問わず，ニューヨーク条約5条と同じ要件で仲裁判断の承認・執行を定めているので，この留保は事実上意味を失っている。また，仲裁合意の効力を認めることを定めるニューヨーク条約2条はそもそも留保の対象ではないので，そのまま日本の実定法となっている（仲裁法は実質的に同じ内容を定めているので問題はない）。

そのほか，先進国企業が途上国にした投資をめぐる紛争を円滑に解決するツールを提供することによって投資を促進しようとする政策から，世界銀行が中心となって作成した1965年の**国家と他の国家の国民との間の投資紛争の解決に関する条約**（**ICSID条約**）（1967年に日本について発効）（締約国数158）もこの分野では重要である。また，2カ国間及び多国間の投資保護協定や経済連携協定に，**投資紛争仲裁**の定めが置かれるのが一般化しており，ICSID条約に基づく仲裁ではなく，UNCITRALが作成した1976年の仲裁規則に基づく仲裁等を選択することも可能としている例もある。しかし，投資受入国の法律上又は行政上の措置などが協定違反となるかが争われる投資紛争は，ニューヨーク条約が適用対象としている民事又は商事の紛争といえないとされる可能性を否定することができない。そのため，その執行には同条約が適用されず，各国の国内法に委ねられるというリスクがある。これに対して，ICSID条約には，締約国に仲裁判断の承認・執行を義務づける規定があるので（54条），一般論としては，投資紛争の解決としては，こちらによる仲裁を選択する方が安全であろう。

他方，日本は，UNCITRALが1985年に作成し，2006年に改定した**国際商事仲裁モデル法**（**UNCITRAL仲裁モデル法**）を参考に，2004年に仲裁法を施行し，2024年に改正法を施行している。このように日本が「国際標準」に準拠した仲裁法を制定しているのは，日本が国際ビジネス紛争解決のための仲裁地として選択されることを促進しようという法政策に基づくものである。

なお，弁護士以外の者による法律業務を原則として禁止している弁護士法72条との関係では，仲裁人は「業」として仲裁をするわけではないとされ，弁護士以外の者でもつとめることができる。また，外国弁護士による法律事務の取扱いに関する特別措置法58条の２によれば，外国で受任したことを条件に，外国弁護士は，国際仲裁事件の代理をすることができるとされている。

(d) 仲裁のメリット

一般に国内仲裁も含めて，仲裁には，①専門家による判断（ジェネラリストの裁判官と異なり紛争当事者が属する業界の事情に詳しい人），②柔軟な手続（必要に応じて集中審理も可能），③迅速性（三審制の裁判に比べて早期解決が可能），④秘密性，⑤コストの節約（迅速な解決に至れば，少なくとも弁護士費用は少額で済む）といったメリットがあるとされる。国際商事仲裁においては，①の具体化として，紛争に適用される準拠法の所属国の法律家を仲裁人とすることができるという点を指摘できるほか，上記の５点に加えて，⑥中立性（紛争当事者のいずれにとっても第三国の仲裁人を選任すること），⑦仲裁判断の国際的通用性（承認・執行について多数の国が締結している前述のニューヨーク条約が存在すること）を追加的に挙げることができる。

管轄合意によっても，これらのうち，①の点は準拠法所属国の裁判所を指定することによって，⑥の点は第三国の裁判所を指定することによって，それぞれ実現可能であるが，他の点は仲裁ならではのメリットである。

(e) 仲裁のディメリット

他方，仲裁においては，いくつか注意すべき点がある。①適切な仲裁人を選任しなければ，誤った事実認定，誤った法適用による不当な仲裁判断が下されるおそれがある。仲裁法では，仲裁人は当事者と利害関係があってはならないので，関係がない人の中から十分な情報がないまま仲裁人を選任しなければならないことも少なくない。とくに，第三国の仲裁人の選任は慎重な調査が必要である。②仲裁は１回限りであるので，仲裁判断取消事由に該当するものでない限り，誤った判断を是正する機会がない。③証人尋問の手続は時間を要するため，仲裁手続の最初の段階でその日程（1週間程度）を決めておくことが多いところ（実際に実施するか否かは手続の進行によって決まってくる），仲裁人が3名の場合，仲裁人全員に加えて当事者とその代理人の日程が合うチャンスは少なく，ずいぶんと先にしか期日を入れることができないことも生じ，紛争の解決までに時間を要することがある。④紛争の当事者が多数に及ぶ場合，その一部の者の間にだけ仲裁合意があると，全体として1つの手続によって解決することができず，一部は訴訟，他は仲裁ということも生じ，統一的な解決が困難となるおそれがある。⑤税金でまかなわれている部分が大きい裁判に比べ，仲裁人報酬，審問場所の賃料などを含むすべての費用を当事者が負担するので，場合によっては高額になることもある。

以上のような問題点はあるものの，国際取引紛争の解決手段として仲裁を用いる例は相当に多い。それは仲裁のメリットが十分に大きいとのビジネス判断が下されているからであろう。

2 国際仲裁実務

(a) 機関仲裁とアド・ホック仲裁

仲裁合意の一例は次のようなものである。

> 第＊＊条
> この契約から又はこの契約に関連して，当事者の間に生ずることがあるすべての紛争，論争又は意見の相違は，＊＊の仲裁規則に従って，東京において仲裁により最終的に解決されるものとする。
> Article ＊＊
> All disputes, controversies or differences which may arise between the parties hereto, out of or in relation to or in connection with this Agreement shall be finally settled by arbitration in Tokyo in accordance with the Arbitration Rules of ＊＊.

仲裁には，機関仲裁とアド・ホック（ad hoc）仲裁がある。上記の例文は機関仲裁を合意するものである。**機関仲裁**とは，常設の仲裁機関（民間団体）が用意している仲裁規則により，その仲裁機関の事務サービスを受けながら仲裁手続を行うものである。世界的な仲裁機関としては，**ICC（国際商業会議所）**，**LCIA（ロンドン国際仲裁裁判所）**，**AAA（アメリカ仲裁協会**。そのもとにある **ICDR**〔＝International Centre for Dispute Resolution〕が多くの国際商事仲裁を処理している）などが有名である。また日本でも，**日本商事仲裁協会（JCAA）**，**日本海運集会所**などがある。ただ，日本の機関が扱う国際商事仲裁の数は限られており，アジアでは，シンガポールの機関による仲裁が選ばれることが多いのが実情である。各仲裁機関の仲裁規則にはやや違いがあり，とくに ICC は，仲裁廷の作成した仲裁判断の草案を常設の機関がチェックする点に特徴がある。仲裁機関は，一般に，定額の申立手数料と請求額に応じた手続管理料を徴収し，また，仲裁人報酬についても一定の基準を有している（機関仲裁を選ぶということは，これらも当事者間の合意の一部としてとり込むということである）。

これに対して，**アド・ホック仲裁**とは，仲裁機関を使わず，いわばオーダーメイドで当事者が仲裁手続を定め，事務処理についても手配するものである。国際的にみると，巨大建設プロジェクトなど大きな事業案件においてアド・ホック仲裁が選ばれる例が散見される。この場合，当事者は円滑に仲裁が行われるように注意深く取り決めをしておく必要があり，十分に配慮が行き届かない合意によるアド・ホック仲裁がされた結果，途中で手続が挫折して裁判所に提訴するといった混乱が生じた事例もあるので注意が必要である。国連国際商取引法委員会（UNCITRAL）は 1976 年にアド・ホック仲裁で用いるための仲裁規則を制定し，さらに，より効率的な仲裁手続を可能とするため，これを 2010 年に改正している。これはいわゆる一括採用可能規則であり，仲裁に関する事項に関する当事者間の取り決めとして，これによることを合意すれば，仲裁による紛争解決に必要な事項を定めた仲裁合意となる。コストをかけたオーダーメイドができない場合には，この規則に基づくことを合意しておくと最低限の標準的な事項は定められているので安心である。なお，この規則はその性格上，いずれの国の当事者にも受け入れられやすいので，当事者が合意すれば，この規則による仲裁を行うことも可能としている仲裁機関もある。

なお，後述のように，仲裁機関の仲裁規則も当事者が定める手続合意も，仲裁手続準拠法に反しない限度でのみ有効とされる。

(b) 交差型仲裁条項

仲裁条項においてよく問題となるのは，どこを仲裁地とするか，どの仲裁機関を用いるかという点である。両当事者とも自国での仲裁を望むからである。そこで，この対立を解消する手段として，**交差型仲裁条項**（finger pointing arbitration clause とも呼ばれる）が用いられることがある。次のようなものである。

第＊＊条
本契約から又はそれに関連して生ずる当事者間のすべての紛争は，当事者A（ニューヨーク企業）が申し立てる場合には，東京において日本商事仲裁協会の仲裁規則に基づいて行う仲裁によって解決し，当事者B（日本企業）が申し立てる場合には，ニューヨークにおいてアメリカ仲裁協会の仲裁規則に基づいて行う仲裁によって解決する。

Article ＊＊
All disputes, controversies or differences which may arise between the parties hereto, out of or in relation to or in connection with this Agreement shall be finally settled by arbitration in Tokyo pursuant to the Commercial Arbitration Rules of the Japan Commercial Arbitration Association if "A" (a New York corporation) requests the arbitration or in New York pursuant to Arbitration Rules of the American Arbitration Association if "B" (a Japa-

nese corporation) requests the arbitration.

準拠法条項についてこのような方法を採用することはあり得ないが，紛争解決条項としてはあり得る。日本でもこのような条項があった事件で仲裁条項の有効性が問題となった事件がある（**リングリング・サーカス事件**・百選106事件）。管轄合意でも同様のものが採用されることがある。

交差型仲裁条項は，Aが申立人となるものとBが申立人となるものとの2つの仲裁合意をまとめて記述していると理解することができる。このような条項がしばしばみられるのは，上記の仲裁地をめぐる対立の解消に加え，相手方の国での仲裁申立てというハードルを設けることによって，紛争発生時の和解交渉が促進されることも期待できるからである。もっとも，自国での仲裁手続が自己に不利な展開になった際に，逆に，相手国での仲裁申立てをして，仲裁手続が競合するといった混乱を回避するため，1つの仲裁手続が開始した場合には，別の仲裁手続を開始することはできない旨の定めもあわせて規定しておくことがより望ましい。

(c) 仲裁条項違反に対する制裁条項

仲裁条項を置いていても，相手方がこれに違反して裁判所に提訴するという行動に出ることがある。仲裁条項の有効性について争いが生ずることはやむを得ない面もあるが，このような訴えに対して妨訴抗弁を提出して争うことはコストを要することであり，最終的に仲裁合意の有効性が認められてその訴えが却下された際に，そのコストの負担が問題となる。そこで，あらかじめこの補償を定める条項を置いておくことがある（管轄合意条項違反の場合も同様である）。これは損害賠償の予定を定める実体法上の合意であり，契約準拠法上有効とされる限り（実際の費用を大幅に上回る賠償額の予定は無効とされるおそれがある），有効な手段であろう。少なくとも，時間を稼ぐためだけに仲裁条項に違反する提訴をするといった戦術を牽制する意味はあり得るであろう。

3 仲裁合意の準拠法

(a) 仲裁合意の成立（実質的成立要件）の準拠法

仲裁合意は手続法上の合意である。有効な仲裁合意が存在することは訴えの提起に対する抗弁（妨訴抗弁）となり（仲裁法14条），また，有効な仲裁合意に基づいて行われた仲裁判断は，確定判決と同一の効力を有する（45条1項）という訴訟法上の効力を有するからである。

仲裁法制定前の最高裁判例によれば，仲裁合意の成立は法律行為の成立の準拠法を定める国際私法規定（現在でいえば通則法7条から9条）により定まるとされ，ニューヨーク州での仲裁を定める合意の主観的範囲（当事者として表示されている法人だけではなく，その代表者も仲裁合意に拘束されるかという問題）について，同州法を指定する黙示の合意が認められると判示されている（百選106事件）。しかし，日本もアメリカもニューヨーク条約の締約国であるから，同条約が定める準拠法決定ルールによるべきであると解される。すなわち，ニューヨーク条約2条3項は，「当事者が……［仲裁］合意をした事項について訴えが提起されたときは，締約国の裁判所は，その合意が無効であるか，失効しているか，又は履行不能であると認める場合を除き，当事者の一方の請求により，仲裁に付託すべきことを当事者に命じなければならない」と規定し，5条1項(a)は，外国仲裁判断の承認・執行拒否事由の1つとして，「第2条に掲げる合意……が，当事者がその準拠法として指定した法令により若しくはその指定がなかつたときは判断がされた国の法令により有効でないこと」を挙げている。仮に，この5条1項(a)に定める準拠法と2条にいう仲裁契約の有効性を定める準拠法とが異なるとすれば，日本の裁判所に提起された訴えについて，外国での仲裁を定める合意の存在を理由とする妨訴抗弁が提出された際にはA国法に基づいてその合意を有効として訴えを却下していながら，当該合意に基づく外国仲裁判断の承認・執行の段階では，B国法により，当該合意を無効と判断して承認・執行を拒否するという事態が発生する可能性があることになる。このような処理は不整合であり，そうならないようにするためには，2条にいう仲裁契約の無効等を定める準拠法は5条1項(a)に従って定めなければならないはずである。以上のことから，仲裁合意の成立を判断する準拠法は5条1項(a)に定めるとおりであるというルールがニューヨーク条約にはビルト・インされており，このルールによるべきである。

また，同じことは仲裁法14条1項1号と45条2項2号との関係からも導かれる。

なお，仲裁合意が有効に機能するのは，単に仲裁合意が有効であるだけでは足りず，以下に述べる積極要件を具備し，かつ消極要件に該当しないほか，その合意が失効していないこと及び履行可能であることが必要である（仲裁法14条1項2号・3号，ニューヨーク条約2条3項）。

(b) 仲裁合意の方式

上記のとおり，仲裁法は仲裁合意の実質的成立要件について実体法に委ねているが，形式的成立要件である方式については，仲裁法が自ら規定を置いている。仲裁合意が手続法上の合意であることから，これは自然なことである。法律行為の方式の準拠法に関する通則法10条の適用はない。

仲裁法13条は，仲裁合意は署名した文書・交換した書簡等の書面によらなければならないと定め（2項），①書面によってされた契約で引用されている場合，②電磁的記録でされた場合，③一方の当事者が提出した主張書面上の仲裁合意を他方の当事者が争わない場合，④書面によらないでされた契約において書面性の要件を満たす仲裁合意が当該契約の一部を構成するものとして引用されている場合（以上3項から6項），以上の場合には書面性の要件を満たすものとみなすと定めている。

なお，ニューヨーク条約2条1項は，書面による仲裁合意の効力を認めることを定め，2項は，「『書面による合意』とは，契約中の仲裁条項又は仲裁の合意であつて，当事者が署名したもの又は交換された書簡若しくは電報に載つているものを含むものとする」と定めている。しかし，これでは電子化が進んだ現代社会におけるニーズに対応できない。そこで，UNCITRALは，2006年にニューヨーク条約2条2項が定める場合は限定的なものではないことを認識して適用すべきことを定める勧告を採択し，同年，国連総会は，その勧告をアプリシエイトする旨の決議を採択している。

(c) 分離可能性

仲裁法13条7項は，「仲裁合意を含む一の契約において，仲裁合意以外の契約条項が無効，取消しその他の事由により効力を有しないものとされる場合においても，仲裁合意は，当然には，その効力を妨げられない」と規定している。これは，仲裁合意の契約本体からの**分離可能性**（severability）を定めたものである。とはいえ，仲裁合意は不死身であるわけではなく，仲裁合意を含む契約全体が詐欺を理由に取り消されるような場合には，仲裁合意だけが詐欺によらずにされたということはあり得ない。仲裁合意は常に有効に生き残るというわけではない。

なお，仲裁手続の中で仲裁合意の不存在・無効の主張がされた場合には，仲裁廷は自らこの点を審理することができ，有効に存在すると判断すれば，手続を続行することができる（23条1項）。しかし，その決定の通知を受けた当事者は，その受領日から30日以内に裁判所に仲裁人の権限不存在確認を求めることができ（同条5項），また，仲裁判断後に仲裁判断取消しの訴えを提起することができる（44条1項2号）。そして，それらの場合には最終的に裁判所が判断することになる。仲裁合意が不存在・無効であると仲裁人として指名された者が判断した場合には，その者は真の意味では仲裁人ではないことになり，仲裁手続の終了決定をすることになる（23条4項2号）。

(d) 仲裁付託適格性

仲裁法13条1項は，「仲裁合意は，法令に別段の定めがある場合を除き，当事者が和解をすることができる民事上の紛争（離婚又は離縁の紛争を除く。）を対象とする場合に限り，その効力を有する」と規定している。これは**仲裁付託適格性**（arbitrability）を定めるものである。この要件は日本の公序に基づくものであり，そのことは，仲裁地のいかんを問わず，仲裁判断の効力を承認する際には，日本法により仲裁付託適格性が認められることを要求していることから明らかである（45条2項8号）。したがって，仲裁合意の準拠法に照らせば有効とされる場合であっても，日本法上の仲裁付託適格性を欠く場合には仲裁合意の効力を認めることはできない。

なお，ニューヨーク条約に照らしても，仲裁付託適格性は日本では常に日本法によって判断される（2条・5条2項(a)）。

(e) 消費者契約・個別労働契約における仲裁合意の効力

仲裁法附則3条によれば，消費者と事業者との間の仲裁合意は消費者側から解除することができるとされ，同4条によれば，個別労働契約については仲裁合意が無効とされている。消費者契約の場合には，消費者が仲裁による紛争解決を選ぶことの意味などを十分に理解してするのでなければ，仲裁合意の解除を認め，他方，個別労働契約では一律に無効と扱っているという違いはあるものの，これらのいずれの契約類型でも，交渉力に格差があることから，仲裁合意が弱者側の利益にならないおそれがあることを考慮した弱者保護規定である点では同じである。なお，これらの契約類型については，管轄合意についても特則が定められている（民訴法３条の７第５項・６項）（第５章Ⅰ[2](b)⑾・⑿）。

[4] 仲裁手続の準拠法

(a) 仲裁地法

仲裁手続は仲裁地法による（仲裁法１条）。日本の仲裁法は，原則として，日本が仲裁地である場合に適用される（１条・３条・８条）。**仲裁地**は１つであり（交差型仲裁条項は２つの仲裁合意を同時に定めるものである），当事者の合意により定まり，その合意がなければ，当事者の利便その他の紛争に関する事情を考慮して仲裁廷が定める（28条１項・２項）。仲裁地はあくまで法律上の人工的な概念であり，証人尋問などのための審問を開く仲裁手続実施地とは必ずしも一致するわけではなく（同条３項），仲裁手続実施地は複数の国であることもある。仲裁地が日本である場合には**内国仲裁**，外国である場合には**外国仲裁**とされる。

なお，フランス系の国では，**国際仲裁**というカテゴリーが存在する。これは，たとえば，ドイツを仲裁地としつつ，手続法はフランス法による仲裁である。ニューヨーク条約１条１項後段の「仲裁判断の承認及び執行が求められる国において内国判断と認められない判断」とはこの種の仲裁を念頭に置いたものである。しかし，日本ではこのようなカテゴリーは存在せず，仲裁地により内国仲裁と外国仲裁が区別されるだけである。

日本はニューヨーク条約1条3項前段に基づき，他の締約国でされた仲裁判断の承認・執行にのみニューヨーク条約を適用する旨の相互性の留保をしている。しかし，そのような条件が具備されていない仲裁判断であっても，仲裁法45条・46条は同条約と実質的に同じことを定めており，その留保は撤回されたのと事実上同じ状況になっている。

(b) 当事者自治の許容性

学説の中には，仲裁が当事者の合意に基づく自治的なものであるという側面を強調し，仲裁手続についても当事者に準拠法の指定を認めるべきであるとの主張がある。また，いずれの国家法にもよらない仲裁を認めるとの見解もある（そのような仲裁を denationalized arbitration とか a-national arbitration と呼ばれている）。しかし，仲裁は国家法秩序に組み込まれ，判決と同一の効力を与えることと引き替えに，仲裁に対して国家法秩序は裁判所による一定の援助及び介入を定めている。日本の仲裁法においては，当事者自治が機能しない場合の援助として，仲裁人の選任（17条），証拠調べ（35条）などを定め，他方，介入として，仲裁人の忌避・解任（19条4項・20条），仲裁判断取消し（44条），仲裁人の収賄罪等の処罰（53条から58条）などを定めている。

もちろん，国家法秩序に頼らない紛争解決制度を作ることは自由であるが，契約として扱われる以上に，国家法秩序によるサポートは受けられず，ニューヨーク条約の適用もない。たとえば，サイバー・スクワッティング（インターネット上のドメイン名として他人の商標等を横取りして登録する行為）をめぐる紛争を処理する仕組み（WIPOなどが行っている）は，レジストラ（ドメイン名の登録業者）への登録の際に登録者からの同意をとりつけることによって，仲裁類似の方法でドメイン名をめぐる争いの解決を図ろうとするものである。仲裁パネルの判断（たとえばドメイン名を申立人名義に変更せよとの命令）を受け入れることにつきレジストラがあらかじめ同意しているので，そのとおり実現されるという自己完結的なものとなっている。

5 仲裁判断の準拠法

(a) 仲裁地の国際私法の適用

仲裁法 36 条は，仲裁廷が仲裁判断（仲裁における本案の判断）において準拠すべき法について，「当事者が合意により定めるところによる。この場合において，一の国の法令が定められたときは，反対の意思が明示された場合を除き，当該定めは，抵触する内外の法令の適用関係を定めるその国の法令ではなく，事案に直接適用されるその国の法令を定めたものとみなす」（1 項），「前項の合意がないときは，仲裁廷は，仲裁手続に付された民事上の紛争に最も密接な関係がある国の法令であって事案に直接適用されるべきものを適用しなければならない」（2 項）と定めている。「抵触する内外の法令の適用関係を定めるその国の法令ではなく，事案に直接適用されるその国の法令」とは，A 国の国際私法ではなく，A 国の実質法という意味である。通則法上は通常このように解されているので，そのような明文の定めは不要であるようにも思われるが，UNCITRAL 仲裁モデル法がこのように定めていることから，同モデル法と異なる定めをすることによって生じ得る誤解を回避するためにこのように定めている。なお，国際私法を含む法を指定することは，通則法上はそれを認める旨の規定はないので，裁判所はそのような指定に従わないであろう。しかし，仲裁では，仲裁法 36 条 1 項の反対解釈により，当事者が明示的に合意すれば，仲裁廷は，その指定された国の国際私法により準拠法を定めることになろう。

仲裁法36条1項・2項は当事者自治と最密接関係地法の適用を定めるものである。この文言は，単位法律関係が何ら限定されていないので，行為能力，物権，不法行為などを含むすべての問題について当事者自治が認められ，当事者の準拠法選択のない場合のデフォルト・ルールとして，最密接関係地法によることになるように読める。しかし，一般の国際私法ルールによれば，債権契約については通則法7条により当事者による準拠法選択が認められるものの，自然人の行為能力については本国法により（通則法4条），物権については目的物所在地法による（通則法13条）など，当事者自治は認められていない。仲裁においてだけとはいえ，これらの事項について通常適用される法とは異なる法が適用され，たとえば，会社の設立準拠法であるA国法上代表権限がある者が契約を締結したにもかかわらず，当事者自治により選択されたB国法が代表権限の有無にまで適用されてその者の権限が否定され，また，目的物所在地法に従ってC国法の登記制度上，抵当権が設定されているにもかかわらず，当事者が選択したD国法上の登記がされていないことを理由として抵当権の設定が否定されるとすれば，取引秩序は混乱してしまうことになる。

そこで，できるだけ妥当な結論を導き出すために考えられる解釈論として，たとえば，仲裁法36条1項・2項は仲裁で争われることの多い企業間の債権契約問題についての準拠法決定規定であると解することが考えられる。仲裁法36条2項は通則法8条1項と基本的に同じであるので，その点は問題ないであろう。法律行為以外については，日本を仲裁地とする仲裁では通則法が適用されることになる。立法論としては，UNCITRAL仲裁モデル法の修正を働きかけ，また，修正されないとしても，問題のある規定をそのまま取り込むのではなく，法律行為に限定して当事者自治を認めるべきである。

以上のことから，たとえば不法行為の準拠法は通則法 17 条以下により定まることになるので，日本を仲裁地とする仲裁において，カリフォルニア州法が不法行為の準拠法となった場合，同州法が認める懲罰的損害賠償を仲裁廷は命ずることができるかという問題に対しては，通則法 22 条 2 項により認められないと答えることになる（仲裁廷がこれを命じてしまった場合には，仲裁法 44 条 1 項 8 号・45 条 2 項 9 号の公序違反となるか否かという形で問題とされることになる）。

なお，ICSID 条約 42 条は，1 項において，当事者が合意する法により，その合意がなければ，当事者である締約国（投資受入国）の法（国際私法を含む）によると定めている。したがって，後者の場合は，投資受入国の国際私法により定まる準拠法によるということになる。

(b) 非国家法の指定

仲裁法 38 条 1 項前段は，当事者が合意により定めることができる対象を「法」としていることから，非国家法も含まれていると解する見解がある。条文上の根拠として，同項後段において，一の国の「法令」との文言が使われていることが指摘されており，「法」は「法令」とは異なる意味であるはずであるとされる。実際，この規定のもとになっている UNCITRAL 仲裁モデル法 28 条 1 項において，前者を rules of law，後者を law と使い分け，前者は非国家法を含むとの議論があったことも間接的な理由とされている。

ここでいう非国家法とは，UNIDROIT 契約法原則や未発効の条約のようなもののほか，**レックス・メルカトリア**（**lex mercatoria**）（**商人間の法**）と呼ばれるものなどが念頭に置かれている。この説によれば，裁判所が適用する法は通則法により定まる国家法しかあり得ないのに対し（たとえば通則法 7 条は「地の法」と規定し，他の条文もすべて法域の法の適用を定めている)，仲裁廷の適用する規範は異なることになる。

確かに，当事者がたとえば私法統一国際協会（UNIDROIT）が作成した契約法原則（条約ではなく，あくまでも契約に関するルールをまとめた原則）の適用を合意している場合，そのような合意を認めないという必要はないであろう。しかし，そのような法原則は，網羅的な法体系ではなく，特定の事項だけを対象としている。そのため，もしこのような非国家法の指定が牴触法的な指定として有効であるとすれば，それは常に一部の事項についてだけ準拠法を定める分割指定ということになる。また，非国家法は「生きた法」ではないため，解釈適用が蓄積されて規範の意味内容が深化するというプロセスが存在しない。このようなことに鑑みると，そのような非国家法の指定は実質法的指定にすぎないと解すべきであろう（実質法的指定については，第4章Ⅱ1(c)(4)参照)。ということは，国家法としての準拠法が存在し，その準拠法の強行規定に反する場合には，指定された非国家法の適用は制限されることになる。このように解することによって，行為能力，物権，不法行為の準拠法との関係も，通常の国際私法のもとでの関係と同じであることになり，仲裁の外の秩序との整合性が確保されることになる。

なお，当事者による準拠法選択がない場合について，仲裁法36条2項は，明文上「国の法令」によることを定めている。なお，この「国」には不統一法国における地域も含まれると解されるので，立法論としては，「国」に代え「地」と規定すべきである。

(c) 衡平と善

仲裁法36条3項は，「仲裁廷は，当事者双方の明示された求めがあるときは，前2項の規定にかかわらず，衡平と善により判断するものとする」と定めている。これは，明示的な当事者の意思が示されていれば，裁判において本案に適用される準拠法と仲裁におけるそれとが異なることになることを正面から規定するものである。

例外としてではあれ，「衡平と善」による仲裁をあえて認めているのは，当事者が明確にそのような仲裁を望んでいるのであれば，そのような当事者の自治を仲裁においては最大限認めることに，より大きな価値があるとの制度設計上の判断があるからであると考えられる。このような判断がなされる背景には，いずれの国の実質法（民法，商法など）も国内の事例を想定しているのが普通であり，そうすると，国際商事紛争をいずれかの国の法に従わせると実態にそぐわないことがあり得るからである。そのような価値判断の結果として「衡平と善」による仲裁が認められているとすれば，それは国際私法の強行規範性を破るものというよりは，国際私法により定められる準拠法による秩序の維持管理という枠組みを上回る価値に基づくものであるということになる。

「衡平と善」は UNCITRAL 仲裁モデル法 28 条 3 項では“*aequo et bono*”と表現されているものである。このようにラテン語が用いられていることから分かるように，いずれかの国の実定法上の概念ではなく，法律家一般に共有されているはずの規範という趣旨である。これまで日本法上の概念としては存在しなかったものであり，その意味内容は必ずしも明らかではない。仲裁判断は原則として非公開であり，また，A 事件の仲裁人と B 事件の仲裁人との間には制度上の繋がりはないので，裁判規範のように，裁判例の積み重ねによって明確化が図られることは期待できない。そこで，衡平と善によることを明示した上で，とくに「UNIDROIT 契約法原則による」とか，「lex mercatoria による」という合意もしておくことにより，仲裁判断についての予測可能性を高めるといった工夫もあり得るところであり，仲裁法 38 条 3 項の枠内ではこのような指定は，仲裁人の個性に左右されない安定的な紛争解決を得るために有益であると考えられる。

衡平と善による仲裁判断であっても，仲裁法44条1項8号・45条2項9号の定める公序則による審査には服する。したがって，38条3項による仲裁がまったく自由に行われてしまうわけではない。

ところで，36条4項は，「仲裁廷は，仲裁手続に付された民事上の紛争に係る契約があるときはこれに定められたところに従って判断し，当該民事上の紛争に適用することができる慣習があるときはこれを考慮しなければならない」と定めているが，これは当然のことであり，UNCITRAL仲裁モデル法28条4項が定めていることから，これを除いて日本法を制定することから生じ得る反対解釈を回避する趣旨である。

なお，ICSID条約42条3項も，両当事者が合意する場合には，衡平と善に基づく判断をすることを妨げないと定めている。

6 外国仲裁判断の承認・執行

(a) 序　説

仲裁法45条1項・2項は，内国仲裁か外国仲裁かの区別なく，一定の事由がある場合には，仲裁判断の効力を承認しない旨定めている。内国仲裁であっても，私人である仲裁人・仲裁廷がする判断であるので，公序違反などが生じないとは限らないからである。仲裁判断に基づく執行も，45条2項が定める事由があれば拒否される。

45条2項が定める承認・執行拒否事由は，ニューヨーク条約5条が定める事由と同じであり，また，事の性質上，仲裁法44条が定める仲裁判断取消事由と実質的に同じである（44条の適用対象は内国仲裁判断だけである）。効力を承認できない仲裁判断は取り消されてしかるべきだからである。なお，既述のように，日本はニューヨーク条約1条3項前段に基づき相互性の留保をしているが，仲裁法45条・46条により，留保は撤回されたのと事実上同じ状況になっている。

(b) 外国語の書証の許容

仲裁判断の執行決定を求める申立手続について，仲裁法46条2項を一部改正して，裁判所が相当と認めるときは，被申立人の意見を聴いた上で，仲裁判断書の全部又は一部について日本語による翻訳文の提出を要しないとすることができる旨定めている（2028年6月までに施行される予定の仲裁法48条2項）。これは，裁判では日本語を用いると定める裁判所法74条の例外を定めるものである。この例外が認められている理由は，国際契約，仲裁手続，仲裁判断では外国語（とくに英語）が用いられることが多い。そのため，仲裁判断の執行手続において日本語のみが用いられることになるとすれば，この段階になってはじめて仲裁判断書を日本語に翻訳する必要が生じることから，その負担を取り除くことが必要と考えられたことによる。両当事者が仲裁判断書の翻訳を望まない場合であっても，裁判所は相当でないとして翻訳の提出を求めることは，条文上不可能ではないものの，できる限り避けるべきである。また立法論としては，さらに裁判手続の国際化を進め，書証についても外国語のままとしてよいことも認め，またそのような扱いを仲裁判断取消しの申立てにも拡大していくべきであろう。

なお，後述の暫定保全措置命令及び国際和解合意に基づく執行についても同様の定めがある（2028年6月までに47条を改正して施行される仲裁法49条2項・シンガポール条約実施法5条4項）。

(c) 承認・執行拒否事由

承認・執行拒否事由は次のとおりである。①「仲裁合意が，当事者の行為能力の制限により，その効力を有しないこと」，②「仲裁合意が，当事者が合意により仲裁合意に適用すべきものとして指定した法令（当該指定がないときは，仲裁地が属する国の法令）によれば，当事者の行為能力の制限以外の事由により，その効力を有しないこと」，③「当事者が，仲裁人の選任手続又は仲裁手続において，仲裁地が属する国の法令の規定（その法令の公の秩序に関しない規定に関する事項について当事者間に合意があるときは，当該合意）により必要とされる通知を受けなかったこと」，④「当事者が，仲裁手続において防御することが不可能であったこと」，⑤「仲裁判断が，仲裁合意又は仲裁手続における申立ての範囲を超える事項に関する判断を含むものであること」，⑥「仲裁廷の構成又は仲裁手続が，仲裁地が属する国の法令の規定（その法令の公の秩序に関しない規定に関する事項について当事者間に合意があるときは，当該合意）に違反するものであったこと」，⑦「仲裁地が属する国（仲裁手続に適用された法令が仲裁地が属する国以外の国の法令である場合にあっては，当該国）の法令によれば，仲裁判断が確定していないこと，又は仲裁判断がその国の裁判機関により取り消され，若しくは効力を停止されたこと」，⑧「仲裁手続における申立てが，日本の法令によれば，仲裁合意の対象とすることができない紛争に関するものであること」，⑨「仲裁判断の内容が，日本における公の秩序又は善良の風俗に反すること」，以上である（仲裁法45条2項1号から9号・46条7項）。

①・②は，仲裁合意が有効でない場合である。裁判でいえば，判決をした外国裁判所が裁判管轄を欠く場合（民訴法118条1号）に相当する。条文上は，「その効力を有しないこと」という文言が用いられているが，その趣旨は，仲裁法13条1項における「その効力を有する」という文言と同じく，有効性（成立）の問題を対象としていると解される。①の適用上，自然人の行為能力の準拠法は通則

法4条により定まり，法人の権利能力や代表権限は設立準拠法による。また，②に定めるところが，そのまま，そもそもの仲裁合意の実質的成立要件の準拠法決定ルールとなっている。

なお，形式的成立要件（方式）の点で有効でない場合については規定されていないが，これも拒否事由であるはずであり，13条2項から5項が定めるところを満たしていない仲裁合意に基づく仲裁判断の承認・執行は拒否されると解される。

③・④は，当事者への手続保障を欠く場合である。民訴法118条2号及び3号の手続的公序に類似している。③は，仲裁人の選任手続又は仲裁手続において，仲裁地法（仲裁地法上合意が認められる場合に合意があるときは，その合意）により必要とされる通知を受けていないことを挙げ，④は，より一般的に，当事者の防御活動が不可能であったことを挙げている。

⑤は，当事者が仲裁人に判断を委ねた事項を超える仲裁判断をした場合である。これも，裁判でいえば，民訴法118条1号の場合に相当する。

⑥は，仲裁廷の構成又は仲裁手続が仲裁地法を遵守しなかった場合である。最高裁判例として，仲裁人が利益相反についての開示を怠ったことが開示義務違反であって，仲裁手続法違反であるとして仲裁判断を取り消した原審判断を破棄し，仲裁手続が終了するまでの間に，仲裁人が当該事実を認識していたか，仲裁人が合理的な範囲の調査を行うことによって利益相反の事実が通常判明し得たことが必要であるとし，この事実認定のために差し戻したものがある（最決平成29年12月12日民集71巻10号2106頁）。しかし，この事件で利益相反とされている事実は仮に開示されていたとしても仲裁人の忌避事由にはならないようなものではないかと思われ，形式的に仲裁手続法違反による取消しを認めること自体に疑問がある。

⑦は，仲裁地法上，仲裁判断が確定していない場合，その国の裁判機関による取消し・効力停止がされた場合である。なお，確定などの点を判断するのに，仲裁地法に代えて，かっこ書きで，「仲裁手続に適用された法令が仲裁地が属する国以外の国の法令である場合にあっては，当該国」の法によることを定めているのは，フランスの国際仲裁のように，仲裁地法とは異なる仲裁手続法を適用することを認めている国もあるからである。

⑧は，日本法上，仲裁付託適格性を欠く場合である。なお，この⑧によれば，外国仲裁判断の場合，仲裁地法が日本の仲裁法15条1項よりも狭い範囲でしか仲裁適格を認めず，その法によれば仲裁付託適格性を欠く事項についての仲裁判断であってもよいことになりそうであるが，⑦の要件との整合性の観点から，仲裁地において取消し等を求める申立てがされている場合には，その仲裁判断についての執行決定手続を中止することができるとされている（48条3項）。

⑨は公序条項である。

以上のうち，①から⑦は当事者にその事由の証明責任が課されているのに対して，⑧・⑨は裁判所が職権により判断することになる（45条2項柱書のかっこ書き）。

7　仲裁廷による暫定保全措置とその執行

仲裁合意があっても，当事者が裁判所に対して証拠保全や保全処分の申立てをすることができるが（15条），これに加え，当事者が別段の合意をしない限り，仲裁廷にも暫定保全措置（証拠保全を含む）を命ずる権限が認められ（24条）。そして，外国を仲裁地とする仲裁において発せられた暫定保全措置命令を含めて，強制執行のための債務名義となる（47条）。

Ⅲ　国際調停

(a)　序　説

調停は，当事者から独立した第三者が関わる点では仲裁と同じであるが，調停人は仲裁人と異なり，当事者に対して紛争の解決を強制する権限を与えられておらず，当事者間の和解を仲介するだけである点で異なる。そうであっても，あるいはそうであるからこそ，調停は当事者にとって将来又は現在の紛争について納得できる解決に至る点で有用であり，うまくいけば，自ら受け容れた解決であるので満足度は高い。また，仲裁や訴訟によるよりも迅速で安価な解決が得られることもあることから，それらの強制力のある紛争解決手段の前段階として，調停を試みることがある。日本では，かねてから裁判所による調停が多く用いられてきており，国際民商事紛争でも使われることがあるが，ここでは裁判所によらない国際民商事調停について扱う。

国際調停の弱点は，調停を行っても必ずしも紛争の解決が得られないこともあることである。とはいえ，この点は当事者が納得しない解決を拒否できるという安心をもたらすことでもあり，必ずしも弱点とは言えない。調停のもう１つの弱点は，調停手続を経て当事者が和解に至ったとしても，その和解は契約でしかなく，仮にそれが任意に履行されない場合に，改めて仲裁か訴訟をしなければ公権力による和解内容の実現はできないという点である。そこで，この後者の弱点を克服するため，2018 年に**調停による国際的な和解合意に関する国際連合条約**（**シンガポール条約**）が作成された。日本はこの条約を批准し，2024 年 4 月に日本について発効した（締約国数は 14 であり，欧州各国・米国は未批准）。そして同時に，**調停による国際**

的な和解合意に関する国際連合条約の実施に関する法律（**シンガポール条約実施法**）も施行された。

同条約8条1項(b)は当事者が同条約の適用に合意した限度においてのみ同条約を適用する旨の留保を認めているところ，日本はこの留保をしている。シンガポール条約の締約国は限られているため，日本企業と外国企業との調停において，当該外国企業がシンガポール条約の非締約国に主たる事務所を有する場合，当該外国企業の債権の存在を認める国際和解合意は，日本で日本企業に対する強制執行をそのまますることができるのに対して，日本企業の債権が認める国際和解合意は，当該相手方の十分な財産が日本にあるようなときを除き，当該外国等で訴訟等の強制的な紛争解決手続をとる必要がある。このことを踏まえて，上記の留保に基づきシンガポール条約実施法3条が定める合意，すなわち，シンガポール条約又はその実施法に基づき「民事執行をすることができる旨の合意」をあえてすべきか否かを判断する必要があろう。

なお，国連は各国で採用可能なものとして，「UNCITRAL国際調停モデル法」(2002年) を作成しているが，日本には民間の調停についての一般法は存在しない。

(b) 調停合意

紛争が発生した場合，相手方に話合いによる解決を持ち掛け，相手方がそれに応じれば和解交渉をすることができる。国際民商事紛争に限らず，紛争解決手段として最も多く使われているのは，このような当事者間のみでの話合いによる解決であろう。調停は，この話合いに第三者である調停人を臨席させ，その第三者に和解の仲介をしてもらうことを合意するものである。たとえば次のような合意である。

第＊＊条　調停

この契約から又はこの契約に関連して生ずることがあるすべての紛争，論争又は意見の相違は，まずは，……に従って日本の東京における調停に付するものとする。

Article ＊＊　Mediation

All disputes, controversies or differences arising out of or in connection with this contract shall be first referred to mediation in Tokyo, Japan in accordance with...

調停合意の準拠法については，仲裁におけるニューヨーク条約2条3項・5条1項(a)及び仲裁法14条1項1号・45条2項2号のような手掛かりとなる規定がないが，仲裁にならって，第1に当事者が指定する法，その指定がなければ調停地法によると解される。もっとも，仲裁合意とは異なり，法的に有効な調停合意に基づいて調停申立てをしても，相手方がこれに応じなければ，和解の可能性がないということになり，相手方に調停手続に応じることを求めることは意味がないので，調停合意の準拠法は大きな意味を持たない。

(c) 調停手続

調停を円滑に進め，和解にうまく辿り着くようにするためには，いくつかの点で注意すべきことがあり，そのような点を定めた調停手続合意をあらかじめ当事者間でしておくことが肝要となる。とはいえ，当事者でゼロから手続事項の協議をするのは手間もかかり，また，必要な条項の見落としが生ずる懸念もある。そこで，いくつかの紛争解決機関（仲裁機関でもあることが多い）が調停手続規則を用意している。日本商事仲裁協会の「商事仲裁規則」はそのような例の1つである。また，国連は，機関によらず，アド・ホック調停において採用されることを企図して，「国際商取引法委員会（UNCITRAL）調停規則」(1980年）を作成している。

一般に調停手続を効果的に進めるために重要な事項として各種の

規則で定められているのは，①調停人の公正・独立性，②調停人の人数（1名であることが多いが，2名とすることもあり得る），③調停手続により得た情報に関する守秘義務，④調停手続中の裁判・仲裁との関係（いずれにしても，調停手続からいつでも離脱でき，離脱すれば裁判等が可能），⑤調停人が和解案を示すか否か，⑥調停人が仲裁人に就任することの可否等である。

(d) 和解の合意とその効力

一般に，既述のとおり，調停において当事者間に成立した合意は当事者間の契約にすぎない。しかし，次のときには，**国際和解合意**とされ，債権者は債務者を被申立人として，裁判所に対し，執行決定を求める申立てをすることができ，認められれば，強制執行をすることができる。「国際」とされるのは，原則として，①当事者の全部又は一部が日本国外に住所又は主たる事務所若しくは営業所を有するとき，②当事者の全部又は一部が互いに異なる国に住所又は事務所若しくは営業所を有するとき，③当事者の全部又は一部が住所又は事務所若しくは営業所を有する国が，合意に基づく債務の重要な部分の履行地又は合意の対象である事項と最も密接な関係がある地が属する国と異なるとき，以上のいずれかのときである（シンガポール条約実施法2条3項）。ただし，次のいずれかに該当する和解合意は除外されている。(a)消費者契約紛争，すなわち，民事上の契約又は取引のうち，その当事者の全部又は一部が個人（事業として又は事業のために契約又は取引の当事者となる場合におけるものを除く）であるものに関する紛争に係るもの，(b)個別労働関係紛争に係るもの，(c)人事に関する紛争その他家庭に関する紛争に係るもの，(d)外国の裁判所の認可を受け，又は日本若しくは外国の裁判所の手続において成立した国際和解合意であって，その裁判所が属する国でこれに基づく強制執行をすることができるもの，(e)仲裁判断としての効力を有する国際和解合意であって，これに基づく強制執行をすることができるもの，以上である（同法4条)。

さらに，裁判所は，次のいずれかに該当する場合は，執行決定申立ては却下する。①準拠法に照らして国際和解合意が無効である場合，②債務の内容を特定することができない場合，③債務の全部が履行その他の事由により消滅した場合，④調停に適用される準則（公の秩序に関しないものに限る）に違反した場合であって，その違反する事実が重大であり，かつ，当該国際和解合意の成立に影響を及ぼすものである場合，⑤調停人が，当事者に対し，自己の公正性又は独立性に疑いを生じさせるおそれのある事実を開示しなかった場合であって，当該事実が重大であり，かつ，当該国際和解合意の成立に影響を及ぼすものである場合，⑥国際和解合意の対象である事項が，日本の法令によれば，和解の対象とすることができない紛争に関するものである場合，⑦国際和解合意に基づく民事執行が，日本における公の秩序又は善良の風俗に反する場合，以上である（同法5条12項)。これらはシンガポール条約に準拠するものである。

なお，シンガポール条約は国内紛争についての和解合意には適用されないことから，立法論としては従来通り債務名義としては扱わないという選択肢もあったが，裁判外紛争解決手続の利用の促進に関する法律が同時に改正され，認証紛争解決手続（同法5条により法務大臣が認証を受けた民間紛争解決事業者が行う調停手続）において紛争の当事者間に成立した和解であって，当該和解に基づいて民事執行をすることができる旨の合意がされたものであることを条件に「特定和解」として（同法2条5号)，国際和解合意と同様に強制執行が可能とされている（同法27条の2から27条の11)。

Ⅳ　ハイブリッド型紛争解決

(a)　序　説

様々な紛争解決方法がある中，その１つの方法だけを用いるのではなく，複数の方法を組み合わせることがある。それには，並列型と直列型がある。並列型とは，本筋の紛争解決を進めつつ，その過程で生ずる一部の紛争についてのみそれに適した解決手段を組み合わせて用いるものである。他方，直列型とは，複数の解決手段を順に採用し，その途中で解決に至ればそれで終わりとなり，いずれの段階でも解決に至らなければ，最終的には強制的な解決手段（訴訟・仲裁）を用いるものである。

(b)　並 列 型

たとえば，客観的に定まる市場価格がない物について，一定期間後に一定の条件が具備されれば，その時点の時価で買い戻すことを定めた条項付きの売買契約を締結する際，債務不履行責任を解決する手段としては訴訟か仲裁が適しているであろう。しかし，予想される争点の中で，時価をいくらと算定するかという点は，裁判官や仲裁人に委ねるのではなく（結局は鑑定人の意見を求めることになり，複数の意見が提出された場合に適切なものを選択する能力に問題があり得る），業界の常識をわきまえた者に市況に照らして妥当とされる金額を示してもらうことが効率的であろう。このような金額を定めることだけを第三者に委ね，その提示する額を両当事者は確定的なものとして受け容れる旨の合意を**鑑定仲裁**という。これは，法を適用して判断が示される通常の仲裁とは異なるものであり，確定判決と同一の効力が与えられるわけではないので，仲裁法の適用はないと考えられる。この鑑定仲裁が用いられる他の例としては，製造委託契約において，製造された物が契約により定められた性能，強度，形状等のスペックを満たしているか否か，損害保険金の支払いをめぐって，沈没した船舶の船価はいくらか，といった紛争がある。たとえば，次のような合意がその例である。

> 第＊＊条　紛争解決
> (1) 本契約からまたはそれに関連して生ずるすべての紛争は，東京地方裁判所において排他的に解決する。ただし，同契約第＊＊条に定める価格に関する両当事者間の意見の相違から生ずる紛争はこれから除外し，次項に定める方法により解決する。
> (2) 本契約第＊＊条に定める価格に関する意見の相違から生ずる紛争に関しては，両当事者は，……の規則に基づいてその管理の下で行われる手続に付託することを合意する。その専門家の認定は両当事者を拘束する。
>
> Article ＊＊　Dispute Resolution
> (1) All disputes arising out of or in connection with this Agreement shall be resolved exclusively by the Tokyo District Court, with the exception of any disputes arising from differences between the parties in respect of the price under Article ＊＊ thereof, which shall be settled exclusively by the means provided for in Paragraph (2) below.
> (2) In the event of any dispute arising from differences in respect of the price under Article ＊＊ of this Agreement, the parties agree to submit it to administered expertise proceedings in accordance with... of... The findings of the expert shall be binding upon the parties.

(c) 直列型（多段階紛争解決）

できるだけ合理的に紛争解決に至るべく，話合い，調停，仲裁，裁判を順次用いることを合意することがある。たとえば，第1段階として，紛争当事者間の話合い，第2段階として，紛争の直接の担当部署ではなく，より高位の役職者間での話合い，第3段階として，調停手続，第4段階として，強制的な解決が必ず得られるように，裁判又は仲裁を用いること（裁判管轄合意又は仲裁合意），以上を合意することがある。これは，**多段階紛争解決条項**（multi-tired dispute resolution clause）と呼ばれる。このような合意をする場合に重要なことは，最終段階の前の各段階の手続をする期間をそれぞれ明確に定めておくことである。たとえば，次のような合意である。

第＊＊条　紛争解決

本契約から又はそれに関連して生ずる紛争が発生した場合には，両当事者は30日間，本契約の処理について直接的な責任を有していない執行役員間でその紛争の解決のために誠実に協議するものとする。この協議によりその紛争の解決に至らない場合には，両当事者は，10日以内に……の規則に従って……において10日以内に調停を開始するものとする。この調停により30日以内に合意できる和解に至らない場合には，この紛争は，［……裁判所/……の……に従って行われる仲裁］に排他的に付託されるものとする。当事者は，上記のいずれの期間も書面による合意により変更することができる。

Article ＊＊ Dispute Resolution

In the event of any disputes arising out of or in connection with this Agreement, the parties shall initially negotiate in good faith to resolve such disputes between executives of the parties who do not have direct responsibility for administration of this Agreement for a period of 30 days. If the negotiation does not find the resolution of the dispute, the parties shall start conciliation proceeding under the... of... in... within 10 days. If the conciliation cannot produce agreeable settlement within 30 days, the disputes shall be exclusively submitted to [the... court / arbitration under... of...]. The Parties may agree to alter any period of time prescribed above in writing.

この条項例には，紛争当事者の直接の担当者間での話合いについては定めていないが，このような協議がされることは当然の前提であり（とはいえ，話合いを持ち掛けることが不利な状況にあることを窺わせるおそれがあると考える当事者もあり，会社の方針として，紛争が生じた場合にはいずれの当事者も協議を持ち掛けることを定めて公表しておくということもある），その期間を限定するのはむしろ害があり得ることから何らの定めもされていないと考えられる。上記の条項の第1段階は，紛争が発生している契約について直接の責任を負っていない役員間の協議であり，これは冷静な話合いが期待されることから，場合によっては有益であると考えられる。

V 国 際 倒 産

(a) 序 説

経済活動の国際化により，複数の国に資産が分散し，外国に債権者がいることは決して珍しいことではない状況にある。そこで，このような活動をしている自然人や企業が倒産した場合，どのようにして債権者間の公平を確保し，また，債務者の更生を実現させるかという問題が発生する。

国際倒産法制についての理想の姿は，1つの倒産事件については国際的に1つの倒産手続だけを認め（**国際単一倒産主義**），同じ基準に照らしてプラスとマイナスのすべての資産の処理が行われ，その手続の効力は当然に世界中に及ぶこと（**無条件普及主義**）である。これを実現するには，これらのことを定める多数国間条約を作成し，世界中の国がその締約国になる必要がある。これは，国内で実現されていることを国際的に広げるということである。しかし，現実には，各国とも自国の債権者保護に無関心ではいられず，国内にあるプラスの資産を外国倒産手続に委ねてしまうことに躊躇すること，再建型倒産処理は社会政策と結びつく面があり，各国の社会政策が異なる以上，他国の倒産処理を無条件に受け容れるわけにはいかないこと，ある合理的なルールを定めた条約ができても，非締約国が残ることは避けられないこと，以上のようなことなどから，この理想の実現は当面不可能である。

そこで，現実的な目標は，複数国で並行して倒産処理が行われることは容認しつつ，それらの間でできるだけ調和を図るため，一定の条件で外国倒産処理手続の効力を承認するという**国際複数倒産主義**かつ**条件付き普及主義**である。問題はどこまで各国の倒産手続の効力の牴触の調整や国際協力ができるかであり，一部には実現しているが，グローバルな枠組みは存在しない。

(b) 日本の国際倒産法制

日本では20世紀の末頃まで厳格な**属地主義**が採用されていた。これはいわば鎖国状態であり，その当時，日本で会社更生手続中の船会社の船舶が外国の港に入るたびに個別執行の対象とされるなど，倒産処理における最重要課題の1つである債権者平等が易々と踏みにじられる事案が多発した。そこで，日本は1999年から2004年にかけての一連の倒産法の抜本改正において，1997年の**UNCITRAL国際倒産モデル法**に沿って，国際倒産についての規定の整備を行い，国際複数倒産主義かつ条件付き普及主義を採用した。破産法・民事再生法・会社更生法は，国際倒産事件について，倒産実体法上の問題についての準拠法決定に関しては全面的に解釈に委ねているものの（第5章V[2]），手続問題については，日本での倒産処理手続上の問題（外国倒産処理手続とのかかわり方の問題を含む）及び外国倒産処理手続の承認援助の両面で相当に詳細な規定を置くに至っている。

なお，以下では紙幅の節約のため，条文の引用に際しては，破産法＝破，民事再生法＝再，会社更生法＝更，外国倒産処理手続の承認援助に関する法律＝承，と略する。

[1] 国際倒産の手続法上の問題

日本の国際倒産法制の全体像を概観するには，次の3つの局面に分けるのが分かりやすいであろう。すなわち，(a)日本における国際倒産事件に関する倒産処理手続，(b)外国倒産処理手続への協力及び日本の管財人の参加，(c)外国倒産処理手続の承認及び援助，以上の3つの局面である。

(a) 日本における国際倒産事件に関する倒産処理手続

(1) 国際倒産管轄　日本の裁判所は，破産・民事再生事件では，債務者が日本国内に事務所などを有するか，財産を有する場合に管轄を有する（破4条1項，再4条1項）。これに対して，会社更生事件では，株式会社が日本国内に営業所を有する場合に管轄を有するとされ，単に財産を有するだけでは足りない（更4条）。

前者の適用上，民訴法の規定により裁判上の請求をすることができる債権を有している場合には，日本国内に財産を有しているとみなされる（破4条2項，再4条2項）。したがって，外国裁判所を専属管轄とする条項に服している債権の債務者の普通裁判籍が日本国内にあっても，この条件に該当せず，したがって，それだけでは倒産処理事件の国際裁判管轄がないという扱いをすることになる。他方，仲裁条項に服する債権も日本での提訴ができない点では同じであるが，少なくともそれが日本を仲裁地とする仲裁である場合には日本にある財産といってよいように思われる。

破産・民事再生事件の直接管轄については，日本が外国倒産処理手続を承認するための要件としている間接管轄の要件とは異なっている点に注意が必要である（第5章V1(c)(2)）。すなわち，直接管轄としては債務者の財産所在地であればよいが，間接管轄としてはそれでは足りず，債務者の住所などの所在地国の手続であることが必要とされている。

他方，会社更生事件の直接管轄については，財産所在地であるだけでは足りないこととされ，日本国内に営業所を有していなければならない。ただし，会社更生は会社の経営体制の変更を強制的にもたらすことから，民訴法3条の5第1項が会社の根幹にかかわる訴訟を設立準拠法国の専属管轄としていること（第5章Ⅰ2(b)(13)）に鑑みると，日本に従たる営業所があるからといって，外国会社を日本で会社更生することが本当にできるのかは大いに疑問である。

なお，同一の債務者について外国倒産処理手続が係属していても，日本での倒産処理手続が禁じられるわけではない（**並行倒産**の許容）。

日本国内に債務者の主たる営業所などがあることに基づいて日本に管轄がある場合（**主手続**の場合）とそうではないけれども日本に管轄がある場合（**従手続**の場合）との間で，その倒産処理手続の効力に差を設けるという法政策もあり得る。しかし，日本法ではそのような政策をとらず，いずれにも対外的効力を認めている。これは，日本で従手続が行われる場合に外国の主手続が行われるとは限らないこと，外国倒産処理手続の承認援助に関する法律（承認援助法）によれば外国従手続を承認することがあること，いずれにしても日本の従手続をどのように扱うかは外国法の問題であることなどから，日本の従手続の効力を制約する必要はないと考えられることに基づくものである。

(2) **外国人の地位**　外国人・外国法人は，日本人・日本法人と同一の地位を有する（破3条，再3条，更3条）。

(3) **手続開始原因の推定**　債務者・再生債務者・株式会社についての外国倒産処理手続がある場合には，日本法上の手続開始原因となる事実があるものと推定される（破17条，再208条，更243条）。

(4) **外国管財人による手続開始の申立て**　外国管財人は，債務者・再生債務者・株式会社について破産・民事再生・会社更生手続開始の申立てをすることができ（破246条1項，再209条1項，更244条1項），日本の裁判所は，その申立てをした外国管財人に対して一定の場合には通知をしなければならない（破246条4項，再209条4項，更244条4項）。

⑸　**破産財団の範囲など**　一般に，どのような性質を有する財産が破産財団に含まれるかは日本法により定め，具体的な財産がそのような性質を有するかどうかはその財産の準拠法によると考えられる。債務者の有する一切の財産について破産管財人に専属する管理・処分権，再生債務者の財産について再生手続開始後もその者が有する管理・処分権，及び，更生会社の財産について管財人に専属する管理・処分権は，その財産の所在地が日本国内であるかどうかを問わない（破34条1項・78条1項，再38条1項，更72条1項）。このことから，たとえば，破産管財人は，破産財団に属する以上，世界中の財産について管理に着手しなければならず（破79条），それらの財産を含めて善良な管理者の注意をもってその職務を行わなければならない（破85条）。

⑹　**外国で一部弁済を受けた債権者の手続参加**　債権者は，日本での倒産処理手続の開始後に，外国にある債務者の財産に対して権利を行使して弁済を受けることは妨げられず（外国で弁済を受けたことは管財人などに通知しなければならない〔破産規則30条，民事再生規則28条，会社更生規則35条〕），その弁済を受ける前の債権額について日本での手続に参加することができる。もっとも，他の同順位の債権者が自己の受けた弁済と同一の割合の配当を受けるまでは，配当を受けることはできず，また，弁済を受けた債権額については議決権を行使することはできない（破109条・142条2項・201条4項，再89条，更137条）。これは，内外手続での配当額の総額を平準化しようとする**ホッチポット・ルール**（**hotch pot rule**）を定めたものであるとされる。つまり，外国で受けた弁済を計算上は日本の倒産手続における配当であるかのように扱い，債権者平等を図ることとしている

のである。

他方，ある債権者が外国で受けた弁済の額が日本で配当されるべき額を超える場合の扱いについては，第5章V[2](b)参照。

⑺ **外国管財人への協力要請**　日本の管財人は，外国倒産処理手続がある場合には，外国管財人に対し，日本での倒産処理手続の適正な実施のために必要な協力及び情報の提供を求めることができる(破245条1項，再207条1項，更242条1項)。

⑻ **債権者集会への外国管財人の出席など**　外国管財人は日本における倒産処理手続において，債権者集会の期日に出席し，意見を述べることができる（破246条3項，再209条2項，更244条2項)。

⑼ **債権者のための外国管財人の手続参加**　外国管財人は，当該外国の倒産処理手続に参加している債権者であって，日本の倒産処理手続に参加していないものを代理する権限が当該外国法上認められている場合には，これを代理して日本の手続に参加することができる（破247条1項，再210条1項，更245条1項)。

(b) 外国倒産処理手続への協力及び日本の管財人の参加

⑴ **外国管財人との協力**　日本の管財人は，外国倒産処理手続がある場合には，外国管財人に対し，外国倒産処理手続の適正な実施のために必要な協力及び情報の提供をするよう努めるものとされている（破245条2項，再207条2項，更242条2項)。ここでいう「協力」とは，外国倒産処理手続を日本で承認するか否かとは関係なく行われるものである。これに対し，後述の外国倒産処理手続の「承認」とは，その手続に対する援助の処分をするための基礎として認めることをいい（承2条1項5号)，援助の処分をするためには，当該外国倒産処理手続について一定の要件が具備されていることを条件とする承認の決定が先行しなければならない。

⑵ **債権者のための管財人の外国倒産処理手続への参加**　日本の管財

人は，日本の倒産処理手続に参加している債権者であって，外国倒産処理手続に参加していないものを代理して，当該外国倒産処理手続に参加することができ，その場合には，代理をした債権者のために，当該外国倒産処理手続に属する一切の行為をすることができる。ただし，届出の取下げ，和解その他の債権者の権利を害するおそれがある行為をするには，当該債権者の授権がなければならない（破247条2項・3項，再210条2項・3項，更245条2項・3項）。

(c) 外国倒産処理手続の承認援助

(1) 承認申立て　外国倒産処理手続の承認を申し立てることができるのは，外国管財人がある場合には外国管財人，それがない場合には債務者である（承2条1項8号・17条1項）。

(2) 承認申立要件（間接管轄）　外国倒産処理手続の承認の申立てをすることができるのは，当該外国倒産処理手続が申し立てられている国に債務者の住所，居所，営業所又は事務所がある場合である（承17条1項）。このことは，日本で承認される外国倒産処理手続は，それが債務者の主たる営業所（又は個人の住所若しくは団体の主たる事務所）がある国で申し立てられた**外国主手続**でなくても，債務者の従たる営業所（又は個人の居所若しくは団体の従たる事務所）がある国で申し立てられた**外国従手続**でもよいことを意味している（次の(3)の⑦・⑧のような扱いの違いはある）。ただし，前述のように，直接管轄とは異なり，単なる財産所在地で行われている外国倒産手続は日本では間接管轄を欠くものと扱われる（第5章Ⅴ[1](a)(1)）。この要件は分けて規定されているが，実質上，次に述べる承認要件の1つである。

(3) 承認要件　次のいずれかの場合には，外国倒産処理手続の承認の申立ては棄却される。すなわち，①費用の予納がないとき（承21条1号），②当該外国法によれば債務者の日本国内にある財産にその効力が及ばないとされていることが明らかであるとき（2号），③援助の処分をすることが日本における公序良俗に反するとき（3号），④援助の処分をする必要がないことが明らかであるとき（4号），⑤裁判所が定めるところにより，外国管財人などが当該外国倒産処理手続の進行状況などを報告する義務に違反したとき（ただし，その違反の程度が軽微であるときはこの限りでない）（5号），⑥不当な目的で申立てがされたことその他申立てが誠実にされたものでないことが明らかであるとき（6号），⑦同一の債務者につき開始の決定がされた国内倒産処理手続があることが明らかになったとき（ただし，当該外国倒産処理手続が外国主手続であること，その手続について援助の処分をすることが債権者の一般の利益に適合すると認められること，かつ，そのことにより日本国内において債権者の利益が不当に侵害されるおそれがないこと，以上のすべてを満たす場合を除く）（承57条1項），⑧既に承認の決定がされた同一の債務者についての他の外国倒産処理手続の承認援助手続があり，当該他の外国倒産処理手続が外国主手続であるとき，又は当該申立てに係る外国倒産処理手続が外国従手続であり，その手続について援助の処分をすることが債権者の一般の利益に適合すると認められないとき（承62条1項），以上のいずれかに該当するときには承認は拒否される。

イタリアの倒産手続の承認決定がされた後に，米国の倒産手続の承認申立てがされた事例において，外国主手続か否かは第1の承認申立時を基準として，債務者の本部機能等を考慮して判断すべきであるとした裁判例がある（百選107事件）。しかし，これに対して，債務者の状況は変化しやすいことから第2の承認申立時において，債権者の一般の利益，すなわち，債務者の主要な財産・事業の所在地を重視すべきであるとの批判がある。

(4) **承認決定**　外国倒産処理手続の承認のためには裁判所の決

定を要し（承22条1項），決定の時から承認の効力が生ずる（同条2項）。

民訴法118条による外国裁判所の判決の承認については，自動承認制度が採用されているので，承認の裁判がなくても，承認要件を具備した時点において日本においてその外国判決の効力は認められる（第5章I 4(a)）。これに対して，承認援助法では，承認の効力発生時点を明確にするため，承認決定を要することとし，その時点から効力を生ずることとしている。

また，「効力を生ずる」とはいっても，外国法上の個別執行の禁止などの効力が日本で認められるわけではなく，日本の裁判所による援助のための処分・命令があってはじめて，その日本法上の効力が生ずることになるという違いがある。

(5) 公告など　裁判所は，承認決定の主文を直ちに公告し，外国管財人などに送達する（承23条）。

(6) 外国倒産処理手続への援助　外国倒産処理手続が日本で承認されると，裁判所は当該外国における債務者の日本国内における業務及び財産に関し，当該外国倒産処理手続を援助するための処分をする手続をとることになる。

■ 他の手続の中止命令など　裁判所は，承認援助手続の目的を達成するために必要があると認めるときは，債務者の財産に対する強制執行・仮差押え・仮処分の手続や，債務者の財産に関する訴訟手続，行政庁に係属している手続の中止を命ずることができる（承25条1項）。

■ 処分・弁済の禁止などの処分　裁判所は，承認援助手続の目的を達成するために必要があると認めるときは，債務者の日本国内における業務及び財産に関し，処分の禁止を命ずる処分，弁済の禁止を命ずる処分その他の処分をすることができる（承26条1項）。

■　担保権の実行手続などの中止命令　　裁判所は，債権者の一般の利益に適合し，かつ，競売申立人などに不当な損害を及ぼすおそれがないと認めるときは，相当の期間を定めて，債務者の財産に対して既にされている担保権などの実行手続の中止を命ずることができる（承27条1項）。

■　強制執行等禁止命令　　裁判所は，承認援助手続の目的を達成するために必要があると認めるときは，すべての債権者に対し，債務者の財産に対する強制執行などの禁止を命ずることができる（承28条1項）。

■　債務者の財産の処分・国外持出しなどの許可　　裁判所は，他の手続の中止命令など，処分・弁済の禁止などの処分，担保権の実行手続などの中止命令，強制執行等禁止命令，内国倒産処理手続の中止命令，外国従手続の承認援助手続の中止命令のいずれかが発せられた場合などにおいて，必要があると認めるときは，債務者が日本国内にある財産の処分又は国外への持出しその他裁判所が指定する行為をしようとするには裁判所の許可を得なければならないものとすることができる（承31条1項）。この許可をすることができるのは，日本国内において債権者の利益が不当に侵害されるおそれがないと認める場合に限る（同条2項）。

■　管理命令　　裁判所は，承認援助手続の目的を達成するために必要があると認めるときは，債務者の日本国内における業務及び財産に関し，承認管財人による管理を命ずる処分をすることができる（承32条1項）。

■　保全管理命令　　裁判所は，承認援助手続の目的を達成するためにとくに必要があると認めるときは，債務者の日本国内における業務及び財産に関し，保全管理人による管理を命ずる処分をすることができる（承51条1項）。

■ 国内倒産処理手続の中止命令　同一の債務者につき開始の決定がされた国内倒産処理手続がある場合において，外国倒産処理手続の承認の決定をするときは，裁判所は，当該国内倒産処理手続の中止を命じなければならない（承 57 条 2 項）。

(7) 外国従手続の承認援助手続の中止　既に承認の決定がされた同一の債務者についての他の外国倒産処理手続の承認援助手続があるものの，新たに外国倒産処理手続の承認の決定があったときは，裁判所は，当該他の外国倒産処理手続（外国従手続）の承認援助手続を中止する（承 62 条 2 項）。

2 国際倒産の実体法上の問題

(a) 平時と倒産時との連続性と断絶

倒産処理法には，**倒産実体法**と呼ばれるルールがあり，たとえば，日本では，管財人などは双方未履行の双務契約について解除又は履行請求を選択することができること（破 53 条 1 項，再 49 条 1 項，更 61 条 1 項），債権者は相殺について制限を受けること（破 67 条以下，再 92 条以下，更 48 条以下），裁判所の許可を得ないで管財人がした財産の任意売却，営業の譲渡，借財，債権の譲渡などの行為は無効であること（破 78 条 5 項・93 条 2 項，再 41 条 2 項・54 条 4 項・81 条 2 項，更 32 条 2 項・35 条 3 項・46 条 9 項・72 条 3 項，承 31 条 3 項・35 条 3 項・53 条 2 項），一定の法律行為は否認され，財産は現状に復することになること（破 160 条以下，再 127 条以下，更 86 条以下），また，更生手続では更生会社の財産についての担保権が消滅させられること（更 104 条以下）などの実体法上の効果が定められている。

国際倒産事件においては，債務者がそれまで国際的な広がりをもつ活動をしていたことから，これらの倒産実体法上の諸問題において対象となる契約，担保権などの準拠法が外国法であることも珍しくないであろう。そのため，平時において適用されていたそれらの準拠法と倒産時における日本の倒産法が定めるところとの関係が問題となる。

倒産に至った以上，債権者平等・関係者の利害調整・事業や経済生活の再生などの倒産法の目的を貫徹するとの観点から，倒産法に定める事項はすべて日本法によるべきであるとの立場と，国際倒産管轄が複数の国に認められることを前提に，倒産に至る前の段階における法的予測可能性を確保するためには，できるだけ，倒産前に適用されていた準拠法の適用を確保すべきであるとの立場が対立している。

前者の立場が妥当であろう。というのは，倒産法制の背後にはきわめて強い法政策があり，倒産実体法規定はその不可欠の一部であって，原則として，準拠法のいかんにかかわらず適用されるべき**絶対的強行法規**であると考えられるからである。たとえば，債務者が債権者の権利を害する行為をした場合，平時であれば，その詐害行為の対象となった財産の帰属の問題として，財産所在地法によるとの扱いをするとしても（詐害行為取消権の準拠法については第4章Ⅳ(g)参照），倒産時には，財産がどこにあるかによって同様の行為が否認権の対象となる場合とならない場合とに分かれるということは，債務者との間でその種の行為をした者の間での平等取扱いが実現されず，そうすると，財産をあらかじめ否認権が認められにくい地に移しておくという対応策を可能としてしまう。否認権は債権者全体の利益を確保する強い手段であると考えられるので，日本が倒産手続地国であれば，対象財産の所在地にかかわらず，日本法上の否認権行使ができると解すべきである（もちろん外国に所在する財産に対して実効性があるかどうかは別の問題である）。

もとより，倒産実体法が直接に対象としていない事項，たとえば，双方未履行の双務契約について，契約締結権限，契約の成立・効力（消滅時効期間など），それが物権を対象とするものである場合の物権問題などは倒産実体法の規律を受けるべき範囲外の問題であり，通則法に従って準拠法が決定され，それが適用され，その上で，双方未履行の双務契約であるということになった場合には，その扱いについて倒産手続実施国の倒産実体法が絶対的強行法規として適用され，その定めるとおりの効力が生ずることになる。もっとも，実際に，外国に所在する財産について日本の倒産法の定めるとおりの効果が発生することを確保できるわけではなく，実際にその国で何らかの法的手続を要するとすれば，その国の国際私法により定められる準拠法による処理がされることになる。

(b) 外国で受けた弁済の扱い

前述のように（第5章V 1 (a)(6)），債権者が外国にある債務者の財産に対して権利を行使して一部弁済を受けた場合において，残額について日本での倒産手続における配当を受けようとするときは，債権届出をしておくことにより，他の同順位の債権者が自己の受けた弁済と同一の割合の配当を受けた後であれば，配当にあずかることができる（破109条・142条2項・201条4項，再89条，更137条）。しかし，外国で受けた弁済の債権額に対する割合が，日本で債権届けをした場合に受けることができる割合よりも高い債権者は，日本での債権届出をしないであろう。

このような場合，当該債権者に対して，管財人等は何らかの権利行使をすることができるであろうか。これについては見解が分かれている。学説の中には不当利得として返還を請求できるとの見解がある。すなわち，日本からみた債権者平等の確保を重視し，日本において不当利得として吐き出させるというわけである。しかし，実際上，そのような対抗措置は，外国での法的手続によるさらなる対抗措置を招くおそれがある。したがって，この見解のように，日本の倒産実体上の正義を貫くことにあまりに固執することは，国により法制度が異なるという現実を無視するものである。さらに，プラクティカルに考えると，このような場合に吐き出しを求めるとすれば，債権者から外国での債権回収をするインセンティヴを奪ってしまう。吐き出しを求めなくても，少なくとも当該債権者は日本において配当加入してこないという点で他の債権者にも利益となっており，それで満足すべき場合もあるように思われる。では，このことを理論的にどのように説明できるであろうか。

通則法によれば，不当利得か否かは原則として原因事実発生地法によるべきであるが（14条），ここで問題としている債権回収の場合には，債権者と債務者との間に債権等があることが前提となっているため，当該債権の準拠法によることになる可能性が高い（15条）。そして，当該債権がその準拠法上（7条から9条）有効に成立していることがここでの前提であるので，そもそも不当利得ではないということになりそうである。ただし，債務者が倒産し，倒産処理が行われる前後の債権回収であることから，そのままでよいということに直ちになるわけではない。2つの場合に分けて考えるべきである。

第1は，外国での債権回収が債務者による任意弁済である場合である。このような場合には，前述のように，その弁済行為は否認権の対象となることがあり，また，倒産手続開始後は個別執行禁止に反するとされ，その債権者は不当利得をしたと評価される。つまり，その債権者の債権の準拠法のいかんにかかわらず，日本の絶対的強行法規である否認のルールの適用の結果，その債権回収について法律上の原因がなくなるという効果が発生するのである。したがって，その債権者は破産財団等にその受領額を差し出すべきであり，そうしない場合には管財人等は不当利得返還請求をすることができることになる。

他方，第2の場合は，外国での債権回収が訴訟等の法的手続を経て行われた場合である。この場合，当該外国の公権的判断として，債務者は債権者に一定額を支払うことが命じられているので，このような場合にまで，日本の倒産法秩序維持のためにその支払いを法律上の原因がないものと評価することは問題がある。これは，**国家行為理論**（**外国国家行為承認理論**）の適用場面の1つであり，外国がその領域において公権力行使をした結果については他の国はそれが正当か否かを判断することを差し控えるべきである（第5章Ⅰ1(**d**)参照）。もっとも，外国での訴訟が債権者と債務者との間のなれ合いによるものであり，単に日本の倒産法の適用を逃れて行われた偏頗弁済であると評価されるような場合には，日本の公序（当該理論上の承認要件としてのそれ）に反するものと扱うべきであろう。

事項索引

さ　行

た　行

な　行

は　行

ま　行

や　行

ら　行

A-Z

著者紹介　澤木 敬郎（さわき たかお）

1931 年東京に生まれる。1954 年東京大学法学部卒業。1993 年逝去，元立教大学教授。主著に，『国際私法講義』（山田鐐一教授と共編著）（1971，青林書院新社），『国際私法演習』（山田鐐一教授と共編著）（1973，有斐閣）

道垣内 正人（どうがうち まさと）

1955 年岡山市に生まれる。1978 年東京大学法学部卒業。東京大学大学院法学政治学研究科教授を経て，2004 年から，早稲田大学大学院法務研究科教授，弁護士。東京大学名誉教授。主著に，『ポイント国際私法・総論（第 2 版）』（2007，有斐閣），『ポイント国際私法・各論（第 2 版）』（2014，有斐閣），『ハーグ国際裁判管轄条約』（2009，商事法務），『国際契約実務のための予防法学：準拠法・裁判管轄・仲裁条項』（2012，商事法務），『自分で考えるちょっと違った法学入門（第 4 版）』（2019，有斐閣）

【有斐閣双書】

国際私法入門〔第 9 版〕

1972 年 2 月 29 日 初　版第 1 刷発行
1984 年 12 月 20 日 新　版第 1 刷発行
1990 年 5 月 20 日 第 3 版第 1 刷発行
1996 年 3 月 30 日 第 4 版第 1 刷発行
1998 年 2 月 20 日 第 4 版補訂版第 1 刷発行
2000 年 10 月 30 日 第 4 版再訂版第 1 刷発行
2004 年 4 月 5 日 第 5 版第 1 刷発行
2006 年 10 月 20 日 第 6 版第 1 刷発行
2012 年 3 月 30 日 第 7 版第 1 刷発行
2018 年 9 月 30 日 第 8 版第 1 刷発行
2024 年 8 月 30 日 第 9 版第 1 刷発行

著　者　澤木敬郎・道垣内正人
発行者　江草貞治
発行所　株式会社有斐閣
〒101-0051 東京都千代田区神田神保町 2-17
https://www.yuhikaku.co.jp/
印　刷　大日本法令印刷株式会社
製　本　牧製本印刷株式会社
装丁印刷　萩原印刷株式会社

落丁・乱丁本はお取替えいたします。定価はカバーに表示してあります。

Printed in Japan ISBN 978-4-641-11285-8